À COEUR OUVERT

Tony Foster

À COEUR OUVERT

**Traduit de l'anglais par
LISE PARENT**

ÉDITIONS DU TRÉCARRÉ

Couverture:
Conception graphique de Martin Dufour
Photo de Pierre Brault

Photocomposition: Jacques Filiatrault inc.

Le Conseil des Arts du Canada a accordé une subvention pour la traduction de cet ouvrage.

L'édition originale de cet ouvrage est parue en anglais sous le titre *By-Pass* publié par Methuen.

L'échelle de Holmes citée en page 220 est tirée de *Stressful Life Events — Their Nature and Effects* par B.S. Dohrenwend et Bruce Philip Dohrenwend (1974) et reproduite avec l'autorisation de John Wiley and Sons, Inc., N.Y.

Dépôts légaux: 1er trimestre 1985
Bibliothèque Nationale du Québec
Bibliothèque Nationale du Canada

ISBN: 2-89249-095-2
Imprimé au Canada

La collection «Comme un roman» est dirigée par René Bonenfant

Éditions du Trécarré
2973, rue Sartelon
Ville Saint-Laurent, QC
Canada, H4R 1E6

Prologue

Kingston, Canada

2 juillet 1980

Quand on s'est enfin résigné à accepter l'inévitable, c'est l'attente qui commence à nous ronger. Quel Dieu narquois s'est amusé à fractionner la vie en une série d'attentes? Attendre de naître, de marcher, de parler, d'apprendre. Attendre les déceptions, les désastres, la vieillesse. Puis attendre la mort. Vais-je mourir aujourd'hui? Tout est possible.

Au dixième étage de l'Hôpital Général de Kingston, cinq civières sont alignées dans la salle d'attente et chacun des malades guette le signal qui l'avertira que sa salle d'opération est prête. Je suis étendu sur l'une d'elles. Mon opération est prévue pour 8 heures. Je suis en avance. Alors, j'attends.

La fiche médicale de chaque patient est attachée au drap qui lui enveloppe les pieds. Trop loin pour qu'il puisse l'atteindre, pour qu'il puisse la lire. La mienne dit: «CHIRURGIE DE PONTAGE CORONAIRE, DR T. SALERNO». Je l'ai lue dans l'ascenseur, en montant. J'ai de très bons yeux. C'est mon cœur qui fait des siennes.

Pendant quarante-sept ans, il a pompé des millions de gallons de sang sur des milles d'artères et de veines. Puis il a flanché. Infarctus du myocarde, paraît-il. Pour le profane que je suis, ces mots ont un sens nébuleux. Pourquoi ne pas parler

7

simplement de crise cardiaque? Les médecins sont pareils aux avocats lorsqu'il s'agit de dissimuler l'évidence.

Étendue à côté de moi, une vieille femme frêle, à la peau ridée, au visage percé de grands yeux lumineux et barré d'une légère moustache, hoche gentiment la tête:

— Quelle belle journée!

Nous aurions pu nous trouver sur le même trottoir, devant un arrêt d'autobus. Elle a une voix jeune et musicale, et elle a raison. Au-delà des murs verts de l'hôpital, il fait un temps splendide. Je me suis réveillé tôt pour pouvoir observer le petit jour de ma fenêtre et j'en ai bu la beauté comme un condamné tire sur sa dernière cigarette pendant que le peloton d'exécution s'agite pour cacher son embarras.

Quelle belle journée pour mourir! L'été est à son apogée! Le grand lac est calme, invitant, et des nuages blancs folâtrent dans le ciel, poussés par une brise joyeuse. Combien de matins semblables ai-je vus sans les remarquer?

La vieille femme m'examine de ses yeux de myope, par-delà les quelques centimètres qui séparent nos visages.

— C'est grave? demande-t-elle doucement.

— Pontage coronaire.

Elle hoche encore la tête comme si elle l'avait toujours su:

— Je suis un cas d'exploration chirurgicale, soupire-t-elle.

Madame Exploration Chirurgicale rencontre M. Pontage. Comment allez-vous? Il n'y a rien d'autre à dire. Elle sait que je sais qu'elle a un cancer. Je sais qu'elle sait que j'ai le cœur qui flanche.

Une infirmière vêtue d'une longue blouse verte et portant un masque pousse les portes battantes, jette un coup d'œil sur la fiche médicale de ma voisine et roule sa civière hors de la pièce. Maintenant, nous ne sommes plus que quatre.

Tout est vert. C'est l'éclairage du plafond qui donne ces reflets d'un vert hideux aux murs, aux draps, aux gens, à leur teint. Qui diable a bien pu décider que le vert a un effet calmant?

De l'autre côté de ma civière, un garçonnet aux yeux vides fixe un point imprécis quelque part au-dessus de ma tête.

— Êtes-vous là? demande-t-il.

— Oui, je suis ici.

Il a six ans, peut-être sept, et la curiosité dévore son beau visage ouvert.

— Tant mieux. Je croyais qu'ils vous avaient emmené. Je m'appelle Kevin. Après mon opération, je pourrai voir. Mon médecin l'a dit!

Quelle confiance! Mes défenses cèdent finalement et je me mets à verser des larmes d'impuissance sur la vieille femme, sur le garçonnet aveugle et sur moi-même. Nous sommes tous dans la même galère, en route vers des fins inévitables et identiques. Kevin a encore à prendre conscience de sa mortalité, tandis que la vieille femme l'a déjà acceptée. Moi, j'essaye toujours de m'y faire.

Ils viennent me chercher. Impossible de dire adieu aux autres. J'ai la gorge serrée et, au creux de ma poitrine, ma vieille angine recommence ses constrictions.

Ma civière roule le long d'un corridor d'un vert passé. Je traverse une porte et me retrouve dans une salle inondée de soleil. L'intensité de la lumière m'oblige à plisser les yeux, ce qui camoufle mes larmes.

La salle d'opération est beaucoup plus petite que je ne l'aurais pensé. Cinq personnes en longue blouse, la moitié du visage cachée par un masque, s'affairent à diverses tâches. Je sais que je les ai déjà toutes rencontrées, mais, maintenant, je ne reconnais plus que le très grand anesthésiste, un peu efflanqué, qui est passé me voir quelques minutes, hier soir. Il fredonne d'une voix fausse un petit air quelconque et, au moment où on me glisse sur la table d'opération, il me salue de sa main gantée. Je me détends un peu et regarde autour de moi.

L'équipement en acier inoxydable miroite sous les projecteurs. Près de mon coude, une série de scalpels terrifiants sont soigneusement rangés sur un linge vert replié! un peu plus loin, j'aperçois des cuvettes, des plateaux, une petite scie circulaire aux minuscules dents brillantes, du genre parfait-bricoleur, et, enfin, un cœur-poumon artificiel branché sur une petite génératrice d'appoint, au cas où il y aurait une panne de courant. Tout est fin prêt, immaculé et dans un ordre parfait.

— Bonjour, tout le monde! J'espère que vous avez tous eu une bonne nuit de sommeil et que vous avez la main agile et sûre, ce matin...

La force de ma voix m'étonne. Quelqu'un rit. C'est suffisant pour que je sache qu'aucun d'eux n'a vraiment bien dormi depuis des mois. Je suis entouré d'une équipe de médecins pour qui les nuits blanches font partie des aléas du métier.

On m'enfonce des seringues d'intraveineuses dans les bras. Le plasma se met à dégoutter dans des tubes de plastique transparent branchés sur des bouteilles de verre suspendues. J'ai l'impression qu'il fait terriblement froid. Est-ce mon imagination? Comment ces médecins pourront-ils garder assez de souplesse dans les doigts pour bien s'acquitter de la tâche délicate qui les attend? N'y a-t-il donc pas un thermostat dans cette pièce?

Ils forment un cercle autour de moi: des yeux bruns, noisette, bleus, qui semblent tous très absorbés. Le grand moment est arrivé. Par la fenêtre, je vois un coin de ciel d'un bleu profond qui réveille dans mon âme de pilote l'envie de faire quelques pirouettes dans les nuages. Puis quelqu'un appuie sur un commutateur et tout sombre dans l'obscurité.

Kingston, Canada

14 janvier 1980

Un éléphant écrase ma poitrine. Il s'entête depuis déjà des heures. Je ne sais pas s'il est gris ou rose, mais bon Dieu qu'il est lourd! La queue bien pressée le long de mon sternum, son gigantesque arrière-train me coupe le souffle. La vie tente désespérément de s'échapper de ma pauvre carcasse, tandis que je gis là, prisonnier de la douleur.

C'est presque la fin. Déjà, je ne sens plus mes bras, ces pauvres paquets de chair et d'os maintenant superflus. Les doigts me picotent bien encore un peu, mais ils n'ont plus la moindre force. Sous l'effet des spasmes, j'ai la tête secouée de tous côtés dans un effort pour fuir cette torture. Ce qu'il me reste de conscience diminue peu à peu en attendant la délivrance de la mort.

Mais combien mon corps lutte contre ce titan de la destruction, quelle résistance il oppose pour ne pas s'écraser dans l'abîme. Abandonne! C'est fini! Fini! Passe à d'autres la coupe de la vie, drape-toi de ton linceul, laisse les autres continuer la fête en paix!

De l'oxygène sec et froid s'engouffre dans ma gorge; un jeune ambulancier à la chevelure abondante, aux yeux de porcelaine pleins de compassion et d'inquiétude, maintient sur ma figure un masque de plastique malodorant. Il prend ma tête entre ses mains fermes et me murmure des mots d'encoura-gement. La sirène hurle pour qu'on nous laisse passer. Les voitures se rangent-elles? Et puis, quelle importance? Ne va-t-on pas, après tout, constater mon décès à l'arrivée?

Par radio, un ambulancier communique mon état à l'hôpi-tal: couleur de la peau, température, rythme respiratoire, rythme cardiaque et pression artérielle.

La sirène se tait. Les portes s'ouvrent. Six paires de mains me déposent sur une civière. Puis, je vois des gens s'agiter autour de moi comme des enfants autour d'un camion d'incendie, excités par l'imminence du désastre.

Je flotte sur un nuage de sensations étranges, spectateur impuissant de tout ce va-et-vient. On m'enfonce des aiguilles dans les bras, on m'injecte des liquides, on branche des fils, puis des crayons d'acier commencent à tracer des graphiques pendant que s'élèvent, au-dessus du brouhaha, les bip-bip distincts et réguliers de l'appareil qui reproduit les battements de mon cœur.

La douleur se résorbe peu à peu. L'éléphant s'en va doucement, me laissant épuisé et affaibli, mais tellement heureux d'être en vie.

Au milieu de toute cette confusion, Helen apparaît à mes côtés et me prend la main, souriant à travers ses larmes. Elle ne parle pas. Il n'y a rien à dire. Je m'assoupis, me réveille, puis m'assoupis de nouveau. Et voilà qu'on l'emmène pour lui faire signer des papiers. On me déshabille et je me laisse faire, merci-beaucoup-monsieur-Foster.

— Ne remuez pas; nous allons bien nous occuper de vous.

Avec plaisir.

Un jeune médecin, barbe rousse et accent irlandais, surgit de derrière le rideau et se présente.

— Vous avez fait une crise cardiaque, me dit-il gentiment, les lèvres presque entièrement dissimulées sous son abondante moustache.

— En êtes-vous bien sûr?

Cette fois-ci, je veux en être tout à fait certain. Deux semaines avant Noël, une autre ambulance m'avait transporté à ce même hôpital, dans cette même salle d'urgence, pour presque le même genre de douleur à la poitrine. Peut-être pas aussi intense, aussi persistante ou aussi exténuante, mais néanmoins tout aussi angoissante.

Le médecin avait alors diagnostiqué une indigestion aiguë à la suite d'un repas pris trop rapidement. Autre médecin, autre diagnostic. Et moi, comme un bel idiot, j'avais acquiescé.

Depuis lors, mon médecin de famille me prescrivait systématiquement des doses massives d'antiacide liquide qui, bien que sans aucun effet sur mes fréquentes douleurs pectorales, me faisaient faire des rots longs et bruyants comme on en entend rarement.

— Aucun doute possible. Vous avez fait un infarctus du myocarde dans la région coronaire antérieure.

— Et en français, s'il-vous-plaît, comment appelez-vous ça?

— Excusez-moi. Il s'agit de la partie supérieure gauche, derrière le cœur.

— C'est grave?

Il prend un air évasif, mordille quelques poils de sa barbe.

— Une crise cardiaque est toujours grave. Votre ECG, c'est-à-dire le tracé de l'électrocardiographe, indique qu'il y a eu des dommages. Nous ne pourrons en mesurer l'étendue qu'après avoir vérifié votre numération globulaire pour en établir le taux enzymatique.

— Je vois.

En fait, je ne vois rien du tout, mais je suis trop fatigué pour chercher à en savoir plus long et il a probablement reçu la consigne de ne pas m'alarmer.

— Nous allons vous garder sous observation pendant quelques jours à l'unité des soins coronaires, au cas où il y aurait des complications.

Il lance cette petite phrase sur un ton neutre, laissant entendre que les risques de complications sont si minimes que, s'il n'en tenait qu'à lui, il laisserait Helen me ramener à la maison sur-le-champ.

— Quelles sortes de complications, Docteur?

C'est tout de même curieux que je doive demander des explications. Les patients qui aboutissent à l'urgence se contentent-ils toujours d'acquiescer? Il doit bien parfois y en avoir quelques-uns qui veulent savoir ce qui leur arrive.

Au lieu de me répondre, il me fait un sourire qui ressemble à une déchirure horizontale dans un rideau de feu. S'il a des dents, je n'en ai pas vu une seule. Il marmonne quelques mots à l'intention des infirmières, me lance un clin d'œil complice, puis disparaît côté jardin.

On arrive à l'unité des soins coronaires, au quatrième étage, au terme d'un trajet en ascenseur. Elle se compose de cinq chambres privées, dotées chacune d'un panneau coulissant en verre qui donne sur le poste de contrôle. Une infirmière aux yeux perçants y est assise et surveille les affichages numériques que transmet le cœur de chaque patient depuis son aquarium. Jour et nuit, quelqu'un observe ces battements de cœur sur DEL*, ainsi qu'une infinité d'autres tracés luminescents, prêt à réagir à la moindre variation à la norme.

Les premières heures qui suivent une crise cardiaque sont décisives. La douleur découle de l'incapacité des artères coronaires à fournir au cœur suffisamment de sang oxygéné pour le nourrir. Cette douleur, enfouie profondément sous le sternum, s'appelle «angine de poitrine».

Une attaque d'angine ne signifie pas nécessairement que la crise cardiaque est imminente. Habituellement, c'est plutôt le

---

*DEL: Diode électro-luminescente, N.D.L.T.

contraire. Toutefois, si la douleur persiste plus de cinq minutes après l'arrêt de toute activité physique, il y a de fortes chances pour qu'une crise soit déjà en cours.

Pour une raison inexplicable, les médecins sont peu enclins à parler d'angine et préfèrent supposer que toute douleur pectorale résulte de ligaments déchirés, de contusions au sternum, de bronches enflammées ou d'indigestion... de tous, sauf de problèmes cardiaques. Malheureusement, à moins qu'on ne prenne la pression du malade et qu'on ne lui fasse un électrocardiogramme au moment où il ressent ce type de douleur, il n'existe aucun moyen simple permettant de déterminer s'il souffre d'angine ou d'une vulgaire indigestion. Ce n'est qu'après que les dommages ont fait leur terrible travail et infirmé le diagnostic original que la vraie cause de la douleur s'impose par son évidence.

C'est alors que commencent à mourir les parties du cœur normalement alimentées en sang oxygéné par celle des artères coronaires que le processus de la maladie a partiellement ou entièrement bloquée. Le cœur se met à pomper plus vite et plus fort pour compenser cette perte ; les autres artères transportent donc un volume de sang plus important à travers un circuit qui va en se rétrécissant. Il s'ensuit une exacerbation de la douleur qui persiste jusqu'à ce que l'état du patient se stabilise quand son cœur reçoit enfin tout le sang dont il a besoin.

Mais il arrive que les tissus endommagés entraînent la formation de caillots ; ceux-ci circulent dans les vaisseaux pendant des heures ou jusqu'à ce que l'un d'eux reste coincé dans le cœur, provoquant de nouvelles obstructions et, finalement, la mort.

Dans d'autres cas, le circuit électrique du cœur se dérègle complètement : cessant d'exécuter les ordres du cerveau, il entre en fibrillation. Ces contractions rapides et irrégulières du muscle cardiaque privent tout l'organisme de sang oxygéné, un peu comme une pompe centrifuge qui fonctionnerait à vide. Sans une stimulation électrique immédiate permettant de court-circuiter ces fibrillations, la mort n'est plus qu'une question de minutes.

Enfin, il se peut aussi que le cœur abandonne tout simplement la lutte, complètement épuisé par une vie de travail acharné et de batailles constantes. Dans ces cas-là, il n'y a plus rien à faire.

— Mais, dans votre cas, je n'entrevois rien d'aussi grave. Vous êtes en bonne forme, encore dans la quarantaine, et vous recevrez les meilleurs soins possibles. Si vous aviez rencontré quelques-uns des cas désespérés que nous avons eu ici et qui s'en sont sortis, vous ne vous inquiéteriez pas.

Andrew Koval est le principal cardiologue résidant. C'est un homme de mon âge, assez grand, débordant de santé : il affiche l'assurance d'un politicien en campagne dans sa circonscription et qui est convaincu que ses adversaires n'ont pas la moindre chance. Il se dégage de tout son être cette aura de puissance qui peut inverser le cours des rivières, faire s'évanouir les vieilles dames et magnétiser les infortunés cardiaques de mon genre. Il vulgarise ses explications, écartant sommairement toute possibilité de désastre comme si les complications étaient trop improbables pour qu'on perde du temps à en discuter.

Il bluffe, bien entendu, mais je suis d'humeur à avaler toutes ses histoires, ayant désespérément besoin de croire à ma survie. Il y a à peine deux heures, j'ai failli sombrer dans une mer de douleurs! Maintenant, je surnage dans un océan d'optimisme créé à mon intention par le docteur Koval et son équipage d'internes, d'infirmières et d'assistants. Je suis comblé.

Ils auscultent, sondent, écoutent, réfléchissent, discutent de leurs conclusions et hochent la tête d'un air entendu. Une infirmière se faufile à mes côtés, portant une espèce de plateau de cireur encombré d'éprouvettes. D'une main experte, elle me perfore une veine du bras et me fait une prise de sang, sans s'occuper le moindrement des autres.

— Sentez-vous encore des douleurs? me demande un interne.

— Un mal sourd, mais pas de douleurs précises... elles ont disparu.

— Pouvez-vous me décrire ce que vous ressentiez? La douleur était-elle régulière ou est-ce qu'elle variait d'intensité?

J'implore le docteur Koval du regard et il me répond par un sourire encourageant. Je commence donc par leur présenter mon éléphant. Ils hochent la tête comme des gens qui ont déjà entendu la blague au cours d'une autre soirée ou au chevet d'un autre lit. Ils savent tout de mon éléphant.

— Nous allons vous donner des comprimés béta-bloquants, de l'Indéral, à raison de vingt milligrammes toutes les huit heures, au début. Ces comprimés sont très bons pour le cœur. Ils favorisent une meilleure oxygénation du sang en plus de ralentir le pouls et de faire baisser la pression artérielle, ce qui permet au cœur de se détendre pendant qu'il se cicatrise.

Le remède idéal, omnipotent. J'ai une envie folle de réclamer immédiatement mon premier comprimé. À mes côtés, le vampire achève de remplir sa demi-douzaine de tubes, les charge sur son plateau et se retire, un sourire de remerciement figé sur les lèvres.

Une autre technicienne apparaît à l'entrée de l'aquarium, un tout petit bout de femme qui m'épie, cachée derrière un robot géant. La machine infernale s'arrête dans un dernier geignement.

— M. Foster?

Va-t-on nous présenter ou me livrer sans plus au monstre? Tous s'écartent du passage du robot qui se remet à gémir, son énorme œil clignotant à quelques pouces de ma tête. La technicienne vérifie mon bracelet d'hôpital au cas où je lui aurais menti, puis laisse tomber un vague: «Rayons X» et se met aussitôt à la tâche.

Combien de REM cette machine infligera-t-elle à mon pauvre corps. Le REM est l'unité servant à évaluer l'effet biologique des radiations absorbées par l'organisme. Cet effet est cumulatif et dommageable, et, à la longue, peut déclencher un cancer ou causer des malformations congénitales. Mais, à vrai dire, même le dentifrice est cancérigène si on est assez idiot pour en avaler quelques tubes. Tout de même, je remarque que les médecins et les infirmières se tiennent à une distance respectueuse de l'œil du cyclope lorsque la technicienne me demande de prendre une profonde respiration... et... de retenir mon souffle.

Puis, aussi vite qu'ils sont apparus, tous repartent : le robot, son chauffeur miniature, les infirmières, les internes, les résidants et le tout-puissant docteur Koval, ma bouée de sauvetage !

Ils laissent entrer Helen quelques minutes. Ses gestes me semblent saccadés, ses muscles tendus comme des ressorts, ses lèvres serrées ; son visage de cire me révèle un regard effrayé. Comme je l'adore. Elle a tout supporté pendant si longtemps, et maintenant, ceci !

— Ça va bien. Le médecin dit que je vais me rétablir complètement. Regarde-moi tous ces fils et cet attirail électronique ! Je te parie qu'il me suffirait de lâcher un pet pour déclencher une alarme quelque part et voir rappliquer à mon chevet toute une escouade d'infirmières !

Elle sourit et me serre la main, bien que la blague ne soit pas des meilleures. Un interne se présente, papiers et crayon en main ; il a un millier de questions à me poser. Helen me promet de revenir au cours de l'après-midi.

Est-ce seulement encore le matin ?

— Oui, docteur, je suis allergique à la pénicilline, à la caféine et à la tétracycline. Non, aucun antécédent cardiaque dans la famille. Mes parents et grands-parents sont tous morts assez tôt de cancer ou très tard de vieillesse. Même chose pour la tuberculose et le diabète, aucun antécédent.

L'hérédité est l'un des facteurs les plus déterminants dans les cas d'insuffisance cardiaque. Tout comme certains gênes transmettent les traits ou la texture et la couleur des cheveux des parents ou encore la solide constitution d'un grand-père, ils sont parfois porteurs de déficiences graves. À l'approche de l'âge mûr, lorsque la capacité de l'organisme à regénérer ses structures cellulaires se met à diminuer et que le processus de vieillissement commence, ces déficiences se manifestent. Reins faibles, maladies du foie, problèmes de pancréas ou d'estomac, dans bien des cas on peut rattacher tous ces troubles à des antécédents familiaux.

Après avoir épuisé l'aspect hérédité, il change de cheval de bataille:

— Fumez-vous?

— Tous les jours depuis trente-deux ans, mais j'ai cessé ce matin.

- Il était temps, je dirais.

Après l'hérédité, la cigarette est le pire ennemi du cœur. Est-ce que je m'en rends bien compte? Embarrassé, je marmonne une phrase suffisamment contrite, mais il n'est pas prêt de désarmer. Ce jeune homme, tout frais émoulu de l'université, a le cerveau encore bourré des dernières découvertes médicales.

— En plus d'obstruer les poumons d'une substance noire et collante qui provoque de l'emphysème et peut engendrer un cancer, la cigarette prive l'organisme d'une bonne partie de la ration d'oxygène dont il a besoin. Vous rendez-vous compte que, chaque fois que vous tirez une bouffée de ces saletés de cigarettes, vous inhalez du monoxyde de carbone, un gaz toxique qui passe directement dans votre sang? Résultat: pression artérielle et rythme cardiaque à la hausse. Pour ce qui est des dégâts à long terme, vous accélérez le durcissement des artères. Et vous fumez depuis plus de trente ans! Quelle inconscience!

Ses yeux brillent du feu sacré de l'évangéliste. Je suis convaincu, mon frère. Depuis ce matin, depuis la visite de mon éléphant, il n'y a pas plus croyant que moi. Mais je voudrais bien que cet interne en finisse avec ses questions, que je puisse enfin dormir. J'ai la tête si lourde.

On me réveille successivement pour m'administrer des médicaments, «merci», le déjeuner, «non merci, je n'ai pas faim», reprendre ma température et ma pression, puis, enfin, pour laisser le vampire prélever encore un peu de mon sang. Je me demande ce qu'elle peut bien faire de tout ce sang. Même le robot à rayons X revient pour une seconde séance. Apparemment, j'ai la poitrine un tantinet trop large pour les dimensions du négatif. Ils ont besoin d'une photo du tantinet... Après tout ce branle-bas, on referme la porte doucement et on me laisse enfin en paix.

Ma chambre est aussi lumineuse qu'aérée. L'appareil à oxygène chromé et les divers accessoires muraux semblent neufs et sont bien entretenus. L'ameublement est moderne et merveilleusement propre. Même le crucifix, accroché bien haut au-dessus du lit, est de lignes modernes. Avec le nom de l'hôpital, Hôtel-Dieu, il constitue le seul vestige des origines religieuses de l'établissement.

Devant ma fenêtre, de l'autre côté de la rue, se dresse l'ancienne résidence de sir John A. MacDonald, qui inaugura la fonction de premier ministre au Canada. Une page d'histoire juste devant mes carreaux. C'est une maison en pierres de deux étages, rectangulaire, simple et symétrique, percée de superbes lucarnes. Je ne l'ai jamais visitée. Pourquoi croyons-nous toujours que l'herbe est plus verte dans le jardin du voisin?

À Rio de Janeiro, il y a quelques années, j'ai pris le téléphérique pour monter jusqu'au sommet du *Pão de Açúcar*, la fameuse montagne en pain de sucre. À cette époque, mon associé brésilien m'avait reproché de lui faire perdre son temps. Il avait passé toute sa vie à Rio et n'avait jamais escaladé cette montagne avant que je ne l'entraîne dans cette expédition. Je ne me souviens plus maintenant s'il avait apprécié l'aventure et le panorama spectaculaire que, là-haut, on avait de Rio reposant dans son magnifique écrin de plages de sable blanc, mais, l'année suivante, lorsqu'il vint me rendre visite au pays, il exigea que je l'emmène sans délai aux chutes du Niagara.

— Mais, Marco, avais-je protesté, ce n'est que de l'eau qui tombe d'une falaise dans un halo d'arc-en-ciel!

— Philistin, m'avait-il répliqué, n'as-tu donc pas d'âme?

Étendu sur mon lit, je rumine mes pensées, essayant de me

faire à l'idée que je suis un être mortel. Jusqu'à maintenant, les guerres, les révolutions, les accidents et la maladie s'étaient toujours contentés de faucher autrui. Ah! l'immortalité de l'optimiste qui regarde le reste du monde succomber pendant que la mort passe et repasse à ses côtés sans même jeter un regard dans sa direction.

Voilà bien pourquoi les adolescents font les meilleurs soldats. Débordant du courage que donne l'ignorance du danger et des statistiques, ils ne peuvent concevoir leur propre destruction avant qu'il ne soit trop tard pour abandonner la partie. Puis, tout d'un coup, ils sont trop vieux pour s'en soucier.

Helen est revenue s'asseoir tranquillement à mon chevet. Même dans mon sommeil, je peux sentir son regard sur moi.

— Bonjour, tu es ici depuis longtemps?

— Quelques minutes, je ne voulais pas te déranger.

— Comment vont les enfants?

— Bien. Ils sont à la maison, en train de se disputer. Ils se sont faits à l'idée que tu vas te rétablir.

Dehors, ls nuages de cet après-midi d'hiver sont empilés très haut, formant une coupole dorée. Un rayon de soleil solitaire lèche le vieux toit vert foncé de la maison de sir John. Les congères qui flanquent les immeubles auraient besoin d'un bon époussetage pour les débarrasser de la crasse urbaine.

— J'ai réfléchi.

— Oui?

— Rien ne sera plus jamais pareil.

— Je sais.

— Tu vas peut-être trouver ça étrange, mais j'ai mis plus de la moitié de ma vie à découvrir que les choses importantes avaient toujours été à portée de ma main; je n'avais qu'à tendre le bras pour les saisir, mais j'étais aveugle. La richesse, le pouvoir, les sensations fortes, les voyages, les réussites ou les échecs n'ont plus aucun sens quand tout est fini. Pourquoi se tuer à vouloir voler jusqu'au soleil? Au bout du compte, on finit tous dans la même petite boîte rectangulaire. Tout ce dont j'ai jamais eu besoin, c'est de toi et des enfants, d'un toit au-dessus de nos têtes et d'une table bien garnie. Quel idiot j'ai été pendant toutes ces années.

— Tant de sagesse un lundi après-midi!

Nous rions tous les deux. Nous nous comprenons bien.

— Et qu'est-ce que tu vas faire, maintenant?

— Je vais d'abord me rétablir; le reste devrait être facile.

Les équipes se relaient à minuit. De nouveaux visages me réveillent pour me donner mes médicaments, puis prendre ma température et ma pression. Le moniteur cardiaque installé dans ma chambre indique que le rythme de mon cœur s'est ralenti, passant de soixante-dix-huit à cinquante-six battements à la minute. L'Indéral fait silencieusement son travail.

À mesure que les heures passent, mes chances de survie augmentent. Je flotte dans un doux cocon de confort chimique, confiant à l'idée que mes fonctions vitales seront étroitement surveillées toute la nuit depuis le poste de garde de l'unité. Ni caillots ni complications pour moi. Je sombre dans le sommeil.

Le matin suivant, le docteur Koval revient faire sa tournée quotidienne. Il entre avec sa suite et tous se placent en cercle autour de mon lit comme la première fois. Il prend mon pouls, les yeux rivés sur le moniteur.

— Toujours de ce monde?

— Et j'ai bien l'intention d'y rester encore un bout de temps.

— Je vous l'avais bien dit. Toujours mal à la poitrine?

— Non. C'est normal?

Je voudrais que tout soit normal. Il me fait un grand sourire, un grand sourire d'enfant qui cherche un complice pour partager son secret.

— Il vaut mieux pour les douleurs qu'elles abandonnent, je ne les tolère pas sur cet étage.

Comme un seul homme, toute sa suite émet un petit rire rituel. J'esquisse un faible sourire.

— Combien de temps devrai-je rester ici?

— Quelques jours encore, jusqu'à ce que vous soyez tiré d'affaire et que vous vous sentiez plus fort. Ensuite, nous vous déménagerons à l'autre bout du couloir, avec mes autres patients. Puis, si vous êtes sage, je vous renverrai chez vous. Disons dans dix jours, Ça vous va?

Il y a quelques années, on prescrivait encore aux malades cardiaques des périodes de repos interminables. Condamnés à une vie d'inactivité, leurs muscles, y compris le cœur, s'atrophiaient, s'affaiblissaient, puis finissaient par mourir. Aujourd'hui, la prescription universelle consiste en un programme d'exercices progressif à entreprendre une fois la cicatrisation terminée, ce qui demande une dizaine de jours.

Pour qu'ils puissent continuer à remplir leur rôle, les muscles doivent travailler. Plus vite on recommence à les exercer après l'hospitalisation, mieux c'est. Le programme d'exercices varie d'un patient à l'autre, selon l'âge, la forme physique et la gravité des dommages coronaires. Dans mon cas, on ne pourra pas en déterminer l'étendue avant trois jours, c'est-à-dire pas avant qu'on ait terminé la compilation du taux d'enzymes dans mon sang. C'est alors que j'apprendrai à quelles restrictions mon existence sera soumise dorénavant. À ce stade, on ne peut rien dire. Il semble que la gamme des possibilités varie depuis la vie d'un coureur de marathon à celle d'un handicapé cardiaque, prisonnier de son fauteuil roulant.

Ils tâtent et sondent, auscultent et écoutent à l'aide de leurs stéthoscopes placés au niveau de mes poumons, de mes artères carotides et, bien entendu, de mon cœur. Une reprise de la séance d'hier, mais avec légèrement moins d'angoisse et de hâte.

Je me sens vraiment mieux. J'ai mangé un peu au petit déjeuner et j'ai sonné pour demander un bassin hygiénique... quelle sensation de ridicule, pour un homme de mon âge, que d'être assis sur un minuscule siège chromé, discrètement drapé dans une chemise de nuit, qui comme une tente de cirque, dissimule l'horrible réalité. Mais on ne peut pas interrompre les fonctions organiques.

— Mon gars, si tu manges pas, tu chies pas, et si tu chies pas, tu crèves, m'avait un jour lancé un grand Texan loquace qui travaillait aux cuisines, au lac de l'Aigle, quand j'avais refusé la platée de haricots noirs qu'il me tendait.

Le Seigneur Koval me tapote doucement l'épaule en guise de conclusion. Je lui saisis le poignet :

— Connaissez-vous la cause, Docteur?

— Vous voulez dire de votre crise cardiaque?

Il secoua la tête :

— Personne ne sait exactement ce qui provoque une crise cardiaque. Si vous me demandez pourquoi vous avez eu une attaque hier, je vous dirai que l'une de vos artères coronaires est affectée d'artériosclérose avancée, ce qui empêche votre sang de circuler librement. C'est très simple. Mais il s'agit de la conséquence et non de la cause. Il faut chercher celle-ci jusque dans sa jeunesse, la vôtre, la mienne, celle de tout le monde. Chacun de nous souffre d'artériosclérose ou d'un durcissement des artères.

Il me confie que, pendant la guerre du Vietnam, les médecins militaires ont décelé des cas d'artériosclérose avancée chez des adolescents morts au combat. Des jeunes gens dans la fleur de l'âge, dans la meilleure des conditions physiques, présentaient des artères coronaires en grande partie obstruées par un dépôt cireux et jaune qu'aucun mécanisme de l'organisme ne peut dissoudre ni absorber.

— Ils n'étaient pas nés comme ça. Avec l'aide de leurs parents, ils ont enclenché le processus avant même d'entrer dans l'armée. Trop de hot-dogs, de lait fouetté, de hamburgers, de crème glacée, de beurre et, plus tard, trop de cigarettes ou de marijuana. S'ils avaient survécu à la guerre, la plupart d'entre eux seraient alités aujourd'hui dans des unités de cardiologie à cause d'un excès de travail, de boissons alcooliques, de couchers tardifs ou bien encore de problèmes conjugaux et familiaux, d'embonpoint, etc. Autant de choses qui taxent lourdement l'organisme. Ce muscle qui bat dans notre poitrine est une petite merveille si l'on pense à ce qu'on lui fait subir chaque jour.

— Mais il doit bien exister un moyen de prévenir l'artériosclérose ?

Le problème me semble tellement minime quand je pense que nous avons réussi à envoyer des hommes sur la lune, à percer les grands mystères de l'univers. Comment se peut-il que nous n'ayons pas encore trouvé un moyen de dissoudre ces dépôts cireux ?

— Nous y travaillons, croyez-moi, mais, pour l'instant, il n'y a qu'une façon de rester en parfaite santé : ne jamais fumer, fuir les villes, faire huit heures d'exercices par jour, déménager au Népal ou en Laponie, ne consommer que du lait écrémé, des légumes frais et du poisson, et, par-dessus tout, ne jamais s'inquiéter parce que la tension et les inquiétudes provoquent des crises cardiaques aussi sûrement que la cigarette ou les excès de table.

Il hausse les épaules et me sert encore une fois son sourire d'enfant complice :

— Êtes-vous prêt à changer votre mode de vie ?

— J'imagine que je n'ai pas le choix si je veux retarder ma rencontre avec le Créateur, comme on dit.

Koval et sa suite repassent la porte, en oubliant aussitôt mes problèmes. Dans l'aquarium adjacent, une vieille femme obèse chancelle entre la vie et la mort. J'ai entendu les infirmières lui parler pendant le petit déjeuner. Elle ne voulait pas manger, ne voulait déranger personne et son seul souhait était qu'on la laisse mourir en paix. Son désir de vivre s'est éteint dans l'obscurité de sa mémoire fragmentée. En les privant de sang, l'artériosclérose a endommagé certaines parties de son cerveau, la réduisant à la sénilité, à cette enfant larmoyante et désarticulée dans un corps d'adulte de quatre-vingts ans.

Qui donc a écrit : « Je brûle la chandelle par les deux bouts. Elle ne durera pas toute la nuit. Mais, ah ! mes amis, quelle belle lumière ! » Koval a raison : il faut que je change de mode de vie et que j'oublie la corne d'abondance au bout de l'arc-en-ciel, parce que, si je meurs, l'abondance n'aura plus aucun sens.

Ce n'est toutefois pas à des arcs-en-ciel que je songe en voyageant dans mon passé, mais à tous ces avertissements, toujours plus précis, et d'autant plus ignorés, qui m'indiquaient que quelque chose n'allait pas avec mon cœur.

Managua, Nicaragua

Décembre 1962

Je me réveille en sursaut : un brusque court-circuit entre les muscles, les nerfs et le cerveau, accompagné d'une sensation de fatigue et de douleurs à la poitrine. Je sais qu'il s'agit d'un signe m'avertissant de mettre un terme au surmenage. Ces dernières semaines, les signes de cet ordre se sont multipliés. J'ai vieilli, je me fatigue plus vite et il y a trop longtemps que je fais ce métier. Passer dix ans à pratiquer une profession qui tue trente pour cent de ses membres doit certainement être plus dangereux que de combattre en première ligne.

Bien que mon réveil soit réglé pour 4 heures, c'est mon petit commutateur cérébral qui me tire du sommeil chaque matin, cinq minutes avant la sonnerie. Peut-être n'ai-je aucun besoin d'un réveil, mais je n'ose pas vérifier mon hypothèse et risquer de perdre les 700 dollars que me rapporte une journée de vol.

J'allume une Malboro, la première des trois paquets que je vais fumer aujourd'hui. Il y a maintenant dix ans que le rapport du Ministère de la Santé a été publié et j'essaie encore de me convaincre que tout cela n'est que de la foutaise. D'autres peuvent se tuer dans des accidents, mourir d'un cancer, faire des crises cardiaques ou devenir séniles, mais pas moi. À trente ans, je suis parmi les rares immortels qui continuent de hanter ce bas-monde. Quelle prétention et quelle sottise !

Les battants des fenêtres sont ouverts; je peux encore voir les étoiles scintiller faiblement à la pointe de l'aube. La ville est endormie. Comment 300 000 personnes entassées dans si peu d'espace peuvent-elles être si tranquilles?

Dans d'autres chambres d'hôtel ou d'appartement, un peu partout dans la ville, d'autres pilotes se réveillent. On nous surnomme les envahisseurs gringos; chaque année, nous venons pulvériser les immenses cultures de coton de ce pays.

Au Nicaragua, on ensemence au mois d'août. La saison des pluies, prévisible comme la sonnerie d'un réveil, débute au cours de la dernière semaine du même mois. Le ciel commence alors à s'assombrir durant l'après-midi. En début de soirée, les nuages se déchirent dans un crépitement d'éclairs et il se met aussitôt à pleuvoir à torrents. À minuit, tout est fini jusqu'au lendemain après-midi. Les étoiles brillent derrière un fin rideau de brume et la nuit s'imprègne de l'odeur des pavés mouillés, des briques poreuses et de la végétation détrempée.

Plus tard, en septembre et octobre, il y a des jours où les nuages forment un dais au-dessus du pays tout entier. La pluie tombe alors de façon intermittente, de l'aube au crépuscule et pendant toute la nuit. Ces jours-là, les pilotes restent au lit ou se rencontrent au Grand Hôtel, rue Roosevelt, pour échanger des blagues, parler métier et bonnes femmes ou déblatérer contre le mauvais temps.

Ils viennent de partout: des États-Unis, du Mexique, d'Argentine, de Nouvelle-Zélande, quelques-uns du Canada. Des semeurs de poudre itinérants. Le terme est mal choisi, puisque des insecticides liquides ont remplacé depuis longtemps la poudre chimique. Peu importe; de toute façon, qu'on soit pilote-pulvérisateur ou semeur de poudre, le travail est le même. De l'aviation productive, sous sa forme la plus pure, la plus excitante.

Chaque fois que le temps le permet, on décolle à l'aube et on revient après la tombée du soleil, sous la pluie, à l'aéroport de Xolotlan, dans la banlieue industrielle de Managua. L'unique piste d'atterrissage est constituée de boue et d'herbe glissante où des animaux viennent parfois paître. Le champ est bordé sur trois côtés d'un assortiment hétéroclite de hangars délabrés construits en vieilles planches de grange, de caisses d'emballage recyclées et de tôle ondulée rongée par la rouille. Des miradors occupés par les soldats de la Garde nationale de Somoza assurent la sécurité des aires ouvertes de l'aéroport... et le maintien de la dictature de la famille.

Las Mercedes, l'aéroport international de la ville, est situé quelques milles au sud, le long de la route de Tippitappa. Les avions de l'industrie agricole en sont exclus. Il est réservé aux lignes internationales et à la pathétique Fuerza Aerea, une flotte constituée de la plus belle collection de modèles de la Deuxième Guerre mondiale, donnés par le Département d'État américain pour combattre la menace communiste dans ce «bastion de la démocratie», comme le dit le parchemin encadré qui trône dans le mess des officiers.

Comme dans les autres dictatures d'Amérique centrale, la générosité du Département d'État et l'importance de son appui financier sont directement proportionnelles à la gravité de la menace communiste. Si l'on en juge par le matériel militaire fourni au Nicaragua, le pays vient bien loin dans la liste des priorités budgétaires américaines. Le journal *El Dia*, sous la férule de Somoza, consacre quotidiennement des colonnes entières au péril rouge, bien que, s'il reste des communistes en liberté dans ce pays, ils soient tout à fait invisibles.

J'arrête la sonnerie dès la première note stridente et roule hors du lit. Après une douche tiède, j'enfile une combinaison de vol propre, avale un litre de jus de pamplemousse et passe à la préparation de mon sac. J'y glisse un thermos de jus frais, des sandwichs, un pistolet, des munitions, du thon en conserve, une trousse de premiers soins et mon bon vieux passeport canadien.

Appuyé contre sa *E Pluribus Unum,* Alfonso Cardenal m'attend sur le trottoir pour me conduire à l'aéroport. Sa grosse Hillman Minx, qui lui sert de gagne-pain, est le résultat d'un nombre incalculable d'heures passées dans les cours de ferraille à chercher des pièces de rechange qui soient minimalement compatibles entre elles.

— *Hola, Commandante!*

Il est doté d'incisives proéminentes, dont une en or qu'il affiche comme un trophée quand il sourit. Et il sourit beaucoup, car c'est un homme heureux.

Tous les mois de septembre, quand j'arrive du Canada au début de la saison, Alfonso me trouve en moins de vingt-quatre heures. C'est mon *hombre**. Dans un pays étranger, tout pilote a besoin d'un *hombre* ainsi que d'une femme fiable. Grâce à Alfonso, rien n'est impossible. Il me conduit jusqu'à un appartement propre et bien éclairé, déjà équipé du téléphone, d'un réfrigérateur neuf et où m'attend une blanchisseuse noire au sourire éclatant, originaire de Bluefields, sur la côte Atlantique. Le tout, naturellement, pour une somme exorbitante. Nous discutons. Après une journée ou deux, je finis par accepter son prix légèrement réduit, et lui, le mien.

Beaucoup plus âgé que moi, il a le physique un peu flasque d'un homme dans la cinquantaine, de petits yeux rusés et les tempes grisonnantes. Son principal vice est de fumer des cigares dont l'odeur empeste son taxi, même quand il n'en allume pas. Comme j'ai insisté pour qu'il ne fume pas en ma présence, il se contente d'en mâchouiller un quand il est à mon service.

— Journée longue ou courte, *Commandante*?

Sa Hillman fatiguée brûle les feux de circulation de la rue Roosevelt. À cette heure-là, personne ne se donne la peine de s'arrêter aux feux. Deux soldats armés de carabines flânent sur un coin.

Alfonso me pose cette question chaque matin et, chaque matin, je lui réponds:

— *Quién sabe***?

Comment un pilote affecté à la pulvérisation des cultures peut-il connaître à l'avance la longueur de sa journée? De toute façon, ce n'est pas ça qui l'intéresse. Il ne fait que jauger mon

---

*Homme.
**«Qui peut savoir?»

humeur. Certains matins, je suis enclin à bavarder durant les vingt minutes que dure le trajet à travers la ville. Ces jours-là, j'en apprends davantage sur la famille Cardenal que je n'en sais au sujet de la mienne.

Alliances, belles-familles, maîtresses, il ne tarit pas et, de ses lèvres tachées de nicotine, coulent aussi des histoires épouvantables d'inceste et de bestialité. Si le quart de ce qu'il me raconte est vrai, je m'étonne que Harvard ou Princeton n'aient pas encore envoyé une équipe d'anthropologues battre la campagne à la recherche de tous ces satyres et succubes.

Je n'ai jamais réussi à l'amener à se contredire, même lorsque, des semaines ou des mois plus tard, je lui demandais de me répéter un incident qui m'était resté en tête. Ou ce qu'Alfonso me raconte est vrai, ou mon *hombre* est l'un des menteurs les plus habiles au monde.

Ce matin, comme je n'ai pas envie de parler, mon rituel *quién sabe* reste sans suite. Il respecte mon silence. En fait, à la fin de ces saisons de travail, je perds toujours le goût de bavarder. J'ai alors l'impression d'être l'un de ces invités qui tardent à partir, qui traînent encore après que leurs hôtes se sont déchaussés et fixent l'horloge en cachant mal leur impatience.

À Noël, il ne reste plus, au Nicaragua, que des étrangers sans famille qui se chargent de pulvériser les parcelles de cotonniers tardifs, après la rentrée de la récolte principale. Tous les autres passent à la saison suivante, au prochain pays. Tous, sauf les Américains et les Anglais qui ne peuvent résister au rite des moustaches blanches, des bûches de Noël, du houx et du gui. Mais la plupart s'envolent pour le Pérou, où la saison commence à peine.

Je n'irai pas, cette année. La magie de survoler les cols andins dans une carlingue non chauffée a perdu de son attrait. De plus, chez les fermiers péruviens qui ne peuvent nous payer en dollars, l'inflation galopante a entraîné une telle dévaluation du *sol* que nos émoluments ne valent presque plus rien.

Cette fois-ci, j'irai plutôt à Mexico m'installer à La Malinche, un somptueux bordel de l'élégant quartier résidentiel situé à proximité de la forêt de Chapultapec. Là, tout est prévu pour la détente, si on y met le prix, bien entendu. À celui qui se donne la peine de le chercher, chaque grande ville offre l'égal de La Malinche.

À l'entrée de l'aéroport. Alfonso envoie la main à un jeune soldat affecté à la douane. Je descends devant la première baraque de tôle, à droite, et Alfonso m'attend. D'autres voitures et taxis arrivent. Des pilotes en sortent, allument une cigarette et se saluent amicalement de la tête en se dirigeant vers le bureau de contrôle où chacun de nous doit établir son itinéraire pour la journée.

Ce n'est qu'une formalité. Si un pilote s'écrase quelque part dans la jungle, la seule recherche qui sera jamais entreprise, il la devra à ses compagnons. Chacun de nous sait .où les autres travaillent. J'inscris sur la formule un numéro de permis fictif, puis, dans la case réservée au type d'avion, j'écris « Boeing 707 », et « BULGARIE », en belles lettres moulées, sous la mention « destination ». Ces blagues ne dérident malheureusement pas le soldat chargé de ramasser nos copies puisque, comme chacun le sait, il est analphabète. Les soldats de la Garde nationale sont choisis en fonction de leur loyauté et de leur esprit d'obéissance, et non de leur intelligence. Il s'agit, le plus souvent, d'Indiens de l'intérieur au teint bistré et aux visages plats sertis d'yeux vigilants. Ils portent des pantalons gris délavés, des ceintures usées, des doublures de casque en plastique et des bottes noires toutes neuves, cirées et polies à la perfection. Impitoyables, ils font, une fois bien entraînés, des soldats magnifiques.

Malheureusement, leurs supérieurs ne se soucient de rien d'autre que de faire la noce. La plupart sont des sycophantes politiques nommés, puis chouchoutés par la famille Somoza pour assurer la pérennité du règne de la médiocrité. Cette hiérarchie parfaitement organisée a dépassé les rêves les plus fous des Somoza.

Même les emplois gouvernementaux les plus insignifiants sont rattachés à des rangs et des titres : douanes, immigration, tribunaux, services sanitaires et publics, autoroutes, agriculture, tous sont investis. Quelque part au sommet de ces masses laborieuses de travailleurs illettrés, l'uniforme, qui varie selon le rang, devient de mise. Le Nicaragua est dirigé comme une véritable entreprise familiale. C'est ce qui fait sa force, mais qui constitue également son talon d'Achille.

Les innovations, les critiques ainsi que toute opposition politique véritable sont étouffées au nom de la lutte d'une démocratie contre le communisme. La réalité est une toute autre histoire, puisque, en fait, ce pays vit sous l'emprise d'une dictature fasciste qui, depuis des années, a réussi à juguler le nationalisme émotif de ses citoyens grâce au parrainage des États-Unis. En temps opportun, l'histoire de Cuba se répétera et ces satrapies du Département d'État seront toutes renversées, qu'il s'agisse du Panama, du Salavador, du Guatemala, du Honduras ou du Nicaragua. C'est aussi sûr que la terre est ronde.

Alfonso me conduit quelques centaines de pieds plus loin, jusqu'au hangar de la compagnie. Le terrain cahoteux malmène sa *E Pluribus Unum* qui répond par d'inquiétants grognements.

— Reviens me chercher en début d'après-midi, lui dis-je finalement.

Il serait injuste de le faire attendre à l'entrée de l'aéroport, en plein soleil, sans lui donner la moindre idée de l'heure de mon retour, alors qu'il pourrait récolter de généreux pourboires en conduisant quelques clients en ville. Après tout, peut-être a-t-il vraiment onze enfants, une femme et une maîtresse à faire vivre, en plus de sa nombreuse et fort étrange belle-famille. Il sourit de soulagement et me souhaite une bonne journée à bord.

Dino Zaglaviras, mon associé, est en train d'engueuler vertement Andres, notre chef mécanicien. Andres nous a été assigné par les Forces aériennes du Nicaragua. Qu'il puisse encore tolérer les injures de Dino reste pour moi un complet mystère.

— Que se passe-t-il?

Dans la lumière jaune du bureau, leur teint a pris des nuances orientales.

— *Idiota*! hurle Dino.

— J'ai oublié de vérifier le niveau du réservoir. Nous n'avons pas d'essence, *senor*, avoue Andres d'un ton piteux.

— Impossible. Texaco est venu remplir le réservoir hier soir; je l'ai moi-même fermé à clef après avoir signé leur bordereau de livraison.

Dino se tait et me fixe d'un œil hagard :

— Alors, nous avons encore été volés ! Mille gallons ! Les salauds, ils nous ont encore eus !

Il dégaine son .45 automatique et l'arme d'un geste sec. Il est secoué par une fureur meurtrière. Nos pilotes américains, qui attendent dehors en fumant sur un banc, ont quelques gestes nerveux. Ce n'est pourtant que comédie, car Dino est un fameux acteur.

Quand je l'ai rencontré il y a dix ans, alors que nous travaillions tous deux pour le gouvernement canadien en vertu de son programme de pulvérisation des forêts, Dino s'appelait Constantine Zaglaviras et ne connaissait pas suffisamment l'anglais pour se commander seul à dîner. Un Grec originaire d'Athènes, il a perdu toute sa famille durant les troubles de 1947, puis il a appris à piloter, comme membre des Forces aériennes grecques, à San Antonio, au Texas, grâce à un programme de l'OTAN. Cet entraînement lui a sauvé la vie à plusieurs reprises, car, comme pilote, il est non seulement mauvais, mais n'a aucun instinct. Un jour, il se tuera.

— Rengaine ton arme, imbécile, avant de tuer quelqu'un.

— Mais, Tony, mille gallons !

— Où est ton gardien de nuit ?

Dino avait engagé Eduardo pour décourager les voleurs, mais je n'ai jamais eu aucune confiance en cet homme obséquieux. Et le voilà maintenant qui a disparu avec toute notre essence... Il l'a probablement vendue à l'un de nos compétiteurs, par l'entremise d'un autre gardien. Mais nous ne saurons probablement jamais ce qui est vraiment arrivé.

Dino rengaine son arme en jurant qu'il retrouvera Eduardo, qu'il l'obligera à nous dédommager, puis qu'il lui fera sauter la cervelle. Seuls les Américains semblent impressionnés, ignorant que c'est à leur intention que mon associé fait son petit cirque en anglais. Heureusement, les réservoirs de nos avions sont pleins.

— Allons, au travail!

De tous les coins du terrain, on peut entendre des moteurs tousser, étouffer, repartir, puis rugir enfin, en brisant le silence du petit matin. À l'est, derrière les arbres, une lumière rosée suinte à travers les feuilles.

— Andres, appelle Texaco et demande-leur de venir faire le plein.

— Oui, *señor*.

Il me fait un clin d'œil, puis lève les yeux et les mains au ciel en signe de résignation, tandis que Dino se dirige à grands pas vers son avion.

Nous avons commencé à travailler ensemble au Honduras, vers la fin des années cinquante. Déjà, à cette époque, Dino avait échangé sa citoyenneté canadienne contre un absurde passeport hondurien, avait réussi à se faire décerner le grade de colonel, épousé une métisse du pays et adopté le nom de Douglas Zagar. Rien de tout cela n'a réussi à bonifier ses capacité de pilote ou de patron. Il continue toujours à brûler ses moteurs, à détruire un avion par année et à terroriser nos employés.

Il y a deux ans, à la suite d'un malentendu politique, nous avons été expulsés du Honduras et nous nous sommes installés au Nicaragua, avec nos six avions. Dino a acheté une maison à Colonia Mantica et il vit toute l'année au pays. Quant à moi, lorsque j'ai passé quatre mois au Nicaragua, j'ai besoin de changer d'air.

Notre flotte est composée de biplans Stearman qui servaient d'avions d'entraînement durant la dernière guerre mondiale. Des moteurs plus puissants, des hélices à pas constants et des réservoirs d'insecticide de 200 gallons américains installés dans les carlingues ont transformé ces avions de bois et de toile en engins agricoles capables de décoller avec une cargaison d'une tonne de produits chimiques. Des tuyaux et leurs ajutages pendent bizarrement sous les ailes postérieures; la régularité de la pression est assurée par de petites pompes éoliennes fixées sous chacune des coques. Ça ne paye pas de mine, mais ça fonctionne.

Quel plaisir que de piloter ces vieux biplans. Nerveux, facilement manœuvrables à la vitesse de 110 m/h à laquelle s'effectue le travail, ils sont, par ailleurs, suffisamment robustes pour supporter la terrible épreuve des atterrissages et des décollages sur des pistes de fortune, en terrain soit trop dur ou trop mou.

Aujourd'hui, je volerai en formation avec Tom Putnam, l'un des Américains. Tom est un vieux pilote-pulvérisateur originaire de McAllen, au Texas. Même s'il a habité toute sa vie près de la frontière mexicaine, il ne parle pas un mot d'espagnol. Toutefois, c'est un pilote hors pair : il ménage l'équipement, dorlote son moteur et ne fait jamais de manœuvres qui pourraient l'entraîner dans une situation dépassant ses capacités. Voilà pourquoi il est toujours vivant après vingt-cinq ans dans ce métier. J'adore faire équipe avec lui.

Andres met mon hélice en marche, car aucun de nos avions n'a de démarreur ou de système électrique. Quand un avion s'écrase, il prend généralement feu à cause d'un court-circuit dans le système électrique, un peu comme une voiture peut exploser en prenant le champ. Pas de batterie, pas de feu, sauf quand le réservoir placé sous l'aile crève et que l'essence s'enflamme au contact des cylindres chauds. Mais mieux vaut ne pas y penser.

Un autre mécanicien enlève les cales qui bloquent mes roues et je fais signe à Putnam. Tous les avions se fraient un chemin vers la ligne de décollage et s'envolent en rugissant comme des frelons vengeurs, certains décollant par paire si l'un des pilotes de la formation est un ancien des forces aériennes et qu'il connaît l'art de voler en échelon.

Si ses réservoirs d'insecticide sont vides, un Stearman peut décoller sur moins de huit cents pieds. Nous montons dans un ciel embrumé par les feux du petit déjeuner, dont la fumée épouse les contours du plafond bas qui couvre la ville. L'air est frais. J'abaisse mon siège et cherche Tom du regard. Il s'avance sur ma gauche; je peux voir son casque rouge et ses larges lunettes protectrices fixés vers l'extrémité de mon aile.

Une fois au-dessus du lac Managua, nous tournons ensemble pour nous diriger vers le cratère fumant du Momotombo, à l'extrémité nord du lac. Après avoir passé 450 ans à digérer les égouts de la ville, ce lac pittoresque est en train de mourir. Autrefois, avant le glissement de terrain, ses eaux communiquaient, au sud, avec l'immense lac Nicaragua puis, plus loin, finissaient par se jeter dans le Pacifique. Aujourd'hui, le seul rappel de ce passé marin tient à ses requins d'eau douce.

Tôt le matin, quand le lac est calme, tout le plaisir consiste à descendre en vol plané jusqu'à ce que les roues de l'avion effleurent l'eau, puis de continuer ainsi à skier sur le lac en laissant derrière soi deux queues d'écume. À la vitesse de sustension, les gros pneus ballon ne peuvent pas s'enfoncer dans l'eau, à moins qu'on n'exerce une formidable pression sur le manche à balai. En fait, personne ne sait exactement combien de pression il faudrait pour qu'un avion s'engage ainsi dans l'eau et capote. Deux blancs-becs du pays sont morts, l'année dernière, pour avoir poussé la manœuvre trop loin en voulant imiter les *machos* étrangers.

Momotombo compte parmi la douzaine de volcans du pays qui sont toujours en activité, régulièrement secoués par des crises d'indigestion. Chaque pilote se fait un point d'honneur de survoler la gueule de ce cratère, constituée de cendres chaudes et d'autres scories, afin de s'imprégner de l'odeur des nuages de soufre âcre qui sont vomis du ventre de la terre. Quel spectacle grandiose et quelle sensation que de planer ainsi au-dessus des portes de l'enfer!

Sous les tropiques, le soleil se couche et se lève rapidement. Aucune gradation dans les lumières et les ombres, pas de lueurs qui s'attardent après le coucher du soleil. On dirait plutôt un store manœuvré d'un coup sec. J'allume une autre cigarette pour saluer la venue du soleil... ce qui n'est pas une mince affaire dans un cockpit ouvert.

Putman prend de l'arrière et se retourne pour examiner le volcan. Voler en formation serrée est un dur travail qui demande un contrôle parfait de la manette des gaz. C'est un exercice amusant pour un moment, mais fatiguant, à moins que quelqu'un ne défraie le spectacle.

Malpacillo, notre destination, constitue la contrepartie nicaraguayenne de Dodge City et de l'Ouest romantique d'autrefois. Sis entre la nouvelle autoroute panaméricaine et les montagnes escarpées du littoral, ce village fait l'effet d'un anachronisme. Tous ses habitants sont armés jusqu'aux dents, qui de six coups décorés de nacre, qui de machettes longues de trois pieds et coupantes comme des lames de rasoir. Même les gamins en culottes taillées dans des sacs de farine transportent des frondes assez puissantes pour enfoncer des billes d'acier de bonne grosseur dans des piquets de clôture.

La plupart des hommes du village souffrent d'une incapacité quelconque à cause de ces combats meurtriers qu'ils se livrent constamment. Certains boitillent sur une jambe torse, d'autres, de sang noble, apparaissent en public juchés sur les épaules de leurs serviteurs en armes. Les borgnes, les manchots et les unijambistes sont aussi nombreux et banals que ceux qui ont perdu une oreille, le nez ou une main. On voit très peu de femmes dehors ; en fait, on m'a expliqué qu'elles sont à l'origine de la plupart des batailles.

À la périphérie du village, on a aménagé un terrain d'atterrissage, l'un des meilleurs du pays. Le personnel à terre est toujours excellent et bien organisé, et les pilotes sont traités comme des célébrités. Les fermiers règlent leur compte en liquide, à la fin de chaque journée de travail. Personne ne leur fait jamais crédit, étant donné qu'il risquent tous de mourir subitement.

Malgré ces avantages et la prime de vingt pour cent exigible à cause de l'éloignement du village, la plupart des pilotes craignent Malpacillo comme la peste. Les fermiers de la région détestent les Yankees et, à leurs yeux, quiconque ne peut parler espagnol appartient à cette race haïe. Le souvenir des interventions successives de l'armée américaine entre 1928 et 1932 est encore profondément ancré dans leur mémoire. Les Marines avaient commencé à éviter le village après que six de leurs hommes eurent été faits prisonniers, au cours d'une brève escarmouche, puis rôtis à la broche comme des poulets. J'ai averti Tom Putnam de se tenir coi et de me laisser parler.

Il y a deux ans, à une époque où mon espagnol n'était pas encore très bon, j'ai été témoin d'un déchaînement de passions entre deux des fils du fermier pour qui je travaillais. Selon la consigne, ils devaient faire le plein de mon avion, mais tous deux échappaient constamment de l'essence sur le sol, sur moi, sur l'avion et sur eux-mêmes. Exaspéré, l'aîné finit par lancer le contenu d'un seau de cinq gallons d'essence à la figure de son jeune frère, l'aveuglant instantanément.

Hurlant de douleur, celui-ci courut à toute allure se laver les yeux. Il revint au bout de quelques minutes, ramassa sa machette et, d'un seul coup, amputa le bras gauche de son frère à la hauteur du coude. L'espace d'un instant, l'aîné regarda, stupéfié, tantôt son membre amputé, tantôt le sang qui jaillissait de son moignon. Puis, il dégaina son pistolet, un vieux Webley de l'armée britannique, et le déchargea dans la figure de son frère avant de s'écrouler à son tour.

La semaine suivante, leur père me confia que, selon lui, son fils aîné avait fait ce qui convenait dans les circonstances :

— Voyez-vous, *señor*, c'est le jeune Ramon qui a tout commencé. Et si un homme n'est pas capable de finir ce qu'il a commencé, c'est qu'il n'est pas un homme.

— Et comment se porte votre autre fils ?

— Oh ! il est mort, lui aussi. Il avait déjà trop saigné quand je suis retourné à l'aéroport. Vous mangerez bien avec moi ?

Juste avant que nous atteignions le village, Putnam se rapproche de mon avion. Les gens de la région adorent les grandes manœuvres, les formations serrées qui volent à cinquante pieds au-dessus de leurs têtes et qui, après un virage

39

sur la tranche exécuté en freinant en bout de piste, peuvent encore atterrir en trois bonds dans un nuage de poussière.

Tandis que nous survolons dans un rugissement bien orchestré les toits de tuiles rouges, l'aile de Putnam est si près de la mienne que je pourrais la toucher. Je lève la main pour lui signaler d'appliquer les freins, puis j'abaisse d'un coup sec le manche à balai et monte aussitôt en chandelle à moteur réduit ; je coupe les gaz, manœuvre le palonnier et me laisse tomber comme une roche. Au dernier moment, je relève le nez, juste assez pour que mes pneus rasent la piste de terre jaune. Tom atterrit immédiatement derrière moi. Nous roulons jusqu'à la fin de la piste et stationnons.

— *Hola, qué tal** ?

Taillé dans un bloc de granite, l'administrateur de la ferme est un homme court, aux jambes arquées et au visage écrasé de pugiliste. Ses mains sont de larges pavés, épaisses et carrées. Il m'écrase sur sa poitrine, en un *abrazo*** affectueux. Nous sommes de vieux amis. Je lui présente Tom. Ils se donnent la main et serrent de toutes leurs forces, jusqu'à ce que les veines de leurs tempes commencent à gonfler. Tom abandonne le premier et Bakoda éclate de rire en lui assénant une grande tape dans le dos. Pendant tout ce temps, Putnam n'a pas émis un son.

— Et ce cochon-là, il parle espagnol au moins ?

— Pas un traître mot !

Je dois crier pour couvrir le bruit de nos moteurs qui continuent de tourner au ralenti.

— Mais c'est un *piloto* quatre étoiles, don Raul.

Ses employés vont chercher les boyaux et les pompes de chargement dans nos soutes à bagages et les assemblent près des barils de mélange. Des tonneaux de parathion, d'endrin, de

---

*« Salut, comment ça va ? »
**Accolade.

toxapène, de DDT et autres concoctions chimiques létales attendent ici et là de servir, marqués chacun au nom de leur propriétaire. Ils ont été transportés par camion à grands frais depuis le laboratoire-usine de Managua.

Les produits bruts doivent être mélangés avec de l'eau; celle-ci provient d'un château au sommet duquel est fichée une manche à air en lambeaux de Shell Oil.

— Aujourd'hui, nous allons vaporiser du parathion, annonce l'administrateur tout en surveillant si ses hommes respectent bien les proportions du mélange.

Chaque semaine, un produit différent est appliqué, de manière à prévenir l'apparition de souches d'insectes résistantes aux poissons. Si cette rotation donne certains résultats, il est évident qu'une fois qu'on a perturbé le délicat équilibre de la nature en faveur de l'homme, plus rien n'est jamais assuré. Ainsi, il existe maintenant une souche d'anthonomes résistante au parathion.

Un curarisant inventé par les Allemands entre les deux guerres, ce produit chimique s'attaque au système nerveux central, entraînant la paralysie chez les animaux et les insectes. Deux gouttes de parathion liquide déposées sur la nuque d'un chien provoquent d'atroces convulsions chez l'animal qui meurt en moins de cinq minutes. À Mexico, deux représentants de la Bayer Chemical m'ont déjà fait l'honneur de cette terrible démonstration.

L'écœurante odeur sucrée de ce produit ne trompe pas. J'attends le plus loin possible, tandis que les ouvriers effectuent le mélange et remplissent nos réservoirs. Aucun d'entre eux ne sait que le *veneno** peut tuer un homme aussi facilement qu'il extermine les insectes. Ils portent des gants de caoutchouc troués pour manipuler les boyaux de chargement ainsi que la pagaie qui leur sert de cuiller à mélanger, indifférents aux gouttes qui éclaboussent leurs vêtements ou, pire encore, leur torse nu. Après une autre semaine de ce travail, ils commen-

---

*Poison

ceront à avoir des nausées, à vomir, à perdre le sens de l'équilibre et de la coordination ainsi que l'odorat. Bakoda les mettra à pied et engagera de nouveaux ouvriers. L'offre est grande car le travail paie bien : cinq dollars US par jour !

Bakoda se sert d'une baguette pointue pour tracer dans la poussière le plan des champs qui doivent être pulvérisés. Je traduis ses explications pour que Putnam comprenne bien. Il s'agit de deux longs champs, parfaitement rectangulaires, qui se trouvent à environ trois milles de la piste. Nous devrions pouvoir déverser cinq chargements à l'heure, sans aucun problème.

— Souviens-toi, il y a des fils au bout de celui-là, me rappelle Bakoda. Deux pilotes ont perdu la vie, l'année dernière, en travaillant au-dessus de ce champ. Mais si l'on est très attentif et qu'on vole assez bas pour effleurer les cotonniers, on arrive à passer tout juste sous ces lignes à haute tension.

La présence de fils électriques complique toujours la tâche d'un pilote, d'autant plus que, par un effet d'optique, ils paraissent invariablement plus hauts qu'ils ne le sont vraiment. Les pilotes nicaraguayens avaient probablement volé trop haut ou oublié leur présence. Putnam, lui, n'oubliera pas.

— As-tu déjà volé sous ces fils ? me demande-t-il.

— Bien sûr, plusieurs fois.

Satisfait, il hoche la tête, puis se dirige vers son avion. Je monte dans le mien, ajuste mon harnais d'épaule Sutton et mets mon masque. Une odeur de sueur et de caoutchouc supplante les émanations sucrées du parathion que le filtre double de charbon de bois élimine presque complètement.

Il est à peine un peu plus de six heures quand je lance le moteur à pleins tubes pour aller déverser mon premier chargement. L'avion se traîne d'abord paresseusement, puis, petit à petit, finit par prendre suffisamment de vitesse. Derrière moi, c'est la débandade, tous essayant de fuir le nuage de poussière qui menace de les envelopper. Putman se place en position de départ et attend que j'aie fini de décoller.

Peu à peu, la queue de l'avion se soulève et, une trentaine de pieds plus loin, mon vieux Stearman s'envole lourdement. À cinquante pieds d'altitude, je prends une assiette verticale et réduis les gaz pour me maintenir à la vitesse de croisière. À travers un tourbillon de poussière jaune, Putnam commence sa course. La partie du terrain réservée au chargement disparaît compètement sous une avalanche de particules terreuses.

Dans le champ de coton, les signaleurs m'ont entendu décoller et ont rejoint leurs positions au pas de course. Ils sont espacés à raison de quatre hommes par mille, formant une ligne droite à vingt-cinq pieds de la clôture. Chacun est muni d'une longue tige de bambou au bout de laquelle flotte un drapeau blanc. Leur travail permet aux pilotes de voler en ligne droite.

Aussitôt que l'avion est passé au-dessus d'eux, les signaleurs vont se placer cinquante pieds plus loin et agitent à nouveau leur drapeau pour indiquer la ligne droite. Ils ne portent ni vêtements protecteurs, ni masque, ni souliers. Dieu seul sait combien d'entre eux j'ai aidé à mourir.

J'aligne le nez de mon avion sur la rangée de drapeaux blancs et je descends en piqué au niveau des cotonniers. En franchissant la clôture, j'abaisse la commande de pulvérisation pour ouvrir la soupape maîtresse, et du parathion se met aussitôt à fuser des soixante ajutages alignés sous les ailes, se fondant derrière la queue en volutes irisées qui vont mouiller le feuillage.

L'air est frais, calme et assez lourd pour bien soutenir les ailes et faciliter le pilotage. En Amérique centrale, la mi-décembre correspond à la fin de la saison des pluies et au début de la saison des vents. Vers 9 heures déjà, j'aurai l'impression d'être monté sur un quarter-horse capricieux, essayant de maintenir mon assiette verticale malgré des coups de vent de 35 m/h, mais, pour l'instant, j'apprécie ma chevauchée sur cette jument docile et calme.

Mes roues effleurent la tête des cotonniers, déchirant les feuilles et les branches. Les fermiers respectent les pilotes qui peuvent montrer un train d'atterrissage encombré de végétaux; ils croient que, pour faire un bon travail, on doit voler le plus bas possible. Bien entendu, rien n'est plus faux puisque, idéalement, l'avion devrait passer à six pieds au-dessus des cultures. Mais comme chacun est convaincu du contraire et qu'on me paie pour faire le travail de cette façon, je m'en tiens à ce qu'on attend de moi et réserve mon opinion.

À l'extrémité du champ, je ferme la soupape et vire le plus vite possible dans un cabré serré. Comme Putnam vole juste derrière moi, je pique du nez aussitôt retourné et je m'aligne sur le dernier signaleur qui s'est précipité vers le repère suivant. Tandis que je pique, Tom se cabre et va tourner plus haut que mon point de virage, afin d'éviter la turbulence qui s'est formée dans mon sillage. Il a fermé ses ajutages à l'instant même où j'ouvrais de nouveau les miens au-dessus de la clôture.

Il s'agit d'un travail excitant, surtout quand les conditions sont idéales et qu'on peut donner le meilleur de soi. Une fois mon premier chargement déversé et après que Bakoda a pu constater que mes roues étaient garnies de feuilles déchiquetées, je vole à l'altitude normale jusqu'à ce que le vent se mette à forcer. Dès lors, tout devient affaire d'instinct et de hasard.

La matinée s'écoule, divisée alternativement entre huit minutes de vol et quatre au sol pour le chargement. Le vent se lève, barbouillant le bleu du ciel de traînées bronze, sous un soleil brûlant. Au-dessus du sol, des tourbillons de poussière dansent un ballet meurtrier, capable d'abattre un avion. Le visage me brûle, mes lèvres fendillent, des zébrures de sueur desséchée se forment sur ma peau, tandis que ma bouche se remplit de particules de cendres volcaniques qui grincent entre mes dents. Vers 10 heures, je fais une pause entre deux chargements pour boire un peu de jus.

Un accès de douleur me coupe soudain le souffle. Un étau écrase mes poumons en expulsant le peu d'air qui y restait. La douleur est intolérable. L'espace d'un instant, je crois avoir été atteint d'une balle, mais il n'y a pas de sang... seulement cette sensation incroyable qui se répercute dans mon cerveau par d'affreux martèlements. En hoquetant, je me laisse glisser sur le sol, à la recherche d'un peu d'air.

Bakoda s'empresse auprès de moi. Ses lèvres bougent, mais

je n'entends rien d'autre qu'un atroce bourdonnement. Il m'étend de tout mon long, desserre la courroie de mon casque, puis humidifie mes lèvres avec ce qui reste de jus.

Peu à peu, la douleur se résorbe, mes poumons se remplissent de nouveau d'air et l'étau rouvre sa gueule. Puis je ne ressens plus rien, à part une grande faiblesse et un restant de peur.

— Es-tu toujours parmi nous, mon ami? me demande Bakoda d'une voix angoissée.

— Oui, Don Raul, toujours vivant et bien portant.

J'arrive même à esquisser un sourire à son intention.

— C'est ce jus froid. Tu as bu trop vite. Dans cet enfer, il vaut mieux boire à petites gorgées.

J'acquiesce, mais nous nous trompons tous les deux, naturellement.

Les murs aseptisés de la salle d'attente du cabinet du docteur Eduardo Rivas Gabeldon sont lourdement décorés de diplômes témoignant de sa vaste érudition et de ses non moins grandes qualifications. Il y en a même un de la clinique Mayo où il a fait son internat. La clinique Mayo! Mais c'est à Minneapolis! Il a fait des études post-doctorales aux hôpitaux John Hopkins et Walter Reed, puis un bref séjour à Washington. S'il est si fameux, que peut-il bien faire ici, à Managua?

L'assistante bien en chair du docteur Eduardo Rivas Gabeldon émet un discret « psssst ». Son patron est prêt à me recevoir.

— Vos tests indiquent que tout est négatif.

— Négatif?

Il a l'air content. Je ne m'habituerai jamais à l'utilisation que fait le corps médical du mot « négatif ». À mon sens, ce terme laisse présager les pires issues, tandis que le mot « positif » ne

sous-entend que de bonnes choses. Dans la profession médicale, c'est le contraire qui est vrai.

— Il n'y a rien à redire — le sang, les poumons, le cœur, les
urines, — tout est normal. Vous êtes dans une forme splendide.
Je vous envie, *señor*.

Le docteur Gabeldon est un homme trapu à la chevelure
noire et clairsemée; il est rondouillet et a d'étranges yeux striés
de veines rouges et mouchetés de petites tavelures sombres. Ses
doigts courts et rugueux, couverts de callosités, pourraient aussi
bien être ceux d'un maçon. Nous avons environ le même âge.

— Alors, qu'est-ce qui cause mes douleurs à la poitrine?

Il m'offre une cigarette importée, aromatisée au menthol, et
s'en allume une. Le goût de ce mélange me donne la nausée. Je
me sers dans mon propre paquet.

— Plusieurs choses. Le fait de ne pas manger suffisamment,
de ne pas dormir assez, d'abuser de ceci — il brandit sa cigarette
dans ma direction — et de travailler trop fort. Où allez-vous
passer la semaine sainte?

En Amérique latine, les fêtes de Noël s'appellent la
« semaine sainte ».

— À Mexico, pour quelques jours de détente.

— Excellente idée. Je vous prescris deux semaines de repos
et de relaxation. Vous remarquerez la différence immédiatement. Vous réglerez la consultation à mon assistante en sortant.

Après tout, il a peut-être raison; sans doute n'ai-je besoin
que de deux semaines de vacances. J'ai lu quelque part que
quatre-vingt-dix pour cent de nos maladies sont imaginaires,
psychosomatiques. La douleur est certes bien réelle, mais sa
cause s'explique par nos attitudes plutôt que par une déficience
physique.

Dino s'est procuré deux invitations pour la soirée annuelle
du Club des officiers. Les envieux considèrent qu'être invité à

cette soirée constitue un privilège aussi remarquable que d'être inscrit au barreau ou sur la Liste d'honneur de la reine. Situé au pied d'une colline verdoyante qui mène au Palais présidentiel, le club lui-même est une version prétentieuse du sytle espagnol traditionnel. À Managua, personne ne peut vivre dans une atmosphère plus raréfiée que celle où baignent les Somoza. Leur palais est construit sur le site le plus élevé de la ville.

Bien que le président ne soit pas là pour assister aux ennuyantes présentations officielles, son plus jeune frère, «Tachito», se fait un point d'honneur d'accepter tous les hommages en son nom. Récemment, le jeune Somoza a fait changer son grade de colonel pour celui de général, parce que le pays est déjà trop encombré de colonels. Rien n'est impossible quand on s'appelle Somoza.

C'est un homme au teint foncé et au visage porcin qui cache son regard nerveux derrière des verres fumés. Chaque fois qu'il se déplace, ses gardes du corps et ses maîtresses se disputent la meilleure place à ses côtés. Il parle un anglais impeccable et affiche une morale byzantine. Dino me présente comme le partenaire en second de notre entreprise.

— Tu sais bien que je ne pouvais pas dire que nous sommes à cinquante-cinquante; après tout, il croit que je suis colonel et toi, tu n'es qu'un simple civil, m'explique-t-il tandis que nous sommes refoulés depuis le rang d'honneur jusqu'au bar.

— Dino, dis-toi bien qu'il n'a pas une seule pensée pour toi et n'en aura jamais.

Durant la soirée, à force de boire, je me retrouve en train de faire les yeux doux à l'une des maîtresses de Somoza, ou peut-être est-ce l'une des hôtesses, mais qu'importe. Le grand homme remarque mon manège et pousse la fille vers mon fauteuil, un large sourire aux lèvres. Je me lève; après tout, je suis son invité.

— Elle vous plaît?

— Elles me plaisent toutes, mon général.

Il me la présente! Elle s'appelle Sandra, elle a les cheveux roux et vient de Fort Lauderdale. Dieu seul sait ce qu'elle fabrique avec ce goujat.

— Je vous la prête pour la nuit, me dit-il, magnanime.

Il pousse la pauvre fille vers moi et, ce faisant, renverse mon verre qui se répand sur son corsage.

— Que se passe-t-il, mon général, vous n'êtes pas à la hauteur, ce soir?

Il claque des doigts et, aussitôt, deux gardes du corps emprisonnent mes bras, me poussent à travers la foule, puis dehors jusqu'à une voiture de police. Après un passage à tabac bien salé à la prison municipale, je suis jeté dans une cellule surpeuplée où j'ai de la peine à me frayer un chemin entre les corps endormis pour aller respirer un peu d'air frais, au pied de l'unique fenêtre que gardent des barreaux.

Je ne ressens pas de douleurs particulières à la poitrine, parce que, à vrai dire, tout le corps me fait mal. J'ai le nez fracturé et je pense qu'ils m'ont fêlé quelques côtes en me tabassant avec leurs matraques en caoutchouc. Respirer est un martyre. Mais tant pis, ça en valait la peine, ne serait-ce que pour avoir vu l'expression de cette face de porc. Un jour, quand la douleur se sera apaisée, peut-être pourrai-je en rire.

Par la fenêtre étroite, je peux voir un milliard d'étoiles disséminées dans le cosmos. Dans une semaine, ce sera Noël. Paix sur la terre aux hommes de bonne volonté!

Kingston, Canada

17 janvier 1980

Le taux d'enzymes dans mon sang indique que j'ai fait une crise cardiaque modérée. L'expression me semble des plus énigmatiques.

— Votre numération enzymatique se chiffre entre cinq et six cents, m'explique le docteur Koval. Une crise cardiaque grave nous aurait donné un total de mille cinq cents à deux mille. Un cas critique va chercher dans les trois mille. Vous pouvez vous compter chanceux, vous vous situez au bas de l'échelle.

Les points de repère, les comparaisons rendent les choses tellement plus faciles à accepter. Si trois mille constitue un seuil critique, cent devrait être anodin. Je comprends.

— Vous allez vous rétablir complètement et vous pourrez reprendre une vie normale sans avoir à toujours calculer l'intensité de vos efforts. D'ailleurs, il serait même bon que vous augmentiez graduellement vos activités physiques. Après une crise cardiaque, l'exercice est le meilleur traitement, en particulier, la marche.

Je suis ravi de ces bonnes paroles. Durant les derniers jours, plusieurs de mes angoisses se sont calmées. Je n'ai plus l'impression d'être un patient mais un intrus qui accapare un lit dont de vrais malades pourraient avoir besoin. Je déborde d'optimisme quant à mon avenir : tout est redevenu possible. Une nouvelle vie m'attend ; je deviendrai souple et fort, suivrai un programme d'exercices quotidien ainsi qu'un régime strict et fermerai mon esprit à toute forme de tension.

Mon rythme cardiaque a chuté à un inoffensif quarante-six battements par minute et mon sang circule paresseusement à une pression d'à peine 100 sur 70. J'ai hâte d'être sur pied et de commencer mon nouveau régime de vie. Dès que je serai sorti des soins intensifs, les enfants pourront venir me voir. Ils m'ont beaucoup manqué.

— Je vais vous prescrire de l'Anturan... par précaution.

— Merveilleux. Mais qu'est-ce que c'est ?

J'ai pu constater l'effet extraordinaire de l'Indéral, mais il semble que le tout-puissant Andrew Koval ait une panoplie complète de potions magiques. Par précaution contre quoi ? Devrais-je lui révéler mon ignorance et poser la question ?

— Entre autres choses, l'Anturan est un anticoagulant. Il clarifie le sang et empêche la formation de caillots.

Comment savoir si c'est vraiment une bonne chose ? Si je me coupais la main avec un couteau de cuisine, par exemple, ou que je me blessais à la tête, ne risquerais-je pas de mourir d'une hémorragie ? Le docteur Koval se moque de ces inquiétudes.

— Vous n'avez pas à vous en faire. Après tout, vous n'en absorberez que vingt milligrammes deux fois par jour.

Même si la dose semble infinitésimale, je continue de me tracasser. Qui sait si je ne suis pas allergique à l'Anturan ? Mes articulations se mettront peut-être à gonfler comme lorsqu'on m'avait administré de la pénicilline. J'ai lu des histoires d'horreur dans *Reader's Digest* et *The National Inquirer* au sujet de patients naïfs qui sont devenus invalides ou qui se sont mis à chasser le papillon sans filet après avoir consciencieusement pris des médicaments « éprouvés ». Ne devrait-on pas d'abord s'assurer que je ne suis pas allergique à ce produit ?

Et pourquoi une dose de quarante milligrammes ne serait-elle pas mieux indiquée qu'une de vingt? Serait-ce excessif? Et une de dix milligrammes? Inefficace? De toute façon, à quelle quantité une saleté de milligramme peut-elle bien correspondre? Et pourquoi vingt au lieu de dix-neuf ou de vingt-trois? J'ai remarqué qu'à l'hôpital tous les médicaments sont dosés par multiples de cinq ou de dix. Doit-on attribuer le phénomène à l'incapacité du corps médical de travailler avec des nombres indivisibles par cinq ou plutôt à une sordide conspiration fomentée par les sociétés pharmaceutiques?

— Mais il y a quelques jours vous m'avez prescrit des injections d'héparine dans l'estomac exactement pour les mêmes raisons.

— L'héparine empêche la formation de caillots dans l'estomac où le sang stagne quand on reste alité pendant de longues périodes. Maintenant que vous pouvez vous asseoir et bouger, il serait inutile de vous en donner! de l'Anturan suffira amplement.

— Parfait.

Je n'aimais pas tellement qu'on m'enfonce deux fois par jour de longues aiguilles dans le bedon. Ce n'était pas tant le malaise que je ressentais sur le coup que l'idée de l'agression qui m'ennuyait.

— Surtout, ne vous épuisez pas aujourd'hui. Asseyez-vous dans votre lit ou sur une chaise, marchez jusqu'à la salle de bains, mais ne vous aventurez pas encore dans les corridors.

Je marmonne quelques mots de remerciement. Ils s'en vont tous en me souriant d'un air entendu, à l'exception de l'infirmière en chef, une charmante dame pleine de compassion qui me traite comme si j'étais un enfant qui approchait de ses huit ans à la vitesse de la lumière et qui allait bientôt être écrasé par ses nouvelles responsabilités.

— Je suis tellement contente pour vous.

Et je sens qu'elle est tout à fait sincère.

— Écoutez, aussitôt que nous aurons fini notre tournée, j'irai voir ce que nous pouvons vous offrir et je vous ferai transférer à l'autre bout du corridor. Il y a un téléphone dans chaque chambre, vous pourrez donc appeler votre épouse.

Elle me donne en sortant une petite tape toute maternelle sur le pied. À elle seule, elle constitue l'un des meilleurs traitements que puisse recevoir un malade.

Quelle pensée exaltante que celle d'avoir passé le cap des soins intensifs. Je m'assois et laisse pendiller mon pied par-dessus les barreaux chromés. Je prends du papier et un crayon sur la table de nuit et essaie de convertir les milligrammes du docteur Koval en onces.

Je n'ai peut-être pas besoin de connaître la différence, mais cela prouve que la partie analytique de mon cerveau fonctionne toujours. Après quelques minutes et quatre mouchoirs de papier, il appert qu'un milligramme égale 0,02835 once, ce qui ne signifie pas grand-chose ni ne m'avance vraiment. Mais, si jamais quelqu'un me le demandait...

Avec prudence, je fais pivoter mon cou qui craque de contentement; je fais ensuite travailler mes épaules, puis m'étire langoureusement. J'ai bien un peu mal au dos à cause de ce matelas dur où j'ai été alité pendant trois jours, mais, à l'exception de cette petite sensation désagréable, je n'ai pas le moindre malaise.

Soudainement, j'ai l'envie ridicule — et rapidement supprimée — de sauter en bas de mon lit pour aller gambader dans les couloirs en faisant des entrechats. Le vin capiteux, le mélange de légèreté, de soulagement, de bonheur et de bien-être qui fermente dans le baril de mes émotions est prêt à exploser à la moindre étincelle. Mais quelle crise cardiaque?

Nous sommes tous prisonniers de nos émotions et de nos convictions. Croire que l'on va mieux, c'est déjà aller mieux. Les paroles du docteur Koval m'ont rassuré : je vais survivre. Cet homme est infaillible. Voilà ce que je crois.

L'une des plus vieilles infirmières aime à raconter l'histoire de ce patient âgé qui fut traité sur l'étage après avoir fait une très grave crise cardiaque. Son compte enzymatique s'élevait à six mille : une aberration. On demanda au laboratoire de faire une seconde numération : même résultat. En fait, cet homme avait perdu presque 90 pour cent de ses capacités cardiaques. Et pourtant, il survécut. L'infirmière l'a revu deux ans après sa crise. La seule chose dont il se plaignait c'était que, certains matins d'hiver, la marche d'un quart de mille qu'il devait faire jusqu'à la route pour aller chercher son courrier le laissait un peu hors d'haleine. Les facultés d'adaptation du corps et de l'esprit humains m'étonneront toujours.

Une stridente sonnerie d'alarme se déclenche soudain au poste de contrôle. Toutes les infirmières sont immédiatement sur le qui-vive. Les appels sonores du haut-parleur retentissent le long des corridors : on demande aux médecins de se présenter sur-le-champ à l'unité des soins cardiaques, puis on donne un numéro de code. Par l'entrebâillement de ma porte, je peux les voir se précipiter dans la chambre de la vieille dame. Ils transportent au pas de course des machines de toutes sortes, des pompes et de longues aiguilles fichées dans de monstrueuses seringues déjà remplies de liquide.

Des bruits de coups, des gémissements, des exhortations me parviennent à travers les murs. Les patients qui déambulaient tantôt dans le couloir se sont arrêtés et suivent avec des regards étonnés le déroulement du drame. Les infirmières leur font signe de circuler, mais ils n'obéissent qu'à contrecœur, les yeux rivés sur l'aquarium où se déroule le dernier combat de la vieille dame. Ils ont cette même expression de perplexité grave qu'on peut voir chez les enfants de deux ans qu'on emmène pour la première fois dans un magasin à rayons ou un supermarché bondé. Qui êtes-vous tous au-dessus de moi et pourquoi m'inspirez-vous tant de crainte ? Quand faisons-nous connaissance pour la première fois avec la réalité de la mort ?

J'avais sept ans quand mon grand-père est mort dans un village de la vallée d'Annapolis, en Nouvelle-Écosse. Sur la côte Est, un enterrement ressemble beaucoup au baptême d'un nouveau-né ou d'un bateau. Les cloches carillonnent pour rassembler la famille, ce qui dans notre cas n'est pas une mince affaire, puisque nous nous sommes grandement multipliés depuis 1761 alors que les trois frères qui ont donné naissance à la lignée sont venus s'établir sur des terres libérées par la Déportation des Acadiens après avoir vendu leurs fermes dans le Connecticut.

Mon grand-père, un médecin et militaire distingué à la moustache bien fournie, était allongé dans une boîte garnie de velours, dans le grand salon. La nuit avant ses funérailles, je m'étais glissé hors de ma chambre pour me risquer dans les escaliers bruyants afin de pouvoir l'examiner de près. Je pensai tout de suite qu'il n'avait pas changé, bien qu'il fût sans doute un peu plus pâle que d'habitude. Ça alors! Quelle chose étrange! Je m'attendais à ce que la mort ressemblât davantage à un chat écrasé le long de l'autoroute, à un petit oiseau aux plumes détrempées ou à un chien frappé par un camion et dont les membres formeraient des angles impossibles. En fait, mon grand-père ne me semblait pas mort du tout. Peut-être dormait-il?

Je m'appuyai contre le cercueil et murmurai: «Allô!» Pas de réponse. Je m'approchai davantage et élevai la voix. Des poils gris sortaient de ses oreilles et on eût dit qu'il avait négligé de se faire la barbe. Craintivement, je touchai son visage. Il était de glace et dur comme un vieux morceau de caoutchouc. Je m'enfuis de la pièce, me précipitai dans mon lit et m'enfouis la tête sous les couvertures, Pour la première fois, j'avais touché à la mort.

Après quelques minutes, les bruits de lutte cessent dans la chambre voisine. Quelqu'un éteint la sonnerie du moniteur. Par groupes de deux ou de trois, les membres du personnel quittent la pièce, plongés dans leurs conversations. Avec la plus grande prudence et en utilisant le moins de force possible, je ramène mes jambes dans le lit et les glisse sous le drap. L'envie de cabrioler dans le corridor m'est tout à fait passée.

Mon infirmière revient tirer les rideaux devant le mur de verre et la porte.

— Est-elle morte?

— Elle était vieille et très malade.

— Ne le sommes-nous pas tous?

Les rideaux ont pour fonction d'épargner aux vivants la vue des morts qu'on amène à la morgue de l'hôpital. Une délicate attention visant à ménager la sensibilité des patients. Mais dans ma chambre, il y a un jour entre le mur et le rideau. Quelques instants plus tard, je vois arriver une étroite civière, puis, après quelques minutes, elle repasse en sens inverse. Une couverture noire caoutchoutée recouvre entièrement le fardeau, enveloppant aussi bien les quatre bras et les côtés du brancard. Seuls quelques contours légers révèlent ce qu'elle cache.

Pendant un moment, l'étage est plongé dans le plus grand silence. Les malades ambulatoires ont cessé leur va-et-vient. Même les grands fumeurs qui se tiennent dans le salon des visiteurs, près de l'ascenseur, répriment leurs accès de toux grasse.

Puis, peu à peu, la vie reprend son rythme normal. Des rires éclatent, sont rapidement étouffés, puis éclatent de nouveau. Le téléphone sonne au poste de garde. On rouvre mes rideaux et Ted DeJager apparaît dans l'encadrement de la porte.

Le docteur DeJager, un homme trapu à la figure ronde, est mon généraliste. C'est la première visite qu'il me rend à l'hôpital. Ses consultations sont l'un des privilèges que le système pénitenciaire accorde aux prisonniers malades.

Le jour où j'ai été transporté à l'hôpital, il a remis à Helen une lettre dans laquelle il m'assurait que mes douleurs pectorales étaient dues à «une petite hernie hiatale et, de toute évidence, à de l'aérophagie»; en conclusion, il me suggérait de le laisser prendre pour moi un rendez-vous avec un «gastro-entérologue qui confirmera ce diagnostic et prescrira un traitement approprié». *Quod Erat Demonstratum.*

— Comment vous sentez-vous?

En fait, il veut surtout savoir si j'ai l'intention de poursuivre l'hôpital.

— Assez bien, maintenant.

C'est *lui* que je devrais poursuivre dès que je serai sorti d'ici. Je devrais engager un avocat à la voix bien vibrante, capable de convaincre n'importe quel jury, lui promettre un pourcentage extravagant et lui donner carte blanche. Aux États-Unis, je pourrais prendre ma retraite avec les dommages-intérêts que je retirerais d'un tel procès. Mais il est difficile de convaincre un médecin de témoigner en sa faveur, parce que les membres de cette profession font généralement front commun pour repousser toute attaque contre leurs frères dévoyés, quelles que soient les circonstances.

— Je n'étais pas à mon bureau ces derniers jours. Je viens juste d'apprendre ce qui vous est arrivé.

Il étudie les fiches médicales suspendues au pied de mon lit. Rien ne lui ferait plus plaisir que de découvrir une erreur dans ce rapport qui contredit le diagnostic écrit qu'il m'a fait parvenir.

— L'angine de poitrine est très difficile à identifier si on ne peut pas faire un ECG* au moment où le patient en souffre. Je regrette que vous n'ayez pas fait de crise dans mon bureau.

— Simple négligence de ma part... Mais dites-moi, la nitroglycérine n'est-elle pas recommandée pour soulager l'angine?

— Absolument.

— Alors expliquez-moi pourquoi vous ne l'avez pas essayée, ne serait-ce que pour voir son effet? Il me semble qu'après tous les rayons X, les repas barytés et les gallons d'antiacide que vous m'avez prescrits, une lueur aurait dû se faire dans votre esprit.

À une certaine époque, il avait décidé que je souffrais ou d'un ulcère d'estomac ou d'une hernie à l'œsophage. Il m'envoya chez un radiologiste pour que celui-ci confirme son diagnostic. On m'installa devant un gigantesque appareil de radiologie et, après qu'on se fut assuré que j'étais bien à jeûn, on me fit avaler une substance écœurante ressemblant à de la craie diluée dans de l'eau tandis que le radiologiste sondait mes entrailles.

---

*ECG : Électrocardiogramme.

Le « petit boire au baryum » est un test bien connu dans le métier. Comme ce mélange crayeux devient parfaitement lumineux sous l'effet des rayons X, il permet d'avoir une vue claire de l'appareil digestif pendant assez de temps pour en faire l'examen sur-le-champ ou le photographier pour observation ultérieure. Dans mon cas, ce test se révéla tout à fait inutile, puisque mon estomac comme mon œsophage étaient en parfaite condition. Quelques rems de plus brûlèrent dans ma réserve, sans aucun résultat.

Absorbé par le rapport, DeJager ignore mes questions. Il lit chaque page attentivement, hochant parfois la tête.

— Je crois que je vais pouvoir vous aider Tony.

Il ne faut rien de moins qu'une crise cardiaque pour que le docteur DeJager se permette d'appeler ses clients par leur prénom.

— J'ai des relations bien placées, ajoute-t-il modestement. D'abord nous allons vous faire sortir d'ici.

— On me transfère aujourd'hui à l'autre bout du corridor.

— Parfait, voilà qui est déjà mieux! s'exclame-t-il, prêt à s'arroger le mérite de la décision.

Sur ces mots, deux infirmières se présentent, rassemblent toutes mes affaires, me débranchent du moniteur, lèvent les côtés du lit, puis me roulent dans le corridor. Après m'avoir accompagné quelques instants, DeJager tourne les talons en me promettant de revenir me voir aussitôt qu'il sera moins occupé.

Ma nouvelle chambre est située en face du salon des infirmières. De style tout à fait Holiday Inn, le décor est dominé par des accessoires de chrome et d'acier inoxydable. Tout est parfaitement étincelant et bien rangé. J'ai un compagnon de chambre: M. Sung. Un sympathique Chinois miniature qui, au moment où les infirmières nous présentent en roulant mon lit au pied du sien, s'assoit, un aimable sourire aux lèvres, et s'incline pour me saluer. Une table de nuit sépare nos lits. Et il y a un téléphone. Derrière la table, des rideaux pleine longueur sont suspendus à des rails; ils peuvent être tirés autour de chacun des lits de manière à assurer une certaine intimité.

On me remet un petit émetteur portatif glissé dans un sac de tissu conçu pour être porté autour du cou. Comme le poste de contrôle des soins intensifs reçoit les signaux de cet appareil, on peut suivre l'évolution de mes activités cardiaques où que je sois sur l'étage. Mais, aujourd'hui, je n'irai pas tellement loin, bien que j'aie la ferme intention d'explorer les lieux aussitôt que je le pourrai et qu'on me le permettra. Dès que les infirmières sont parties, je m'assois, émerveillé par ma toute nouvelle liberté.

M. Sung me sourit.

— Vous, cœur?

Il parle de cette voix chuintante, douce et musicale dont seuls les Orientaux ont le secret.

— Moi, cœur.

Satisfait, il hoche la tête.

— Moi, cœur aussi.

Il frappe son émetteur, soupire, puis se recouche pour mieux se replonger dans son observation du plafond.

Je n'ai aucune idée de son âge; il pourrait aussi bien avoir cinquante ans que quatre-vingts. Il a les yeux vifs et la peau lisse des gens sans âge. Même ses cheveux courts, maintenant ébouriffés, ont l'air très vigoureux.

— Vous, ici, longtemps?

Pourquoi les Occidentaux se sentent-ils obligés de parler pidgin aussitôt qu'ils s'adressent à un Oriental d'un certain âge et de prononcer chaque mot aussi clairement que si leur interlocuteur était un enfant de quatre ans? Qu'y a-t-il dans leur langage qui nous pousse à nous adonner à un radotage aussi condescendant?

— Deux semaines.

— Ah bon! alors vous nous quitterez bientôt.

Je rétablis une syntaxe normale, non sans difficulté.

— Docteur Milligan dire bientôt. Vous connaître docteur Milligan?

— Non, pas du tout.

— Bon docteur!

Il ne jure que par Sa Sainteté Milligan, comme moi par le tout-puissant Koval. Nous sommes deux disciples de la cause coronaire, mais appartenons à des sectes différentes comme deux calvinistes dont l'un serait d'obédience méthodiste et l'autre, presbytérienne.

Je le laisse à ses pensées. Les Orientaux, comme j'ai eu l'occasion de le constater, détestent les marques de familiarité immédiate.

Je téléphone à Helen; elle se montre aussitôt enchantée que je n'aie plus besoin d'une surveillance constante. À ses yeux, cela signifie que mon état s'est grandement amélioré. Elle promet de venir faire un saut après quatre heures, dès que les enfants rentreront de l'école, et de m'apporter un pyjama, un peignoir, un rasoir électrique et des livres.

Pendant que je suis au téléphone, une rondelette infirmière espiègle, arborant l'insigne des étudiants, fait son entrée dans la chambre en halant une balance d'une main tout en transportant dans l'autre un sphygmomanomètre et un stéthoscope. Après avoir installé la balance, elle me regarde en souriant jusqu'à ce que je raccroche.

— J'ai besoin de votre poids.

— Demandez et vous recevrez.

— De votre pression artérielle et de votre température aussi.

— Prenez tout ce dont vous avez besoin, je suis votre prisonnier, mais de grâce, ne touchez pas à ma chemise de nuit.

En riant, elle m'aide à me rendre jusqu'à la balance.

J'ai la tête qui tourne un peu. À quoi cela peut-il être dû? Mon cœur serait-il devenu faible au point d'être incapable d'alimenter mon cerveau quand je suis debout? À moins qu'il ne s'agisse simplement d'un malaise général découlant du fait d'avoir été alité aussi longtemps.

La balance s'immobilise à quatre-vingt-six kilogrammes, ce qui semble merveilleux, mais n'a aucun sens pour moi; grâce à la petite table de conversion de l'infirmière espiègle, j'apprends bientôt que je pèse exactement 189,59 livres. Depuis ma crise cardiaque, j'ai perdu trois livres.

La jeune infirmière prend ensuite ma température, qui se révèle normale. Puis, après m'avoir enveloppé le biceps dans le manchon du sphygmomanomètre, elle prend mes pressions systolique et diastolique en pressant le stéthoscope contre mon avant-bras.

Après avoir quitté les Forces armées en 1952, j'ai dû me soumettre chaque année à des examens médicaux pour conserver ma licence de pilote de ligne. Une fois que j'eus atteint les limites admissibles selon les critères de l'aviation civile, ces examens se répétèrent tous les six mois. La batterie de tests, qui me coûtait chaque fois 25 dollars, comprenait invariablement une relevé de ma pression artérielle. Une belle escroquerie! Un homme en parfaite santé obligé par décret gouvernemental de verser autant d'argent à un charlatan pour qu'il condescende à faire si peu. Et sans que cette somme ne soit déductible d'impôt!

Au début on me servait toujours un «très bien, cent vingt-trois sur soixante-dix». Quelques années plus tard, le commentaire le plus habituel devint «cent trente-cinq sur quatre-vingt, que peut-on demander de plus». Finalement, par un sombre après-midi d'orage à Van Nuys, en Californie, je dus faire face au médecin de l'Agence fédérale de l'aviation civile* qui maugréa:

---

*Agence fédérale de l'aviation civile: FAA

— Tut, tut, tut, cent quarante sur quatre-vingt-quinze, vous êtes juste à la limite. Vous allez devoir apprendre à moins jouer des gaz. Détendez-vous, partez en vacances, prenez le temps de vivre un peu.

En Californie seulement...

Sans me laisser impressionner, j'acquiesçais toujours à ce que le médecin qui m'examinait me conseillait de faire... en autant qu'il signât le formulaire de renouvellement de ma licence. Les pressions systolique et diastolique pouvaient prendre une signification bonne ou mauvaise, selon le médecin qui les interprétait. Et voilà qu'aujourd'hui une étudiante aux cheveux roux m'apprend la vérité, cette vérité qu'aucun toubib n'a jamais pris la peine de m'expliquer en mots simples.

Le sphygmomanomètre mesure deux types de pressions ; la première, dite systolique, correspond au moment où le cœur bat ; la seconde, appelée diastolique, se mesure entre les battements, quand le cœur est au repos. Durant la pause diastolique, le cœur se remplit du sang nécessaire au bon accomplissement de la systole alors que, pendant celle-ci, il se contracte pour acheminer le sang frais dans les artères.

Une pression systolique normale peut varier entre 110 et 160, selon l'âge de la personne et les circonstances ; par contre, comme la pression diastolique ne subit pas d'écarts aussi importants, sa mesure est fort révélatrice. On la considère normale si elle se situe entre 70 et 90 ; au-delà de 90, et surtout de 100, elle est l'indice d'une certaine hypertension, d'un rétrécissement des artères ou d'une perte d'élasticité au niveau de celles-ci à cause de spasmes ou d'un dépôt quelconque. Une pression systolique élevée indique qu'une contre-pression s'exerce sur le cœur pendant la diastole. Les choses semblent si simples quand elles nous sont expliquées par un novice.

— Maintenant vous savez tout.

Elle rit nerveusement, puis me pose la fameuse question. Je baisse la tête d'un air contrit. Non, je ne suis pas allé à la selle ce matin, mais je vais essayer. Je le jure, je vais faire un effort et

actionner mon petit pilote automatique : si je le veux, je peux...
si je le veux, je peux... si je le veux, je peux.

À ce moment, une diététicienne grassouillette, équipée d'un
curieux stylo or qui danse au bout d'une minuscule chaîne
escamotable, entre en coup de vent dans la chambre et me remet
le menu de demain en m'expliquant comment m'y prendre pour
indiquer mes choix.

— Surtout, pas de crochets. Avec des crochets, vous n'aurez
rien. Plusieurs s'entêtent à les utiliser, mais dans les cuisines, ils
ne veulent rien dire. Nous comprenons seulement les grands X
bien formés.

Je fais l'idiot, l'obligeant à tirer sa chaîne jusqu'au bout pour
me diriger dans mes efforts confus. Les yeux sages de M. Sung
prennent une petite lueur malicieuse. Finalement, elle se rend
compte que je la fais marcher, elle et son merveilleux stylo, et
me quitte sur-le-champ, l'air vaguement satisfait. Après tout,
combien de fois a-t-elle vraiment eu l'occasion de jouer de sa
chaîne escamotable ?

Si les plats offerts ne sont pas gastronomiques, ils sont par
contre nourrissants. Mon menu porte la mention : RÉGIME
NORMAL. J'ai droit au sel, à la crème glacée, au lait entier, au
pain, au gras animal ainsi qu'à toutes ces choses mauvaises que
le docteur Koval m'a énumérées durant son discours sur les
causes premières des crises cardiaques dans le monde moderne.
Quelqu'un a dû faire une erreur. Mais il faut croire que non,
puisque l'infirmière m'affirme que je n'ai été frappé d'aucune
restriction alimentaire. Bizarre.

Une cure alimentaire serait-elle inutile au stade où j'en suis ?
En changeant certaines habitudes de table, en corrigeant des
erreurs fondamentales, ne pourrais-je pas ralentir le processus
de la maladie ou même le renverser ? Il y a là une étrange
contradiction dont j'aimerais bien discuter avec le docteur
Koval.

Sur le menu, j'inscris de larges X virils dans toutes les
parenthèses. Avec les restes, je devrais pouvoir préparer pour les
enfants plusieurs petits sacs à emporter.

Épuisé par cet effort, je me cale dans les oreillers et contemple de nouveau la maison de sir John, cette fois-ci d'un angle légèrement différent. Quel bonheur d'être vivant et de prendre du mieux !

Un hôpital ressemble à un pays miniature où chaque étage est une ville présidée par un maire et des conseillers qui travaillent par quarts de huit ou douze heures. De tout petits villages pittoresques vivent tranquillement à l'écart des corridors principaux et portent des noms aussi divers et mystérieux que : « Télémétrie », « Audiométrie », « Neurologie » et « Infirmières seulement ».

Dans les parcs pavés de carreaux verts situés à chaque extrémité des couloirs, des touristes pique-niquent en regardant les enfants s'amuser. Des téléviseurs couleurs, des fauteuils confortables, des sofas, de gigantesques plantes ainsi que des reproductions monochromes d'animaux immobilisés dans des poses dramatiques, complètent le décor aménagé en fonction du bien-être de ceux qui ne peuvent rien faire d'autre qu'attendre.

Une fois que mon cordon ombilical a été coupé et que j'ai été expulsé du sein des soins intensifs pour aller exercer mes muscles ramollis dans le monde réel du quatrième étage, je suis devenu une proie possible pour tous les vendeurs itinérants qui hantent les corridors.

La première personne de cette race à faire son apparition est une fille absolument splendide qui ne porte ni soutien-gorge ni petite culotte sous son chandail noir et son jean de grande coupe parfaitement moulants. En roulant des hanches, elle pousse vers moi un chariot rempli de petits téléviseurs. La société pour laquelle elle travaille, m'explique-t-elle, a obtenu une concession lui permettant de louer des appareils dans les murs de l'hôpital. Il n'y a qu'une alternative : ou je loue un poste d'elle, ou je me passe de télé. C'est un peu comme les contrats de pavage du gouvernement.

— Mais j'ai un merveilleux Sony couleur de neuf pouces dans la chambre à coucher à la maison ; il est même équipé d'un écouteur et de deux verges de fil. Je vais demander à ma femme de m'apporter le tout cet après-midi.

Elle serre ses lèvres charnues et prend un air menaçant.

— Ce n'est pas permis. Ma compagnie a la concession.

J'étudie sa liste de prix de location, à la journée et à la semaine, et j'en conclus que dans un mois, j'aurais versé à sa compagnie l'équivalent du prix d'achat d'un poste neuf et peut-être même d'un autre jean ainsi que d'un soutien-gorge. Je la remercie de sa visite et de son offre.

— Comme vous voudrez, mais, vous savez, ne rien faire à longueur de journée ça peut devenir très ennuyant.

— J'ai beaucoup de lecture en retard.

— Pas des livres, toujours?

Elle me regarde, dédaigneuse, lance un coup d'œil à M. Sung, puis sort de la chambre abruptement.

Le docteur m'a recommandé de faire de courtes marches. Je déploie donc mes ailes, vacille prudemment au pied du lit de M. Sung et me dirige vers l'éclatante lumière de la salle de bains qui brille dans le lointain. L'expérience est plutôt décevante; la moindre distance est devenue prodigieuse. Sur le pas de la porte, je me retourne triomphant vers mon compagnon de chambre qui m'adresse un sourire un peu énigmatique.

Dans un hôpital, les salles de bains sont conçues et aménagées pour accommoder tous les malades ambulatoires, quelles que soient leurs incapacités. Ainsi, un aveugle cul-de-jatte qui souffrirait de diabète, d'angine de poitrine et d'hémor-roïdes n'aurait aucune difficulté à tirer partie des appuis-main, des barres et des supports encastrés dans les murs à différents niveaux et à tous les endroits stratégiques. Les lavabos et les robinets ne présentent ni angles aigus ni saillies où un malade pourrait se blesser en tombant. Les cabinets d'aisances sont profilés de manière à faciliter la tâche ingrate de la défécation; le papier hygiénique est aussi doux que du duvet et les miroirs sont étamés dans des tons sombres qui atténuent l'effet des chairs flasques et des cernes sous les yeux. Derrière les cabinets, des nécessaires à analyses d'urines sont rangés sur des supports et accompagnés d'un tableau détaillé qui permet aux diabétiques de vérifier eux-mêmes la composition de leurs urines.

Péniblement, je fais mousser du savon sur le gant de toilette et lave mon visage hérissé de poils durs. C'est un travail épuisant. Les toilettes au lit assurées par les infirmières ne m'ont pas permis d'exercer les muscles dont je dois maintenant me servir pour me pencher au-dessus du lavabo et m'asperger la figure et le cou d'eau chaude savonneuse. Je me sens déjà beaucoup mieux. Je me lave aussi la poitrine, les aisselles, le ventre et l'aine. Un drain avale l'eau qui tombe sur le plancher. Comme le cuir chevelu me démange, je me fais aussi un shampooing. J'aimerais bien finir ce brin de toilette par un rasage en règle et sentir à nouveau sur ma peau la fraîcheur d'une bonne lotion, mais comme mes intestins gargouillent vigoureusement, je termine la séance sur les cabinets.

Un bouton rouge pompier muni d'une courte chaîne se trouve à la hauteur des yeux quand on est assis sur le siège. En cas de panique, il suffit d'appeler. Les instructions sont écrites sur le mur en grosses lettres blanches. Mais je ne me sens aucune panique, seulement une grande fatigue.

Je m'accorde plusieurs minutes pour retrouver mon souffle avant d'entreprendre le long voyage de retour. Je repars en titubant, des perles de sueur roulant le long de mes sourcils et de mes lèvres. Un effroyable martèlement se déclenche dans ma poitrine. Il ne s'agit pas encore d'un staccato rapide, mais de longs coups réguliers comme ceux d'un officier de galère rythmant le travail de ses forçats.

Quelque chose ne va pas. J'ai trop exigé de mon cœur malade. Comment ai-je pu être aussi stupide? Je me rassure toutefois à l'idée que ce petit épisode est instantanément transmis au poste de contrôle et que les infirmières vont bientôt voler à mon secours pour sauver encore une fois ma misérable vie. Après des efforts herculéens, je m'allonge et attends, immobile, qu'elles se précipitent à mon chevet.

Quelques minutes plus tard, une femme au teint blême, au nez crochu et aux épaules étroites et tombantes se présente à la porte et pose sur moi un regard timide mais insistant. Elle porte un vêtement pourpré sur lequel est épinglé un carton à son nom. Elle est trop loin pour que je puisse le lire.

— Je fais partie de l'équipe de l'aumônier, murmure-t-elle.

Grand dieu! Ils ont vu mes signaux et ont décidé d'envoyer à la rescousse cette créature pieuse afin de me préparer au pire. Dans ma poitrine, la pression augmente, mais ce n'est ni l'angine ni la douleur qui la cause. On dirait plutôt l'un de ces vertiges qui s'emparent de ceux qui essaient d'affronter les pires désastres le sourire aux lèvres.

Consternée, la dame sautille dans ma direction en battant des membres. Je blanchis à son approche, mais tends tout de même vers elle l'un de mes bras qui pend comme une aile atrophiée en attendant le contact de ses serres. Ses doigts sont froids et sertis d'ongles rongés à vif. Je défaille et suffoque, emporté dans un tourbillon noir. Je m'accroche à sa main comme à une bouée et réussis à articuler d'une voix chevrotante un faible « Merci d'être venue ».

— Que puis-je faire pour vous? Prier?

De toute évidence, mon cas est désespéré.

— Êtes-vous chrétien?

— Oh! oui.

Il n'est peut-être pas trop tard pour me racheter.

Je ne voudrais pas désappointer cet ange secourable. D'ailleurs, les corvées de prière sont à la mode et, puisque je vais mourir, pourquoi ne pas encourager quelqu'un qui ne fait pas partie de la famille à dire au Tout-Puissant quelques mots en ma faveur? Dans le plus grand silence, nous nous cramponnons l'un à l'autre. Brusquement, une infirmière se glisse à mes côtés et m'arrache des mains de la dame en pourpre.

— Vous n'émettez pas.

— Non?

Elle remonte ma chemise d'un coup sec et s'empare de la petite pince qui s'est libérée de la pointe métallique fixée contre mon estomac. J'ai dû l'arracher par mégarde durant mes ablutions. Elle la remet en place, puis repart en me disant sur un ton irrité :

— Essayez d'être un peu plus prudent, non !

Ils surveillent vraiment ces moniteurs. Je ne suis pas en train de faire une rechute, puisque le martèlement a disparu de même que la dame en pourpre. Après tout, la vie continue.

Notre esprit peut vraiment nous jouer de sales tours, donnant à la plus petite anomalie des proportions sans aucune mesure avec son importance véritable. Chaque fantasme est édifié sur la base du précédent jusqu'à ce que, telle une pyramide inversée vacillant sur la tête d'une aiguille, toute l'élucubration s'écroule, condamnant le pauvre halluciné à l'hypocondrie ou, pire encore, à la folie.

Un médecin me raconta un jour que, durant sa quatrième année d'études universitaires, l'un de ses collègues avait fini par se convaincre qu'il souffrait d'un souffle à la valvule mitrale. La valvule mitrale sépare l'oreillette et le ventricule gauches du cœur. Il disait que, avec un stéthoscope, il entendait clairement ce souffle. Persuadé que tous lui mentaient au sujet de son état, il prit définitivement le lit. Au bout de trois ans, il était mort, victime de sa propre imagination.

Mon prochain visiteur est un jeune camelot qui ne fait pas de crédit. Je lui jure que je le paierai demain, quand j'aurai de l'argent.

— Qu'est-ce qui me prouve que vous serez encore ici demain ?

Après tout, nous sommes dans la section des cardiaques ! Petit effronté, va ! De toute façon, quelle différence un journal pourrait-il faire ? Mon monde se limite maintenant à M. Sung et à cette chambre. Ce qui se passe en dehors de ces murs ne relève plus de moi, car je ne peux plus rien changer au cours de l'histoire, ce qui, finalement, n'est pas une sensation si désagréable.

Après le déjeuner, une période de deux heures est prévue pour la sieste. On tire les rideaux devant les fenêtres où des bourrasques de neige viennent s'écraser dans un bruit de crécelles. M. Sung ferme les yeux et sombre aussitôt dans un sommeil paisible. Les jambes et les bras parfaitement allongés, la poitrine bombée, le ventre rentré, il ronfle doucement, au garde-à-vous.

Et voilà que le marin rentre enfin chez lui,
que des collines le chasseur est redescendu.

Montréal, Canada

15 février 1972

Barney Flieger est un géant à la voix caverneuse qui porte le nœud papillon. Il a les cheveux gris et bouclés et arbore une moustache bien taillée; une lueur de scepticisme illumine son regard en permanence.

J'ai pris le train de nuit à Toronto pour venir déjeuner avec lui. Je transporte dans ma serviette une soumission pour les gouvernements fédéral et provincial, un projet qui va révolutionner les méthodes d'épandage aérien dans le monde entier. Pour prouver sa valeur et commencer du bon pied, j'ai besoin de la bénédiction de Barney et d'un contrat d'un million de dollars. J'ai bien l'intention d'obtenir les deux à Montréal. Barney Flieger est *le* spécialiste dans le domaine de la pulvérisation aérienne aussi bien au Canada qu'à l'étranger. Et il m'aime bien.

J'ai fait sa connaissance à l'université, au Nouveau-Brunswick, où il était titulaire d'une chaire à l'École de foresterie, tandis que moi, adolescent naïf, je flirtais avec le droit et le socialisme entre deux rendez-vous galants. À cette époque, il portait des costumes élégants, des nœuds papillon extravagants et enduisait ses cheveux bouclés de Wildroot Cream Oil.

Des rumeurs, jamais infirmées ni confirmées, circulaient à l'effet qu'il aurait été un fameux tombeur de femmes et surtout

69

d'étudiantes. Mais comme les étudiantes ont toujours adoré lancer ce genre de rumeurs... Une chose est certaine, c'est qu'aucune fille n'était inscrite à ses cours de génie forestier. Barney ne se serait jamais donné la peine de dénoncer de tels non-sens.

Nous nous rencontrâmes de nouveau en 1953 durant l'«Opération tordeuses des bourgeons de l'épinette» dont il avait été nommé grand patron après que le gouvernement l'eut «emprunté» à l'université pour les quelques années dont on estimait avoir besoin pour exterminer tous les représentants de cette famille d'insectes. J'étais l'un des rares pilotes canadiens à travailler sur ce projet.

À la tête d'un défilé de véhicules, Barney se présenta à l'extrémité d'une des pistes de gravier au moment où, fatigué d'attendre depuis une semaine le début des travaux d'épandage, je décollais à bord de mon biplan Stearman pour aller exécuter dans le ciel mes acrobaties préférées.

— Très impressionnant, me dit-il une demi-heure plus tard quand je descendis de mon cockpit.

— Merci, lui répondis-je avec un sourire modeste.

— Selon ma montre, vous avez été là-haut durant environ trentre-trois minutes. D'après vous, combien d'essence venez-vous de brûler?

— Oh! une vingtaine de gallons peut-être. Pourquoi?

— Parce que, espèce d'enfant de putain d'irresponsable, je vais t'en faire payer le prix et si jamais je te surprends à jouer encore à ce petit jeu, je te renvoie sur-le-champ. Compris?

Puis, en 1960, il me nomma pilote en chef et responsable des équipes du Nouveau-Brunswick, du Québec et du Maine. Cela représentait deux cent quarante avions à superviser et vingt-trois différents terrains d'atterrissage à visiter. Doré-navant, je n'avais plus le temps de m'amuser.

Même si aujourd'hui Barney ne participe plus activement

aux programmes annuels de pulvérisation des forêts, il exerce toujours une influence décisive dans le domaine, depuis les bureaux de la société Canadian International Paper, aménagés dans l'édifice Sun Life. Les Barney Fliegers de ce monde ne prennent jamais vraiment de retraite; ils deviennent conseillers, directeurs de société, consultants ou bien écrivent leurs mémoires jusqu'à ce qu'un bon jour ils meurent de surmenage.

Dans l'air glacial de février, il me conduit d'un pas rapide chez Madame Berger pour un déjeuner d'hommes d'affaires. Les seules femmes qui fréquentent ce restaurant portent des tabliers empesés et accomplissent avec une sérénité placide ce destin que des années de pourboires généreux leur ont appris à apprécier. Le décor est fait de bois poli, de lin blanc et de verre étincelant. Les habitués vivent à Westmount et à N.D.G., bien qu'un petit nombre viennent d'Outremont et quelques-uns de Laval. Ici, René Lévesque n'a pas la faveur.

— Vous avez pris le train?

Barney approuve les voyages en train. Il ne vole jamais. Il se méfie des avions.

— J'aime bien le train de nuit. Ça me permet de me remettre à jour dans mon travail sans déranger personne.

— Vous avez perdu du poids.

— Je cours à la tête d'une avalanche. Ça me tient en forme.

— Quel âge avez-vous maintenant, Tony?

Il pose sur moi un regard absent; il y a bien dix ans que nous nous sommes vus. Se souvient-il de moi comme de son pilote en chef ou comme de cet écervelé qui faisait des acrobaties dans le ciel?

— Trente-neuf ans, comme Jack Benny. C'est curieux, j'ai longtemps pensé qu'on était très vieux à cet âge.

— Moi, j'ai soixante-dix ans, réplique-t-il d'un air songeur. Jusqu'à quarante ans, je me rappelle que la première chose que je lisais le matin, c'était les pages sportives, puis, de quarante à soixante ans, les pages financières. Maintenant, je ne lis à peu près plus que la chronique nécrologique pour voir qui d'autre encore est parti. Attendre la mort, c'est pas une façon de vivre!

— Pourtant vous avez l'air bien.

C'est vrai, il a l'air en forme. Il a la figure un peu rouge, un réseau de capillaires éclatés s'entrecroisent sur ses joues et son nez, mais ses mains et son regard sont fermes. Un homme qui a toujours bu, mais qui n'est jamais devenu l'esclave de son habitude. Il me rappelle mon père. Puisqu'il est mon invité, il me laisse commander. Un double scotch et du soda pour chasser les fantômes.

— Santé!

— Santé!

Il m'adresse un petit sourire moqueur.

— J'ai entendu dire que vous vous débrouillez bien. Des flottes d'avions en Amérique du Sud, du travail dans les Prairies, au Mexique et aux États-Unis, des réunions au niveau ministériel. Impressionnant!

Ainsi il est déjà au courant de ma rencontre avec le sous-ministre des Terres et Forêts. Lui a-t-on téléphoné pour savoir s'il pensait que j'étais mythomane?

— J'avoue que la compagnie s'est développée.

— Faites-vous de l'argent au moins? Parce que si vous n'en faites pas, ce n'est qu'un merdier de plus.

— Nous réussissons à nous tenir à flot...

Puis j'ajoute après un moment de silence:

— ... parce que j'ai des partenaires.

— Financiers ou d'exploitation?

— Les deux.

— Je vais vous donner un bon conseil. Tenez à l'œil vos partenaires financiers car, lorsque le temps sera venu, ils essaieront de vous arracher jusqu'à votre dernière chemise. Pendant ce temps, débarrassez-vous de vos partenaires d'exploitation. Si vous ne le faites pas, ils tenteront de vous rouler dès que vous aurez le dos tourné.

Et il le pense. C'est un homme d'expérience. Mais je n'essaierai pas de lui expliquer l'imbroglio financier et constitutif dans lequel je suis plongé, tiraillé entre les banques, les investisseurs privés, les prêts personnels, les créances étrangères et les engagements de mille sortes qui donnent un peu de consistance au mirage, tandis que je lutte de vitesse pour établir des fondations solides avant que tout ne s'effondre.

— J'ai besoin de votre aide.

— Si je peux faire quelque chose pour vous, ça me fera le plus grand plaisir. Que voulez-vous?

— Connaissez-vous le sous-ministre?

— Maurice Vézina? Je lui ai parlé quelques fois. C'est l'un des plus intelligents.

— J'ai rendez-vous cet après-midi avec son expert-forestier.

— C'est ce que j'ai entendu dire.

— Quand il vous demandera conseil au sujet du projet que j'ai à lui soumettre, ne me descendez pas.

— Voyons Tony, je ne ferais jamais ça. Vous me connaissez mieux que ça.

— Ne descendez pas le projet non plus.

— Qu'avez-vous à lui offrir?

— Des quadrimoteurs de tourisme transformés en appareils

de pulvérisation pour remplacer nos monomoteurs TBM. Au lieu d'épandre à cent cinquante milles à l'heure des chargements de six cents gallons sur des bandes de seulement trois cents pieds de large, ces appareils nous permettront de transporter cinq mille gallons à deux cent cinquante milles à l'heure et de pulvériser par bandes de trois mille pieds au niveau de la cime des arbres.

— Foutaises.

— Pourquoi pas? C'est un projet valable aussi bien du point de vue économique qu'aérodynamique. Nom de Dieu, Barney, réfléchissez! Au lieu de quinze monomoteurs dirigés par cinq avions de réglage de tir exigeant toute une équipe de personnel à terre, il nous suffira d'un seul DC-7 Douglas pour pulvériser vingt-cinq mille acres à l'heure. Nous utiliserons moins d'insecticide, aurons un meilleur contrôle et effectuerons un travail d'une précision presque parfaite. Plus d'erreurs, ni d'accidents, ni de dégâts et ce, pour la moitié du prix que ça nous coûte maintenant.

— Et où prendrez-vous ces appareils?

— Nous les avons déjà. Il s'agit de quatre vieux avions de tourisme de la société Delta qui rouillaient en Alaska. Nous les avons eus pour une chanson, parce que personne ne pensait qu'ils pouvaient encore servir. Je les transporterai bientôt à Long Beach où ils seront transformés. L'un d'eux sera homologué et prêt à voler dès le mois prochain. Nous ferons des vols d'essais dans le désert Mojave depuis l'aéroport de Daggett. Je serai aux commandes lors de ce précédent et je voudrais que des représentants du gouvernement assistent aux tests.

— Ça ne marchera jamais.

— Eh bien! je pense le contraire. Et si ça ne marche pas, vous pourrez dire que je suis un parfait imbécile, mais donnez-moi au moins une chance d'essayer. On verra bien.

Tandis qu'il se fait une idée, il boit son scotch à petites gorgées en balayant distraitement la pièce d'un regard pensif. Il suffirait d'un coup de fil après le déjeuner pour que la secrétaire de Maurice Vézina me reçoive plus tard avec un sourire de commisération en m'apprenant que le sous-ministre n'a pas pu se libérer. Je connais bien le système.

— Dites-moi Tony, par simple curiosité, qu'attendez-vous de la vie?

Le tour qu'il donne à la conversation me fait tiquer. Mais que veut-il que je lui dise? Au fond, il n'y a qu'une seule réponse possible.

— Le succès.

Je dos admettre que ce n'est pas très original.

— Vous voulez dire l'argent?

— En partie, mais non... pas juste l'argent. Quand on réussit, l'argent vient par surcroît. Comme mon père le disait, c'est la fiche de parcours d'un homme qui nous apprend ce qu'il vaut.

— C'est-à-dire?

Il me regarde curieusement, comme si ma réponse lui importait.

— Élaborer un projet vendable à partir d'une idée, essayer de trouver l'argent pour le réaliser, venir à bout de toutes les résistances, sortir indemne des critiques et des attaques, en un mot, lui donner vie. Finalement, être capable de s'asseoir bien tranquillement pour regarder sa création à l'œuvre et sans doute se permettre un sourire de satisfaction quand personne ne regarde.

— C'est là votre idée du succès?

— Parfaitement. Y en a-t-il une autre?

Mais là-dessus, s'il a une opinion, il la réserve. Il n'a peut-être jamais goûté ni au succès ni à la satisfaction et c'est pourquoi il me questionne.

— Et qu'arrivera-t-il si vous échouez et que tout le monde perde?

— Eh bien! je m'excuserai d'avoir péché par excès d'optimisme, je prendrai un après-midi de congé pour lécher mes blessures et me lancerai dans autre chose. On ne peut pas gagner à tous les coups, vous le savez bien.

— Mais vous êtes convaincu que vos quadrimoteurs d'épandage donneront les résultats escomptés?

- Absolument.

Il cesse enfin de me regarder fixement et me sourit.

— Merci pour le déjeuner.

****

Le sous-ministre est au rendez-vous. Il me présente à mon expert-forestier, Gérard Paquet, un homme trapu et un peu chauve à la figure intelligente, illuminée d'un regard vif et sympathique. Il y a également là deux docteurs sceptiques du Service de recherche en foresterie, ainsi qu'une minuscule secrétaire aux seins hypertrophiés qui distribue à tous du café et des brioches poisseuses.

— Bonjour, bonjour, bonjour.

Ils sont tous munis de blocs-notes et de crayons, car ils sont d'abord venus pour écouter. Je suis un peu gêné de devoir parler anglais, mais mon français, contaminé par dix ans d'espagnol et trop longtemps négligé, ne me serait pas d'une grande utilité dans une conversation d'affaires.

De ma serviette, je sors des tableaux, des rapports, des chiffres, des courbes de rendement aux couleurs vives et tente de les épater en leur faisant valoir les économies qu'ils feront réaliser aux contribuables et le nombre d'arbres qu'ils pourront léguer aux générations futures. Non seulement sauveront-ils l'environnement de la destruction, mais ils deviendront des coureurs de bois modernes et, grâce à leur prévoyance et à leur

sens de l'innovation, les favoris des électeurs. J'ai le feu sacré...
un peu plus et je leur parlerais du sens de la famille.

Mon auditoire de blocs-notes et de crayons me pose
quelques questions. Tous me sourient poliment, mais sans plus.
Ils me rappelleront.

— Bonjour, bonjour, bonjour.

Je dîne chez Pam Pam, un peu au sud de Sainte-Catherine,
dans le centre-ville de Montréal. Je choisis un goulasch, un
ragoût de bœuf tendre et maigre servi sur un lit de nouilles
épaisses et savoureuses, le tout mouillé d'une sauce succulente.
Depuis le début des années 50, je suis un inconditionnel du Pam
Pam et il m'arrive souvent, lors de mes voyages sur la côte Est,
de faire de longs détours dans le seul but de me délecter de sa
spécialité. Je commande deux énormes assiettes de ce goulasch
particulièrement bien épicé, puis, après quelques rots de
satisfaction, je m'engage sur les trottoirs glacés et me dirige
prudemment vers l'hôtel où je me mets aussitôt au travail.

Le vieil hôtel Windsor a conservé un peu de son cachet
original. Divisé, fragmenté et réaménagé sans aucune considération pour sa valeur immobilière, ce fut longtemps le bastion
du bon ton anglais et de la correction britannique. Ses pièces
sont vastes et confortables, mais ses larges corridors recouverts
de tapis constituent un remarquable gaspillage d'espace. L'atmosphère est imprégnée d'une élégance coloniale un peu passée,
résultant d'un combat désespéré pour sauvegarder ce qui reste
de la beauté flétrie de ces vieux murs. Lorsque j'étais enfant et
que je « descendais » au Windsor avec ma famille, durant l'un de
ces innombrables transferts militaires qu'acceptait mon père, je
me souviens que le préposé à la réception faisait les gros yeux
chaque fois que quelqu'un osait s'adresser à lui en français.
Aujourd'hui, on obtient exactement le même résultat si on
s'avise de parler au personnel en anglais.

Vers une heure du matin, tandis que je suis encore en train
de taper énergiquement sur ma machine à écrire, une douleur
intolérable me déchire soudainement la poitrine et me coupe le
souffle. J'essaie d'éructer pour me soulager, mais la douleur ne

passe pas. J'ai l'impression qu'une grosse pierre lourde s'est glissée juste sous mon sternum. Une indigestion? Quoi d'autre?

Je m'empare du téléphone et réussis à hoqueter:

— Avez-vous bicarbonate de soda*?

— Non, m'sieu*.

Le préposé m'explique que les cuisines, le café et le magasin sont fermés pour la nuit. Peut-il faire quelque chose pour moi, envoyer un chasseur à la pharmacie peut-être?

— Je suis malade*.

— Malade*?

— Oui. Malade*.

Tandis que j'essaie laborieusement de trouver les mots pour lui demander d'envoyer quelqu'un chercher des Tums ou des Rolaids, une voix plus autoritaire, qui veut savoir de quelle maladie je souffre s'il-vous-plaît, remplace la sienne.

Mais comme la traduction française de *heartburn* m'échappe — si je j'ai jamais sue —, j'improvise, remplace *burn* par «brûlure», ajoute les mots «malade» et «cœur», ouvrant ainsi une brèche dans la barrière des langues.

— J'ai brûlure de malade cœur*.

— Mon Dieu! moment, m'sieu*.

Et puis soudain, la ligne est morte. Je recompose le numéro, mais n'obtiens aucune réponse. Je raccroche et m'étends sur le lit en essayant de reprendre mon souffle. La douleur continue de m'étreindre, resserrant de plus en plus sa poigne. Je gémis.

La porte s'ouvre brusquement et deux policiers suivis du chef de permanence et de son assistant boutonneux se penchent

---

*En français dans le texte.

sur moi. Toujours hors d'haleine, je reste allongé, modestement vêtu d'un slip Fruit-of-the-Loom. Les flics font le tour de la chambre d'un air inquiet, ouvrent les tiroirs et le placard, jettent un œil sur ma machine à écrire, à la recherche de quelque indice incriminant.

— Une ambulance sera bientôt là, me murmure le chef de permanence d'une voix qui se veut apaisante.

— Vraiment! pourquoi?

Puis la lumière se fait. Le triple imbécile a appelé l'hôpital. J'essaie de me lever en protestant, mais un des flics me repousse aussitôt en position horizontale.

— *You don't understand. It's heartburn, not heart attack,* leur dis-je, en oubliant soudainement tout mon pauvre français.

Mais le flic est bilingue. À Montréal, tout le monde est bilingue en cas d'urgence.

— *You'ave de pain in de chest?*

— *Yes, but it's heartburn. I need a couple of Rolaids.*

— *Still hurt?*

— *Yes, it still hurts.*

— *Maybe de heart an' not be burn, eh?*

Il a peut-être raison. Dans le domaine du bien-être physique, je suis enclin comme chacun à m'adonner aux interprétations les plus irrationnelles.

Peut-être ai-je vraiment des problèmes cardiaques. Je reste couché, parfaitement immobile, et regarde le flic fouiller mes poches, sortir mes pièces d'identitié, mes cartes de crédit, mon argent, mes clefs. Mais est-ce vraiment légal? Et puis qu'est-ce qui l'est à Montréal? Son équipier ouvre ma serviette, palpe quelques papiers, puis le referme. Deux ambulanciers moustachus et costauds entrent dans la pièce en poussant une civière pliable aux roues grinçantes. Ils ont l'air de brigands tupamaros. L'un des deux suce sa moustache pendant qu'il discute avec son collègue de la meilleure façon de me charger sur la civière pour s'éviter des efforts et m'en épargner.

« Bon », la décision est prise. Ils me déposent sur le brancard, enveloppé dans un drap Windsor, puis me roulent dans le corridor, traversent le hall et sortent par les portes principales dans ce petit matin de février où je suis accueilli par un froid de moins trente degrés. L'air glacial traverse aussitôt mon drap et je me mets à trembler.

Les pattes articulées du côté gauche de la civière refusent de plier. Un concours d'injures bien québécoises se dispute entre les deux ambulanciers pendant que je grelotte à me briser les os. Puis, les pattes cèdent subitement et je me retrouve sur le trottoir. Les deux compères me ramassent, me glissent dans l'ambulance et m'attachent, avec la civière, à l'une des parois du véhicule.

— Eh ! Marcel, regarde-le, il a déjà les lèvres bleues. C'est pas bon signe.

— Vite, vite, vite.

Et nous démarrons au son de la sirène dans un nuage de neige poudreuse. Je suis maintenant convaincu que je n'ai plus que quelques minutes à vivre. C'est la course contre la montre. L'hôpital Royal-Victoria est niché au pied du Mont-Royal. L'ambulance traverse à un train d'enfer les intersections désertes tandis que les hurlements de sa sirène laissent présager les pires désastres. S'il y a du chauffage dans cette voiture, ils l'ont gardé pour eux. Immobilisé tel un dangereux malade mental, je ne peux même pas bouger les bras. Ils ont toutefois laissé assez de lâche dans les courroies pour que je puisse grelotter et tourner la tête. Je suis un homme perdu ; j'en ai le pressentiment.

Nous faisons une entrée infernale aux urgences de l'hôpital. Une demi-douzaine d'hommes en blanc sortent en trombe, me jettent sur une autre civière et entreprennent dans la plus grande confusion une course le long d'un corridor. Pendant cette galopade, on réussit à m'enfoncer des aiguilles dans les bras, à me raser la poitrine et à enrouler un manchon autour de mon bicep. Un interne, qui court à mes côtés comme un chiot paniqué, plonge dans mes yeux de petits faisceaux de lumière et me sonde les entraîlles de son stéthoscope. Puis, soudainement, il disparaît, après s'être écrasé le nez contre les portes du service des urgences cardiaques. Je frise l'hystérie.

— Ne bougez pas.

J'essaie de ne pas cligner des yeux tandis que je regarde l'électrocardiogramme dégurgiter sur le plancher un amoncellement de graphiques aux lignes ondulées. J'arrive difficilement à me maîtriser.

— Pourquoi grelottez-vous? me demande une infirmière au profil anguleux.

— Pa-par-parce que j'ai f-f-f-froid.

— Impossible, la température est de soixante-douze degrés. Vous êtes dans une atmosphère parfaitement contrôlée.

— U-u-une cou-couverture, si-si-s'il-vous-plaît!

— Donnez-lui une couverture, il est probablement en état de choc, commente l'interne, de retour à mon chevet.

Quelle perspicacité! Un choc, bien entendu! Il ne penserait pas au froid. Mes symptômes iatrogéniques s'intensifient brusquement et demeurent marqués jusqu'à l'arrivée des couvertures. L'infirmière anguleuse ramasse une brassée de ECG et traverse la pièce pour aller conspirer avec l'interne et un médecin barbu qui porte, fichés sur un nez tranchant, des verres aussi épais que des loupes. À mes côtés, une étudiante infirmière sourit timidement.

— Avez-vous mal?

— Auriez-vous des Rolaids?

Je suis convaincu que, si j'ai des troubles cardiaques, on devrait d'abord s'attaquer à mon indigestion de sorte que, une fois la douleur passée, les médecins puissent concocter un diagnostic exact au sujet de mon cœur défaillant. Pourquoi laisser des affections bénignes masquer des problèmes graves ?

La jeune étudiante va chercher les conférenciers et leur communique ma requête.

— Qu'avez-vous mangé pour dîner ?

— Du goulasch, deux assiettées.

Ses yeux semblent énormes à travers les verres ; on dirait que ses pupilles vacillent à chaque mouvement de sa tête. Il me fait donner un antiacide dans un minuscule gobelet de papier que je me dépêche de vider.

— Ahhhhhh !

— Vous sentez-vous mieux ? me demande-t-il après un silence poli.

— Énormément.

L'incendie qui dévorait ma poitrine s'est enfin calmé. Je peux de nouveau respirer sans effort ni douleur. Un miracle de la médecine moderne.

— Mmmmmm.

Il me regarde avec insistance, une petite moue de dédain aux lèvres.

— Votre ECG est normal.

— Vraiment ? C'est bon à entendre.

Je m'assois, prêt à discuter du diagnostic.

— Que faites-vous comme travail ?

— Mon job ? Je suis en affaires, dans les avions, la finance, des choses du genre. Je n'ai donc rien au cœur ? Vous êtes absolument certain que je n'ai pas fait de crise cardiaque? Il doit y avoir autre chose que vous pouvez vérifier.

— Vous êtes pilote?

— Oui, c'est ça. Il me semble avoir lu quelque chose au sujet d'une analyse de sang, d'un compte d'enzymes.

— Pour quelle compagnie pilotez-vous?

— Ma propre compagnie.

Je n'ai pas vraiment le goût de me lever de cette civière et de rentrer à l'hôtel en taxi enveloppé dans un drap à cette heure-ci de la nuit, surtout si je peux m'attarder ici jusqu'au petit déjeuner.

— De petits ou de gros avions?

Ce médecin est un pilote frustré.

— Des quadrimoteurs.

— J'aurais toujours aimé devenir pilote, mais ils n'ont pas voulu de moi dans l'armée à cause de mes yeux. Vous savez, ils exigent une vue parfaite des deux yeux.

— Bah! vous savez docteur, vous n'avez pas manqué grand-chose.

— Vous avez donc fait partie des Forces aériennes?

Il a l'air aussi émerveillé que si j'avais escorté les Rois Mages.

— Dans les années cinquante. J'étais très jeune, lui dis-je comme pour m'excuser. Mon cœur, docteur, c'était une indigestion ou non?

— Peut-être.

Il décide de me garder en observation pendant quelques jours, par mesure de précaution.

— Quelques jours? Combien de jours? J'ai des rendez-vous à respecter et je dois assister à des réunions.

— Deux ou trois jours, disons trois.

On me donne une chambre privée à l'étage des malades cardiaques. J'ai un téléphone, un téléviseur et une vue privilégiée sur l'hiver et cette ville blanche et noire, toute de glace et de verre.

Montréal est une ville où le temps s'est arrêté. La vieille douairière de la montagne est destinée à vivre à jamais, une ribambelle d'enfants de toutes provenances accrochée à ses jupes: Français, Grecs, Juifs, Anglais, Allemands, Italiens, Portugais. Elle a plusieurs visages et bien des souvenirs, le français n'étant qu'un seul aspect de son histoire. C'est la seule ville du pays vraiment cosmopolite et peu importe l'acharnement que mettront ses promoteurs à essayer d'égaler le réalisme stérile de Toronto, Calgary ou Edmonton, la vieille douairière restera toujours la reine de l'élégance urbaine.

Je dors par intermittence jusqu'à ce que le jour se lève, clair et éclatant, à la suite d'une aube fragile et rose. Après le petit déjeuner et un changement de draps — « mais, madame, je ne suis dans ce lit que depuis deux heures et demie » — j'appelle Helen pour lui dire que j'ai été victime d'une vulgaire indigestion et de ne pas s'inquiéter.

— Alors pourquoi te garde-t-on à l'hôpital?

Question pertinente. Nous pourrions consacrer une heure à explorer les diverses possibilités, mais je n'ai pas le temps. J'ai un rendez-vous à 10 h avec Curtis Finchman de Canadair pour discuter d'un programme quinquennal d'épandage en Tunisie. Toutes les données sont dans ma serviette. Je dois absolument obtenir de l'hôtel qu'on me l'envoie porter à l'hôpital avec mes vêtements ou je suis un homme perdu. Sans numéros de téléphone, sans tableaux ni statistiques, c'est l'émasculation en affaires.

Peter Cheeseman, l'un de mes partenaires, se trouve à Kenai, en Alaska, où il travaille avec son équipe à préparer les DC-7 pour leur voyage vers Long Beach, en Californie. Eric Schwendau, un autre partenaire, est à Managua d'où il supervise nos activités en Amérique centrale tout en essayant d'empêcher Dino de se tuer ou de plonger la compagnie dans un désastre financier. Marcos Vilela, notre partenaire brésilien, fait de nouveau des pieds et des mains pour dénicher d'autres avions et du financement afin de renflouer notre petite base de São Joaquim do Barra. Je dois participer à une réunion d'investisseurs ce soir à Toronto et puis il y a la paye des employés à préparer, trois directeurs de banque à rassurer et un rendez-vous à Los Angeles après-demain. Je suis l'homme à tout faire. Je n'ai pas cherché à avoir des responsabilités en affaires, elles m'ont été dévolues à la suite d'un concours de circonstances.

Après être retourné au Canada en 1965, j'ai cessé de piloter à cause d'un grave empoisonnement. L'endrine, un insecticide maintenant interdit presque partout au monde, était alors utilisée pour réprimer le sphinx du tabac dans le sud-ouest de l'Ontario. Un hydrocarbure de chlore très toxique de la famille du D.D.T., l'endrine s'attaque au cortex du système nerveux central chez les animaux, les insectes et les êtres humains. Un homme moyen qui absorberait une once d'endrine pure par contact cutané, ingestion ou inhalation mourrait en moins d'une heure dans d'atroces convulsions. Chez une vache ou un cheval l'agonie durerait environ une demi-journée tandis que, chez les insectes, la mort est presque instantanée.

Le mélange pulvérisé sur les cultures de tabac à raison d'un demi-gallon à l'acre est composé d'une pinte d'endrine par gallon d'eau. Cette fois-là, on avait oublié de dissoudre l'insecticide et je décollai avec un réservoir plein d'endrine pure. La dernière fois qu'on avait tenté l'expérience pour voir si la pulvérisation à volume ultra-bas donnerait des résultats satisfaisants, le pilote chargé de l'essai était mort.

Un empoisonnement chimique a sur l'organisme une action insidieuse. La personne qui en est victime expérimente d'abord une légère euphorie; ses centres moteurs sont affectés et, par conséquent, les mécanismes délicats qui président à sa vue, à son équilibre et à sa coordination musculaire s'altèrent. À ce stade, elle éprouve des étourdissements et des nausées; son rythme cardiaque augmente, puis elle vomit, entre en convulsions et meurt.

Aussitôt que je reconnus les symptômes, je repérai un champ de foin près d'une maison de ferme et me posai sans délai. Le fond de l'avion était couvert d'endrine. Un des joints d'étanchéité de la valve maîtresse s'était brisé et le poison mortel se répandait en fine bruine dans le cockpit. À cause de mon masque protecteur, je n'avais pas senti l'odeur écœurante du produit, mais mon organisme avait été atteint par absorption cutanée.

Je vacillai comme un homme saoul jusqu'à la maison de ferme. Avec la plus grand bonté, le propriétaire me conduisit immédiatement aux urgences de l'hôpital de Tillsonburg où, sans bonté aucune, on me dit de m'asseoir et d'attendre mon tour.

Comme je n'étais pas prêt à mourir en attendant mon tour, il me fallait absolument faire quelque chose de sensationnel pour passer outre aux règlements. J'allongai le bras en travers du bureau et déchirai la blouse et le soutien-gorge de l'infirmière réceptionniste.

— Prenez un stylo et notez. Dans quelques minutes je serai secoué de convulsions et il sera trop tard. Téléphonez au Centre de toxicologie de Toronto et demandez le docteur Mastramateo. Dites-lui que vous avez un pilote d'épandage souffrant d'empoisonnement cutané à l'endrine.

À son grand honneur, je dois dire qu'elle réussit à tout noter, y compris le numéro de téléphone, tandis qu'elle se tenait les seins nus devant la salle bondée, sauvant ainsi ma vie.

Je ne me souviens plus ensuite que d'avoir nagé dans une demi-conscience, à des milles de là, à l'hôpital Victoria de London où l'on m'avait expédié par ambulance.

Ma convalescence dura une éternité. Je perdis pour un temps toute cohérence verbale et la capacité de me tenir debout sans assistance. Constamment pris de vertiges et de nausées, tourmenté par des maux de tête lancinants, je contemplai l'idée du suicide et mis au point des plans sophistiqués pour simuler un accident afin qu'Helen pût réclamer l'indemnité double prévue par ma police d'assurance. Toutefois, quand le temps arriva de passer à l'action, je compris soudainement que ces plans étaient les premières pensées rationnelles que j'avais eues depuis des semaines et conclus que la guérison n'était plus très loin. Et j'avais raison, mais mon Dieu que ce fut long, tellement, tellement long.

L'automne succéda à l'été, puis l'hiver à l'automne et ce ne fut qu'au printemps suivant que je me risquai à sortir seul de la maison ou à conduire une voiture. Ma carrière de pilote était finie. La pensée de monter dans un cockpit me donnait des sueurs froides et ravivait les pénibles souvenirs de mon Waterloo. Durant des mois, l'odeur des détergents, des gaz d'échappement, de la peinture et des insecticides provoquèrent chez moi des réactions violentes.

L'esprit humain est une création vraiment étonnante, capable de ranimer le passé et de reproduire la douleur et les symptômes d'affections depuis longtemps guéries et oubliées. Encore aujourd'hui, l'odeur de certains insecticides et produits de nettoyage me rend malade.

Cinq années passèrent. J'eus trois beaux enfants, un garçon et deux filles, et j'acquis une grande maison neuve dotée d'une piscine chauffée contre une hypothèque négligeable et un quart d'acre de pelouse à tondre. Je travaillais fort, réussis à avoir un bon crédit et passai de longues heures à mettre au point un nouveau type de four à air pulsé pour sécher le tabac. Grâce aux 150 000 acres de tabac cultivés dans le sud-ouest de l'Ontario, le Québec et les Maritimes, les ventes ne manquèrent pas. Même le géant Impérial Tobacco acheta douze de mes fours pour équiper sa ferme expérimentale de l'Île-du-Prince-Édouard. L'argent affluait.

Les avions ne me facinaient plus; même l'envie de grimper dans un cockpit m'était passée. Piloter n'était plus qu'un souvenir agréable et je me considérais chanceux de m'en être sorti vivant. Par ailleurs, à l'étranger, tout avait changé. Les pays d'Amérique latine engageaient de moins en moins de pilotes itinérants, préférant faire appel aux leurs qui, après plusieurs accidents tragiques et pertes d'appareils, avaient fini par apprendre l'art de sauvegarder leurs avions ainsi que leur vie.

Par une chaude journée de l'été 1970, Peter Cheeseman me rendit visite. Originaire du Yorshire, cet homme courtaud aux cheveux raides et noirs, doté d'un menton carré et d'yeux d'un étonnant bleu clair, exploitait alors un petit atelier d'entretien mécanique près du village de Norwich. Plusieurs années auparavant, j'avais pris l'habitude d'utiliser sa piste d'atterrissage herbeuse comme base principale pour mes activités locales. En plus d'être un mécanicien hors pair, prêt à travailler à n'importe quelle heure du jour ou de la nuit en cas d'urgence, Cheeseman ne roulait jamais ses clients. C'était un homme d'humeur égale qui nourrissait de grands rêves et il avait six enfants et une épouse heureuse.

— J'ai besoin d'aide, commença-t-il en mordillant un cigare éteint.

Pendant les après-midi de canicule, je m'installais souvent dans la piscine, assis dans un fauteuil soufflé, une boisson bien glacée sur un bras et un téléphone muni d'une trentaine de pieds de fil sur l'autre. J'avais vendu mes parts afférentes à la fabrication et je m'amusais à spéculer sur le marché des hypothèques et des valeurs immobilières. On éprouve un certain plaisir à s'asseoir bien confortablement pour regarder son argent se multiplier presque par enchantement, tout au moins jusqu'à ce que l'ennui s'installe et qu'on soit prêt pour un changement. Et j'étais bien mûr.

— Tu as besoin d'argent?

— J'ai toujours besoin d'argent, mais ce n'est pas pour ça que je suis venu te voir. En fait, j'ai besoin de réponses et je ne connais qu'un seul homme assez malin pour me les donner : toi.

Un point pour Cheeseman. La première règle du succès pour un vendeur consiste à ne jamais ferrer le poisson avec son propre argent. Une approche indirecte est toujours conseillée. D'abord, il faut appâter son homme, solliciter son avis, gonfler son ego à bloc. Tout homme se sentira flatté qu'on lui demande conseil. Quand il aura été bien amadoué, encensé et qu'il commencera à se sentir important, il y a bien des chances qu'il vous offre de lui-même tout ce que vous aviez espéré.

Aussitôt qu'il eût piqué ma curiosité, je ramai à sa rencontre pour en savoir davantage.

— Tu prendras bien un verre?

C'est un amateur de scotch et d'eau. Il ne prend jamais de glace. Son problème découlait de la faillite de deux sociétés d'aviation qui avaient fusionné avec son atelier de mécanique qui, lui, était rentable. Les deux perdants menaçaient d'emporter le gagnant dans la débâcle. Le prix d'une expansion infructueuse inspirée par un excès d'optimisme.

— Mais j'ai trouvé la solution. Une compagnie de Montréal s'apprête à négocier un contrat d'épandage de plusieurs millions de dollars avec la Tunisie. Les responsables m'ont demandé de les aider à faire un prix.

— Pourquoi toi?

Dans l'industrie de l'aviation, Peter Cheeseman n'était pas exactement le mécanicien ni le consultant le plus connu.

— Parce que j'ai donné le nom de notre société à l'ACDI. Et on le leur a refilé.

Décision judicieuse. Chaque année, l'Agence canadienne de développement international donne en aide étrangère près d'un milliard de dollars à des pays qui, parfois, en ont vraiment besoin pour réaliser des projets qui, de temps à autre, aboutissent. Mais en général, les hommes d'affaires considèrent l'ACDI comme un scandale politique et une honte nationale. Une vache à lait qu'on trait en périodes de récession économique et qui fournit aux partisans libéraux des retraites dorées.

— Quel type d'avion?

— Je ne sais pas. Tu pourras peut-être en décider toi-même quand tu auras lu le cahier des charges.

— Le contrat est-il sûr?

— C'est dans la poche.

S'il avait cru ça, il avalerait n'importe quoi. Il ouvrit sa serviette en plastique défraîchi et sortit un assortiment de cartes et de photographies aériennes ainsi qu'une pile impressionnante d'imprimés d'ordinateur, une courtoisie de Canadair de Montréal qui aurait bien aimé vendre ses monstrueux bombardiers à eau comme avions d'épandage. Les données informatisées prouvaient que leur CL-125 était l'appareil idéal pour la Tunisie. Naturellement.

La société qui agissait comme intermédiaire dans cette entreprise était dirigée par Curtis Fincham, un ancien colonel des Forces aériennes devenu vice-président des ventes chez Canadair. Elle opérait sous le nom de NAREMCO, un acronyme désignant la Natural Resources Energy Management Company. Une affaire corsée.

Je feuilletai la documentation, intrigué par l'envergure du projet et les estimations optimistes de ses promoteurs. Si une telle entreprise pouvait être organisée, financée, bien équipée et implantée avec succès en Tunisie, ses participants pourraient prendre une retraite confortable avec les bénéfices nets qu'ils en retireraient. Comme les normes de l'ACDI avaient été déterminées par un fonctionnaire qui n'avait qu'une très vague idée du métier, elles se limitaient à quelques indications très générales.

Un superbe papillon voltigeait au-dessus de l'eau émeraude, fuyant quelques minuscules prédateurs ou poursuivant ses proies. Allez savoir! L'air était humide et lourd et sentait bon les roses du jardin. Je pouvais entendre, tout près, les cris joyeux des enfants.

Aujourd'hui, avec la sagesse que donne toujours la rétrospection, je sais que j'aurais dû remettre tous ces papiers dans la serviette défraîchie de Cheeseman, manifester un intérêt poli pour ses efforts et lui offrir un prêt en contrepartie d'une part dans l'entreprise. En bon Yorkshirois têtu, il aurait refusé et serait reparti après avoir terminé son verre. J'aurais ainsi évité dix années de problèmes et une crise cardiaque. Mais la sagesse vient toujours trop tard. Au lieu de me servir de ma tête, j'écoutai mon cœur et replongeai aussi sec dans le monde de l'aviation.

Ma première démarche consista à renouveler ma licence de pilote. Comme les fonctionnaires responsables en matière d'aviation estiment qu'après cinq ans de vie sédentaire un pilote a tout oublié, je dus repasser tous les examens médicaux et les interrogations écrites et me soumettre à des vols d'évaluation. Heureusement, on manœuvre un avion comme on fait l'amour ou de la bicyclette : une fois qu'on maîtrise la technique, on s'en souvient toujours. Dès la première neige, j'avais déjà dans mon tout nouveau et chic porte-documents en cuir une licence de pilote de ligne et tentais de démêler l'écheveau constitutif de Midair Aviation Limited.

La compagnie possédait quatre monomoteurs de pulvérisation agricole, un petit atelier de mécanique, une camionnette asthmatique et 150 000 dollars de dette. En 1970, cela représentait beaucoup de fric. Dans les comptes à recevoir, il n'y avait que quelques arriérés de fermiers mécontents et diverses factures de l'atelier de mécanique. À Noël, j'avais déjà investi trop de temps et d'argent dans ce gouffre pour me permettre d'abandonner. Comme la décision de l'ACDI concernant le projet d'épandage en Tunisie ne devait pas être connue avant plusieurs mois, je disposais de tout mon temps pour élargir les horizons de la société.

Nous empruntâmes un petit avion rapide à quatre places et nous nous rendîmes à Las Vegas pour assister au Congrès international de l'aviation agricole. Cheeseman était enthousiaste. Il y avait là des délégués de toutes les parties du monde et il se rendait compte pour la première fois que les possibilités de travail ne se limitaient pas aux trois mois de la saison canadienne. La délégation brésilienne était dirigée par Marcos Vilela, un jeune pilote d'épandage qui parlait couramment quatre langues et détenait un doctorat de l'Université de Sao Paulo. Il travaillait pour l'Institut du café et prétendait que des centaines d'avions seraient nécessaires pour réprimer la rouille de la feuille du café, un champignon parasite qui menaçait de compromettre l'avenir des exportations brésiliennes. Il voulait savoir si nous consentirions à visiter son pays pour évaluer nous-mêmes l'ampleur du problème tout en ayant comme objectif de nous implanter en Amérique du Sud. Nous ne nous fîmes pas prier.

Un mois plus tard, nous louâmes un bimoteur d'affaires à huit places que je pilotai vers le Brésil et l'été sud-américain; nous visitâmes Belém, sur l'Amazone, Recife, Rio de Janeiro, Sao Paulo et le Mato Grosso, où certains ranchs sont plus vastes que bien des pays européens.

Cinq membres de notre équipe participaient à ces vols et, après deux mois d'évaluation, nous étions tous d'accord : le Brésil avait besoin de mille avions et d'autant de pilotes bien entraînés pour résoudre un nombre égal de problèmes. Mais la dictature militaire qui présidait aux destinées de ce pays était infestée par une bureaucratie répressive qui, en dépit du bon sens et de ses refrains réformistes, mettait des mois à prendre la moindre décision.

Vilela, notre nouveau partenaire et directeur exécutif de Midair do Brazil, récemment constituée, promit de travailler à l'obtention des licences d'importation dont nous avions besoin pour lui envoyer des avions. Cheeseman parlait de vingt appareils, mais Vilela jurait qu'il en fallait trente. Quant à moi, je pensais que si nous pouvions trouver suffisamment d'argent pour en financer cinq, cela tiendrait déjà du miracle. Nous retournâmes au Canada au tout début printemps.

La course au financement commença aussitôt. Aucun gouvernement ni institution prêteuse classique ne se montrèrent intéressés à investir dans une société qu'ils pensaient vouée à la faillite, quel que fût son exotisme. Je me tournai donc vers des investisseurs privés et engageai un analyste financier pour donner plus de consistance au projet. Nous avions besoin d'un demi-million de dollars pour lancer l'affaire.

Eric Schwendau, un homme de mon âge devenu millionnaire à force de travail, dirigeait un bureau d'experts financiers à London. Il écouta mon histoire et s'intéressa vivement aux possibilités qu'elle offrait à long terme. En juillet, Midair était solvable, des prêteurs privés y ayant injecté un capital d'un quart de million de dollars. Parmi ces prêteurs, il y avait, en plus de moi, des amis de la famille et certaines de mes relations. Quiconque réussit à associer ses relations à ses affaires est un fameux évangéliste.

Midair loua des avions d'épandage un peu partout au pays et les envoya pulvériser le blé des Prairies, les forêts du Québec, les pommes de terre de la côte Est ainsi que les fermes et les vergers de l'Ontario. Au plus fort de la saison, vingt-huit appareils étaient à son service.

Grâce au travail d'Eric et de la North American Rockwell, le fabricant d'aéronefs, la U.S. Export Bank s'était engagée à financer 90 pour cent des huit nouveaux avions dont nous avions besoin pour le Brésil. Je retournai en Amérique du Sud afin de mettre sur pied le bureau de Rio et de visiter quelques clients brésiliens et, au retour, j'arrêtai à Managua pour rencontrer Dino Zaglaviras. Nous passâmes un contrat de location selon lequel tous ses avions devaient s'envoler pour le Brésil dès la fin de la saison nicaraguayienne.

À mon retour au Canada, l'argent continua d'affluer. Quelques investisseurs mécontents, liés aux premières mésa-ventures de Midair, essayèrent de s'imposer à la direction de la société, mais le putsch fut rapidement écrasé et Eric fut élu président à l'unanimité.

En octobre, nous voyions déjà approcher le succès à grands pas et étions loin de nous imaginer qu'au Nouvel An nous en serions revenus au point mort. Ce qui nous était apparu si facile devint soudainement irréalisable.

Dans un accès de ressentiment à l'égard de tout ce qui était canadien, le secrétaire du Trésor américain, John Connolly, refusa son aval à la Export Bank. Zaglaviras perdit la moitié de sa flotte dans divers accidents stupides et Vilela, qui avait également perdu l'un de ses deux avions, n'avait pas encore réussi à obtenir de son gouvernement la permission de faire venir au pays plus d'un avion et d'un pilote étranger, bien qu'il fût submergé de contrats pour une valeur de trois millions de dollars. Notre monde s'était écroulé, victime de l'absurdité des nationalismes.

Quelques jours après le Nouvel An, je convoquai une réunion à notre bureau de Norwich afin de déterminer comment nous devions nous y prendre pour expliquer la situation à nos actionnaires et éviter la faillite. Il nous fallait absolument trouver quelque chose pour mettre les investisseurs potentiels en confiance. Quelque chose de tangible. Cheeseman nous montra un numéro de *Trade-a-plane*, un magazine consacré à la vente d'avions d'occasion. Et c'est ainsi que nous apprîmes que quatre DC-7 Douglas étaient à vendre à Kenai, en Alaska. Ces anciens appareils de la société Delta avaient été équipés de réservoirs de 5000 gallons et utilisés pour approvisionner en mazout l'Atlantic Richfield tandis qu'elle construisait ses installations de craquage à Prudhoe Bay, dans le nord de l'Alaska.

— Il me semble que ça ferait de sacrés bons pulvérisateurs, s'émerveilla Cheeseman.

— Tu as tout à fait raison, lui répondis-je, quel est le numéro de téléphone du propriétaire?

Et nous nous relançâmes à fond de train dans la course...

****

Le troisième matin de mon séjour au Royal-Victoria, Barney Flieger me téléphone pour prendre de mes nouvelles.

— C'était une fausse alarme, lui dis-je, ils me flanquent à la porte aujourd'hui.

— Parfait. Vous êtes trop jeune pour être cardiaque. Ces trucs-là n'arrivent qu'aux vieux emmerdeurs de mon espèce.

— Amen.

— A propos... j'ai parlé avec Maurice Vézina. Le gouvernement a décidé de vous donner une chance. Prouvez aux fonctionnaires que vos quadrimoteurs peuvent faire le boulot et ils vous refileront un contrat d'un million de dollars cet été.

Je suis estomaqué. Enfin, un sursis. Le phénix renaît de ses cendres.

— Avez-vous entendu ce que je viens de dire?

— Oui, oui, merci Barney.

— Pourquoi? C'était leur décision. Moi, je leur ai dit que vous n'étiez qu'un crétin.

Et c'est ainsi qu'à la poursuite du succès, dix années allaient s'envoler en fumée.

Kingston, Canada

20 janvier 1980

Aujourd'hui, je m'aventure pour la première fois dans les corridors encombrés de l'hôpital. Je suis en rémission coronarienne. Lentement, en glissant les pieds, je me rends jusqu'aux portes de la sortie d'urgence; je m'appuie ensuite contre le mur le temps de reprendre mon souffle, puis m'en retourne prudemment à la chambre afin de me remettre de cet effort colossal.

Je m'attends à ce que les infirmières sortent de leur retraite d'un moment à l'autre pour me ramener dans un fauteuil roulant parce que j'ai surpassé mes forces et que la lumière rouge du moniteur s'est mise à clignoter, leur signalant l'imminence de mon décès. Mais non, je reviens à mon lit sans avoir provoqué d'incident et M. Sung s'incline pour me témoigner son approbation.

— Vous mieux.
— Mais je suis fatigué.

Une semaine a passé. Maintenant mes chances de rétablissement sont aussi grandes que si j'avais souffert d'une mauvaise diarrhée. Je m'assois dans le fauteuil des visiteurs en attendant que mon pauvre cœur cesse sa course folle.

Il est assez renversant de constater à quelle vitesse chacun de nous se précipite dans la vie sans aucune considération pour son

97

cœur, prenant son bon fonctionnement pour acquis, sans penser une seconde à ce qui lui advient. Ces battements cadencés que rythment nos efforts, ce pianotage obsédant qui nous martèle les tempes quand nous avons la migraine, ce roulement de tambours qui bat nos tympans quand nous glissons dans les catacombes du sommeil et ces palpitations qui accompagnent l'amour, ou le lucre, traduisent tous le même message du cœur : « Eh ! bonhomme, vise un peu, je suis toujours au travail. »

Ce n'est que lorsqu'il nous fait mal ou qu'il a des ratés que nous commençons à remarquer les merveilles que ce muscle accomplit dans notre poitrine.

Le travail dont il s'acquitte est tout à fait extraordinaire : chaque heure, il pompe suffisamment de sang pour remplir deux barils de quarante-cinq gallons, soit plus de deux mille gallons par jour. Et si nous sommes assez chanceux pour nous rendre jusqu'au terme biblique de soixante-dix ans, il aura alors fait circuler dans notre corps la quantité incroyable de cinquante-deux millions de gallons de sang ! Imaginez un convoi de mille trois cents wagons-citernes dont la tête disparaîtrait à l'horizon ! De telles analogies donnent à réfléchir.

Une matrone aux cheveux violacés, débordante de chairs et de sollicitude, vient stationner son chariot chargé de livres près de mon fauteuil.

— Mais depuis combien de temps sommes-nous ici ? s'attendrit-elle.

— Une semaine.

— Nous sentons-nous mieux ?

— Nous nous sentons mieux.

— Et je suppose que nous nous en retournerons bientôt à la maison ?

Tout est possible. Les hôpitaux attirent les âmes charitables. Les Dames auxiliaires, l'Armée du Salut, les Jeunes baptistes, l'Association chrétienne pour la tempérance, tous ceux qui se sont découvert une mission auprès de leurs semblables se présentent tôt au tard au chevet des malades. Certains les accueillent sans doute comme une bénédiction du ciel, mais, en ce qui me concerne, ils me cassent les pieds et je préférerais qu'ils restent chez eux ou retournent dans leurs églises. Je veux pouvoir apprécier ma maladie sans qu'on vienne m'interrompre.

Quand j'étais plus jeune et en meilleure santé, quand la mort et la maladie n'étaient encore que des mots, je m'imaginais qu'il serait agréable de quitter ce monde sur un fond musical. J'aurais choisi la *Symphonie du Nouveau Monde* de Dvorak, ou bien un extrait des *Pêcheurs de perles,* et me serais même accommodé du romantisme de l'ouverture de *Roméo et Juliette* de Tchaïkovski. Entouré de mes amis les plus chers, bercé par les harmonies d'un génie musical, je serais mort le sourire aux lèvres dans la plus pure tradition hollywoodienne.

Mais la réalité s'avère tout à fait différente. Il n'y a rien de plus détestable, quand on est malade, que d'être constamment envahi par des gens de bonne volonté, des âmes charitables, des médecins de la foi ou des enfants criards. Même la musique devient désagréable. Les mélodies ne sont plus que du bruit et les meilleures harmonies semblent soudain composées d'une suite de fausses notes.

La matrone corpulente aux cheveux violacés a une voix rocailleuse rongée par le whisky. Elle ne fait pas le moindre cas de M. Sung. J'aimerais bien changer de place avec lui pour pouvoir observer l'envahisseur sans être importuné.

— Je recommande ces livres à tous mes patients cardiaques. Des auteurs solides, provocants, exceptionnels.

Comme son bagage d'adjectifs est épuisé pour le moment, elle prend deux volumes sur l'étagère supérieure de sa bibliothèque roulante et les dépose sur mes genoux. A-t-elle prévu des livres pour les grands brûlés hospitalisés plus loin sur l'étage? Des volumes pleins d'espoir pour les cancéreux du cinquième? Que recommande-t-elle aux malades traités en neurologie?

Elle me soumet une fiche que je dois signer avec son stylobille.

— Écoutez-moi bien maintenant : si nous quittons l'hôpital avant que je revienne, nous devrons bien nous rappeler de laisser nos livres au poste des infirmières.

Je lui assure que nous nous en souviendrons et je suis récompensé d'un regard plein de confiance.

Mes livres ont été écrits par des médecins. Ce sont des commentaires un peu débiles farcis de clichés qui visent à apaiser les craintes que bien des cardiaques entretiennent au sujet de leur future vie sexuelle, des problèmes familiaux qui les attendent, de leur réinsertion sociale et du retour au travail. Les chroniques, du genre « Ce que le patron pensera lors de votre retour au bureau », sont truffées d'une panoplie de bons conseils formulés dans le style le plus direct. Ne fumez pas, restez mince, faites de l'exercice chaque jour, évitez les situations stressantes et, par-dessus tout, essayez d'être heureux et optimiste. Olé !

Les page sont fatiguées, bien cornées et des paragraphes entiers de cette prose bête sont soulignés à l'encre rouge. Puisque aucun des auteurs n'a eu lui-même de crise cardiaque, leurs conseils me paraissent non seulement triviaux mais aussi suspects, d'autant qu'ils font constamment allusion à la « prochaine attaque ».

Il y aura toujours une prochaine semaine, un prochain mois ou une prochaine année. C'est aussi inévitable que la guerre nucléaire. Bien entendu, la deuxième crise sera différente de la première, puisque la partie du cœur qui a été affectée lors de celle-ci est morte et se recouvrira peu à peu de tissu cicatriciel. La prochaine fois, une autre partie mourra. Peut-être l'organe entier. Faites de l'exercice chaque jour recommandent les auteurs. Je me lève et sors de la pièce en traînant le pas.

Un homme charmant d'environ soixante-dix ans est hospitalisé dans la chambre voisine. Grand mais un peu voûté, M. Leader est un tailleur de pierres débonnaire aux grosses mains calleuses. Il exploite une carrière et sculpte des momuments mortuaires, un travail très exigeant pour le cœur. Il en est à sa troisième crise cardiaque.

Dès que je me présente, il se lève pour me serrer la main et s'enquiert poliment de ma santé. Trois crises cardiaques? La sculpture de monuments est-elle à ce point stressante? Ce n'est sûrement pas l'impatience des clients ni l'exiguïté des délais qui l'ont rendu malade. Il ne fume pas, ne boit pas, ne mange rien qui pourrait faire tiquer un diététicien, mais il travaille comme un forçat.

— J'ai eu ma première crise il y a onze ans, m'explique-t-il doucement, surpris que je m'intéresse à son cas, la plupart des cardiaques ayant tendance à se replier sur eux-mêmes.

— La deuxième attaque m'a terrassé il y a deux ans. Après cela, j'avais du mal à soulever le moindre poids. J'ai dû engager un jeune homme, parce que mon neveu n'était pas intéressé par le commerce. De nos jours, les jeunes gens n'acceptent pas facilement de trimer dur. J'aurais dû me retirer quand j'étais au-dessus de mes affaires.

Les anges de pierre, l'écriture gothique, les obélisques miniatures ont peuplé toute sa vie. Il ne s'est jamais marié, n'a jamais eu d'enfants, n'a pas connu l'affection étroite d'une famille et sa parenté se limite à un neveu aventureux qui « est allé s'enrôler dans les Marines, sacré nom de nom! »

— Pouvez-vous concevoir ça? Une armée étrangère! s'exclame-t-il tristement comme si un vent de folie avait balayé tout sens commun pendant qu'il taillait ses pierres.

Sa dernière crise est survenue deux jours après la mienne. Une coronarite bénigne, semble-t-il, tellement insignifiante qu'on n'a pas jugé bon de le garder aux soins intensifs.

— Mais ils ne le savent pas. Pas vraiment. Les médecins ne disent jamais la vérité. Cette fois-ci, j'ai la sensation que la fin est proche. Avez-vous déjà eu une pareille impression?

— Tous les matins depuis une semaine.

Il rigole un peu.

— Mais vous êtes jeune, vous allez vous en sortir.

Jeune? La quarantaine déjà bien avancée, je ne peux pas espérer vivre encore plus de dix ou vingt ans et ce grand séducteur pense que je suis jeune. Tout est relatif. Mes enfants sont convaincus que je suis une antiquité, à l'attitude et au goût musical antédiluviens. Charles de Gaulle a dit un jour que la vieillesse est un naufrage. J'ai l'impression de foncer toutes voiles dehors vers le dernier écueil.

— Vous vous en tirerez également.

— Ne croyez pas ça. Pas cette fois-ci.

Je me retire doucement tandis que, songeur et triste, il contemple les toits enneigés. A-t-on vraiment l'intuition de son destion à l'aube des derniers jours?

Je fais une autre pause. Graduellement, les martèlements se calment dans ma poitrine. Deux étudiantes infirmières viennent changer les lits. Deux jeunes filles de moins de vingt ans, aux jolies joues de chérubin, pour qui la mort n'est encore qu'une notion livresque et les soins infirmiers, une vocation pure et désintéressée. À quel âge devient-on aussi sage que M. Sung?

— Vous encore essayé? me demande celui-ci.

On ne lui permet pas de se lever car, bien qu'il n'ait pas fait de crise cardiaque, il souffre constamment d'angine. Son médecin lui a déjà fait essayer plusieurs médicaments dans l'espoir de trouver la combinaison qui le soulagerait. À l'exception de la mort, il n'existe pas de panacée universelle. Il y a deux nuits, une angine sournoise s'est glissée dans notre chambre, s'est insinuée sous ses draps et l'a foudroyé dans son sommeil. Une attaque veule. J'ai sonné pour appeler l'infirmière parce que, aveuglé par la douleur, il n'arrivait plus à trouver le poussoir.

— Une autre petite marche jusqu'au bout du corridor, lui dis-je en sortant.

— Bon exercice pour le cœur, très bon.

Je ne sais pas jusqu'à quel point c'est bon, mais, en tout cas, c'est épuisant. Bon Dieu, je me sens comme l'un de ces pauvres vieillards chancelants que l'on peut voir marcher à grand-peine et sans but sur les pelouses grasses des hospices. Présentement, l'idée de vieillir me terrorise; dans mon sablier déjà vide aux deux tiers, les grains de sable continuent de couler dans le vase inférieur, y empilant indifféremment et mes échecs et mes succès en une petite pyramide de souvenirs poussiéreux.

J'ai appris par hasard que M. Sung a quatre-vingt-quatre ans. Incroyable. On lui donnerait tout au plus cinquante-cinq ans. Il y a un moment, nous parlions des années de l'avant-guerre. Pour moi, *la* guerre, c'était la Deuxième Guerre mondiale, mais M. Sung pensait plutôt à la Première Guerre. La Grande Guerre.

C'est en dernière classe qu'il a fait la traversée depuis la Chine durant l'été 1913. Aussitôt arrivé, il s'est trouvé un emploi de plongeur dans un restaurant chinois; son salaire s'élevait à vingt-cinq cents par jour et comprenait une paillasse dans le grenier. Une vraie aubaine.

À cette époque, encore assez récente, on refusait aux Orientaux la citoyenneté canadienne ainsi que la permission de faire venir leurs familles au pays. Une politique de pureté raciale conçue pour s'assurer que l'Authentique Nordique reste fort, libre et... blanc.

— Et puis? Qu'avez-vous à redire? Avez-vous déjà vu les lois australiennes? Ils n'acceptent ni les jaunes d'œufs ni les nègres, parce qu'une fois que ces zigotos ont mis le pied dans la porte, tous leurs oncles, leurs tantes, leurs frères, leurs sœurs et leur belle-famille rappliquent au pays et s'empilent dans les bureaux d'aide sociale. Et, vous savez, ils se reproduisent comme des lapins ces types-là.

C'est ce que m'avait confié un jour un agent d'immigration dont le père, un tailleur sarde, avait économisé durant la moitié de sa vie pour se permettre de venir en Amérique parce qu'il voulait que son fils naisse dans une terre d'abondance.

— Regardez Gengis Khan et les gars de son espèce. Si on

leur en donne la chance, ils envahiront toute cette foutue planète.

Non mais...

Ses oncles, ses tantes, et ses grands-parents se souviennent encore de leur île, mais ils m'ont assuré qu'ils n'y remettraient jamais les pieds. Même pas pour une visite.

Quand M. Sung arriva au Canada, il savait qu'il *devait* s'en retourner. Les Chinois étaient des visiteurs de seconde classe que le gouvernement et les citoyens traitaient comme des esclaves qu'ils pouvaient utiliser et renvoyer selon leur bon plaisir. Triste société. Et que dire du collier de misère auquel ces pauvres gens étaient condamnés dans les restaurants et les blanchisseries?

— Mais dites-moi, qu'est-il arrivé de toutes ces blanchisseries chinoises?

Il sourit.

— Vieillards dans blanchisseries. Devenir plus vieux encore et mourir. Enfants aller à université. Étudier affaires, médecine, droit. Acheter laveuses et sécheuses automatiques. Plus besoin blanchisseries chinoises. Compagnies amidon faire faillite. Malheur terrible.

Ses yeux pétillants laissent deviner son humour. Le monde de la restauration était différent, parce que chaque Chinois pouvait y être son propre maître. Quand ils commençaient, ils étaient sans le sou, mais, après avoir travaillé dix ans seize heures par jour, ils pouvaient équiper et ouvrir leur propre restaurant, le décorer de lanternes de papier et se payer un voyage en Chine pour aller prendre femme. Une fois qu'ils étaient mariés, ils retournaient dans leur pays tous les cinq ans pour voir comment les enfants avaient grandi, à quel point leur épouse avait vieilli et essayer de faire un autre petit avant que l'*Empress* ne quitte de nouveau Shanghai.

Quand M. Sung rentrait de voyage, il s'apercevait parfois que son «homme de confiance» l'avait saigné à blanc ou qu'il avait liquidé tous ses biens pour aller ouvrir son propre commerce dans le village voisin. Ils devaient alors tout recommencer, acheter de nouveaux couverts, une nouvelle batterie de cuisine et d'autres lanternes de papier. En 1947, le gouvernement changea les règles du jeu et décréta que les Chinois et leurs épouses pouvaient vivre ensemble, tel que Dieu les avait unis. La lumière s'était enfin levée.

L'épouse de M. Sung a quatre-vingt-deux ans. Elle vient le visiter chaque jour un peu avant midi et repasse chaque soir après le dîner. C'est une toute petite femme vive aux traits doux et aux cheveux gris soigneusement coiffés; elle transporte toujours un sac à provisions rempli de tricots, de pyjamas propres, de pantoufles et de journaux chinois. Elle n'a jamais appris l'anglais. Allô, au revoir et merci sont les seuls mots qu'elle connaisse dans cette langue.

Je lui cède mon fauteuil, le sien en réalité, et m'assois sur le lit.

— Oh! merci, me dit-elle en souriant.

Le partage des commodités dans un hôpital est trés réconfortant, particulièrement si votre compagnon de chambre est plus malade que vous. Son expérience et ses misères constituent un étalon qui vous permet d'évaluer l'ampleur de vos progrès.

En vérité, la misère aime la compagnie, pas en vue d'un partage mais pour des fins de comparaison. Pour les uns, elle devient la mesure du progrès tandis que, pour les autres, elle est l'illustration du chemin qui reste à parcourir. Pour celui qui est gravement malade, l'hospitalisation dans une salle bondée doit déjà être le nirvana.

Je sais que M. Sung est beaucoup plus malade que je ne le suis. À quatre-vingt-quatre ans, combien de grains de sable reste-t-il dans le vase supérieur de son sablier? Quelle que soit celle de mes artères qui s'est rétrécie puis bloquée, le mal est maintenant fait et irréparable. Néanmoins, je ne souffre plus d'angine. À bien y penser, je préfère une crise cardiaque bénigne à de constantes attaques d'angine. Un cœur amoché peut être dorloté en toute quiétude quand on est encore capable d'apprécier les plaisirs sensuels du goût, de l'ouïe, de la vue, de l'odorat ainsi que ceux de la marche et de l'amour.

Mais quand on est persécuté par l'angine, on doit prévoir chacun de ses mouvements, non pas pour éliminer le mal, puisque cela est impossible, mais pour permettre à l'esprit de se préparer au niveau de douleur correspondant à chaque activité. Les promenades doivent être lentes et courtes, les escaliers, gravis marche par marche et les repas, légers et espacés. En fait, la moindre action prend un tour cérémonial. Faire l'amour est presque impossible.

M. Sung a des crises d'angine même quand il ne bouge pas. Dès qu'il fait un rêve au rythme un peu trop rapide, il se réveille en suffoquant comme cela m'est arrivé il y a quelques semaines. Actuellement, on essaie de déterminer combien de ses artères ont rétréci. Plusieurs ou seulement une ? Et s'il n'y en a qu'une, s'agit-il d'un vaisseau essentiel ? La réponse viendra avec de l'intuition quand on aura essayé suffisamment de médicaments.

— Rien n'est plus faux, m'informe le docteur Rice.

Le docteur Rice remplace le grand Koval quand celui-ci n'est pas en résidence. C'est un jeune homme à l'abondante chevelure brune et aux yeux bleus mi-sérieux ; en sa présence, j'ai l'impression d'être vieux. Il fait ses visites seul, ce qui signifie que, dans la hiérarchie hospitalière, il en est encore aux premiers échelons.

— Nous pourrions faire une angiographie, c'est-à-dire prendre une photographie de l'intérieur de son cœur et de toutes les artères qui s'y abouchent. Cet examen nous permettrait de localiser précisément le siège de son problème.

Il parle avec la plus grande fierté, comme s'il avait lui-même participé à la découverte du procédé.

— Puis, si l'intervention était justifiée, nous pourrions faire une chirurgie de pontage ; le sang contournerait alors la région endommagée.

Chirurgie de pontage. Ce n'est pas la première fois que j'entends ces mots. Une opération à cœur ouvert. Il a fallu cinq mille ans à la médecine pour plonger d'un demi-pouce en-dessous du sternum et être capable de remettre en état des valvules ou des artères altérées, d'implanter des stimulateurs cardiaques ou même un nouveau cœur.

— Alors pourquoi n'opérez-vous pas ce pauvre M. Sung?

— C'est un vieil homme, dit-il non sans commisération, même une angiographie comporte certains risques. Il pourrait faire un infarctus durant l'examen.

— Ce qui pourrait ternir la réputation de certains? Mais n'avez-vous jamais pensé qu'il pourrait préférer ça à la douleur? Lui a-t-on jamais demandé son avis?

— Ce n'est pas si simple que ça. Même si nous pouvions déterminer son problème et y remédier chirurgicalement, nous ne pourrions pas l'opérer. La limite d'âge est de soixante-dix ans. Et elle a longtemps été de soixante.

Manque de pot! Ou quand un patient est trop vieux pour qu'on lui sauve la vie.

— Mais regardez cet homme! On ne lui donnerait pas plus de soixante ans. Et puis quel imbécile a arbitrairement fixé le point de non-retour à soixante-dix ans?

— Les chirurgiens établissent eux-mêmes leurs politiques. Par ailleurs, M. Sung ne survivrait pas à une intervention majeure, croyez-moi. L'opération est une solution de dernier recours. Nous faisons toujours tout pour l'éviter.

— Et si tout ce que vous faites ne donne aucun résultat, mais qu'il est ensuite trop tard pour opérer parce que vous avez perdu votre temps à expérimenter, qu'arrive-t-il?

— Le patient meurt.

— Comment on se sent dans la peau de Dieu-le-Père?

— Je sais que tout cela semble injuste, mais ça ne l'est pas si vous prenez la peine d'y penser un peu. Ne croyez-vous pas qu'il vaudrait mieux opérer quelqu'un qui a plus de chances de s'en sortir qu'un vieillard de quatre-vingt-quatre ans?

— Un homme de mon âge, par exemple?

— Exactement.

— Je ne sais pas docteur, je n'ai jamais joué à la Providence.

Nous parlons à voix base, en prenant bien garde de ne pas couvrir la conversation musicale qui se déroule à l'autre lit. Rice regarde M. Sung avec compassion. Il est sincère lorsqu'il dit:

— Le mieux que nous puissions faire pour lui est de lui donner le plus de confort possible et d'espérer de toutes nos forces que nous arriverons à trouver la combinaison de médicaments qui soulagera ses problèmes. Toutefois, soyons réalistes, combien de temps pensez-vous qu'un homme de quatre-vingt-quatre ans peut encore espérer vivre?

Je ne connais pas la réponse, mais cela vaut la peine d'y réfléchir. Y a-t-il une différence de qualité entre la médecine d'un pays où les soins de santé sont socialisés et celle d'une nation comme les États-Unis où tout se paye rubis sur l'ongle à moins qu'on ne soit assuré ou que, grâce à la charité publique, on ait le privilège d'être parqué dans un petit hôpital surpeuplé?

Si on excepte les quelques médecins qui ne pratiquent que pour le gain ainsi que les hypocondriaques qui ne s'avoueront jamais guéris, quelle différence y a-t-il au niveau de la qualité des soins entre les divers hôpitaux, les innombrables médecins et les multiples pays? Le serment d'Hippocrate change-t-il de contenu selon les nations et les secteurs hospitaliers? Existe-t-il une entente tacite entre les médecins qui établirait des priorités de traitement selon l'âge, la maladie ou certaines considérations financières? Une complicité qui permettrait de tout débrancher lorsque la douleur et la misère ont dépassé le seuil prévu par le Créateur? J'espère que oui, mais je n'envie pas ceux qui doivent prendre de telles décisions.

— La plupart des problèmes cardiaques commencent par l'altération des artères coronaires, m'explique le docteur Rice en me dessinant un magnifique diagramme.

Il aurait dû être dessinateur.

— À mesure que, avec l'âge, elles se rétrécissent et s'épaississent, l'alimentation du cœur en sang est réduite et celui-ci s'affaiblit. Une thrombose, ou la formation d'un caillot, dans l'une de ces artères peut causer un léger malaise ou se révéler mortelle, selon l'endroit où elle se produit, c'est-à-dire selon l'artère ou l'artériole qui est affectée.

«Selon votre électrocardiogramme, les dommages se sont produits dans la partie arrière et supérieure gauche de votre muscle cardiaque. Vous êtes un homme chanceux : le vaisseau oblitéré est une artère secondaire. Votre angine était causée par la pression qui empêchait l'irrigation normale de cette partie du cœur. Mais avant que l'obstruction soit totale, des centaines de capillaires ont pris une partie de la circulation en charge, se transformant ni plus ni moins en veines et en artères pour pourvoir à l'alimentation de votre muscle.

— Mais ils n'ont pas réussi à empêcher la crise.

— C'est vrai. Toutefois, c'est grâce à leur aide que les dommages ont été limités. Si ce n'avait été de ce phénomène, vous ne seriez sans doute pas ici aujourd'hui.

Il a connu deux hommes, plus jeunes que moi, qui n'ont même pas eu le temps de se rendre à l'hôpital. Le premier est tombé raide mort tandis qu'il installait une tringle à rideaux pour sa femme et le second, un maniaque de la santé et grand amateur de jogging, a crevé en tenue de course durant le premier mille de sa séance rituelle de fin d'après-midi. Du jogging, nom de Dieu !

Mais ces cas sont rares. Habituellement, il y a des signes avant-coureurs : l'essoufflement, la fatigue générale et, bien sûr, l'angine. Toutefois, on ne peut s'empêcher de frémir d'horreur quand on entend l'histoire de ce commandant de bord qui descendit de son 747, monta dans son Oldsmobile et cassa sa pipe avant même d'être sorti du terrain de stationnement. Et que penser de cet homme que deux éminents médecins venaient d'examiner à la requête d'une société d'assurances et qui, selon eux, était aussi solide que le roc, mais qui mourut dans l'ascenseur en sortant de leur bureau?

— Mais ces cas sont exceptionnels; en ce qui vous concerne, c'est la règle qui s'applique: attaque d'angine, crise cardiaque, rétablissement. Vos tissus se cicatrisent, mais vous avez perdu à jamais dix pour cent de votre cœur. Le reste de votre muscle devra prendre la relève.

— Jusqu'à ce qu'une autre artère se bloque. Quelle part de mon cœur perdrai-je alors? Un autre dix pour cent? Pouvez-vous m'assurer que cela ne dépassera pas vingt-cinq pour cent? Si une de mes artères s'est obstruée, les autres ne sont sûrement pas mieux en point et doivent déjà réclamer leur tour. J'ai l'impression d'être une bombe à retardement.

Il apprécie mon humour, quoique je n'essayais vraiment pas d'être drôle. Peut-il comprendre ce que je ressens? Aurais-je compris à son âge? Sûrement pas. Médecin ou non, il appartient aux moins de trente ans, à cet âge où l'on est éternel, où tous les morts sont des cadavres, des curiosités médicales à sonder et à disséquer, où tous ceux qui souffrent ne sont rien de plus que des patients à traiter. Je ne peux pas le blâmer, sa période d'immortalité lui passera.

— Pourquoi ne me fait-on pas l'un de ces angio-machins pour savoir si quelque chose d'autre n'est pas à la veille de claquer?

— Une angiographie. On pourrait, mais pas immédiatement après une attaque. Attendez quelques mois, jusqu'à ce que votre cœur se soit replacé et que vous ayez recouvré vos forces. Une angiographie comporte aussi des risques, me rappelle-t-il.

— Docteur, il y a aussi des risques à utiliser un bassin hygiénique, mais je vous jure que ça vaut largement la peine de les courir.

Il me quitte en riant. Je me sens abattu. Je sais que c'est de la folie : il y a tant de choses dont je devrais me réjouir. Il n'y a rien comme un séjour dans un hôpital, où l'on peut voir défiler toutes les horreurs du monde, pour apprendre à apprécier la vie.

Le survivant de l'holocauste de l'autoroute soixante-douze, qu'on a pu voir en couleurs à la télévision, est hospitalisé sur l'étage. Son aventure s'est terminée par des greffes de peau, une chirurgie plastique et des mois de douleurs indescriptibles. Il me regarde du fond d'un puits d'angoisse lorsque je lui rends visite dans la salle des grands brûlés.

Le pauvre homme repose nu sur un lit de minuscules billes de verre soutenues par un coussin d'air. Ses bras, le haut de son torse et une partie de son visage sont complètement dépourvus d'épiderme. La chair vive et le réseau complexe de ses muscles ont pris une teinte bleu rosé et semblent très secs, un peu comme de la venaison. De la gaze humide couvre l'horrible plaie. L'humidité est la clef de sa survie. Durant des mois encore, on prélèvera dans son dos et sur ses jambes des morceaux de peau qui serviront à reconstituer l'épiderme des parties brûlées. Il a besoin de peau pour respirer.

Je commence par lui dire quelques mots d'encouragement. Il me regarde comme s'il ne comprenait rien. Puis son infirmière arrive et me chasse de la chambre. Dans le corridor, elle m'explique que son patient est un immigrant italien, un cimentier. Moins de deux ans après être arrivé au pays, il s'était marié et était parti en lune de miel dans une voiture neuve en se servant d'un faux permis. parce qu'il n'arrivait pas à passer les examens de conduite. Son épouse n'a pas survécu.

L'homme qui a fumé trois paquets par jour durant vingt-cinq ans me croise en poussant devant lui sa bouteille d'oxygène. Ce cadavre à la respiration sifflante n'a plus qu'un poumon, déjà rongé par l'emphysème, et est destiné à finir ses jours branché sur un tube de plastique. Il s'arrête pour engager la conversation et j'apprends que, malgré ses cheveux gris clairsemés et ses joues creuses, il a dix ans de moins que moi.

— Avez-vous arrêté ? crachote-t-il.

— Arrêté quoi ?

111

— De fumer, voyons?

— Oui, je n'ai pas touché à cette saleté depuis une semaine, lui dis-je d'un air vertueux.

— Ça vous manque?

— Non. En fait, jusqu'à ce que vous en parliez, je n'y pensais même pas.

— Doux Jésus! Moi, ça me manque. J'ai pris une couple de bouffées la semaine dernière et j'ai failli mourir étouffé. Merde que c'était bon. Vous voyez ce que je veux dire?

Pas vraiment. Il a peut-être envie de mourir: bienvenue au pays de Marlboro! Quant à moi, je me sens déjà mieux, plus léger.

****

Chaque jour de la semaine, mon fils Pierre me rend visite après l'école. Il a treize ans et il est en septième année. Il vient seul, préférant laisser les soirées à ses sœurs et à sa mère lorsque, selon lui, il y a trop de monde dans la chambre et pas assez de fauteuils. En fait, je pense qu'il apprécie secrètement cette occasion de faire quelque chose de sa propre initiative au lieu de s'en retourner à la maison où il se retrouve toujours entouré de femmes.

Il est à cet âge ingrat où on est encore trop jeune pour discuter d'égal à égal avec sa mère et trop vieux pour vraiment s'amuser avec ses sœurs. Il a besoin de son père et j'ai bien peur que ces dernières années je n'aie pas été suffisamment présent dans sa vie.

Personne ne lui a demandé de venir et je suis convaincu qu'il y a pour lui des choses plus importantes dans la vie que de marcher six milles aller retour en plein hiver pour rendre visite à son père. Je me sens coupable comme les héros des pièces d'Ibsen, tiraillé par une série d'émotions contradictoires. Je pensais qu'une fois la nouveauté passée, ces visites allaient perdre de leur charme. Mais il a persisté et, maintenant, j'attends l'heure de ces rencontres avec impatience. Chaque jour, je prélève des sandwichs et des craquelins à même mon gargantuesque déjeuner afin d'avoir quelque chose à lui donner quand il arrive. Il a un appétit vorace; c'est une joie de le regarder manger.

Il se présente toujours un peu après quatre heures, les joues roses et légèrement essoufflé à cause de la marche. J'envie sa santé et ce jeune cœur dont le rythme suit fidèlement le tempo de la vie. Avec mes traits et le caractère placide de sa mère, il est la preuve vivante de la dichotomie génétique qui se réalise au sein d'une famille. Tout en conversant, nous jouons aux cartes et parfois aux échecs ou aux dames. Le jeu n'a pas tellement d'importance à mes yeux, c'est surtout sa conversation qui m'intéresse.

J'ai découvert assez brusquement à quel point les enfants étaient devenus importants pour moi. Ils constituent mon passeport pour l'immortalité, comme je l'ai été pour mon père et lui, pour le sien. Quand tout sera consommé, ils seront la seule preuve de mon passage sur cette terre, du fait que j'ai aimé et ai été aimé.

Au début, quand le miracle de la vie vient de s'accomplir et que nous tenons ces petits corps que nous avons aidé à créer dans nos gigantesques mains tremblantes ou que nous observons, fascinés, leurs pleurs ou leur sommeil, il semble difficile de considérer ces nouveaux êtres comme de véritables humains. Ils sont alors bien avant tout le produit d'une maternité ou d'une humanité qui se situe dans l'ordre immuable des choses — de curieux petits objets à aimer, à nettoyer et à nourrir. Mais pas des humains, tout au moins pas encore.

Pour un père, les enfants sont des jouets conçus pour alléger les soucis du labeur quotidien ainsi que les frustrations éprouvées dans un monde où tout n'est que forfaits, salaires ou commissions. Quand dix minutes d'attention ont été consacrées à la progéniture, la lecture des journaux, le dîner ou la télévision prennent préséance. En ce qui me concerne, je disparaissais chaque soir derrière les portes de mon bureau et consacrais le reste de mon temps à formuler des plans d'affaires en prétendant systématiquement que j'agissais dans l'intérêt de la famille.

Foutaise.

Je le faisais d'abord pour moi; une motivation essentiellement égoïste me poussait à toujours accomplir davantage, à acquérir plus de biens, à en savoir plus, à continuer d'accumuler les marques de réussite de manière à pouvoir jouir des accolades respectueuses de mes pairs. Quelle vanité, quelle stupidité d'une fierté si mal placée!

Dans un foudroyant accès de compréhension, il m'est apparu que rien n'était plus important que d'aider mes enfants à se réaliser, tout en essayant de guider leur esprit curieux sur les voies de la connaissance. J'aimerais leur enseigner à tout mettre en doute, à ne jamais prendre pour un fait ce dont ils n'auraient pas eux-mêmes éprouvé la justesse ou la vérité, puis à être prêts à défendre leurs convictions. Un idéal exigeant.

Pierre a perdu une année scolaire quand nous vivions en Californie. Il fréquentait alors l'école Tewinkle de Costa Mesa où l'athlétisme était la seule matière obligatoire. En tant qu'étranger à l'accent bizarre, il fut classé dès son arrivée parmi les sous-fifres. Durant les premières semaines, il fut battu régulièrement et on lui vola sa bicyclette. Finalement, après plusieurs longues et convaincantes conversations avec sa mère, il décida de répliquer, s'attaqua au plus costaud de ses tourmenteurs et lui flanqua une volée. Il se joignit ensuite à l'équipe de natation et remporta plusieurs compétitions. Plus personne ne s'en prit jamais à lui. Mais il apprit très peu de choses à l'école à part se défendre, se dominer face à la stupidité et ne pas envenimer les querelles. Un acquis d'une grande utilité dans la vie, mais d'une valeur scolaire discutable. Le peu qu'il a découvert cette année-là lui est venu tout entier de sa mère.

Et où étais-je pendant ce temps? À la chasse aux illusions. Je ne revenais à la maison que les fins de semaines pour me reposer et assurer cette vague présence à laquelle, au cours des ans, j'avais si bien su habituer ma famille.

Je n'étais toutefois pas complètement inconscient de l'effet cumulatif qu'une paternité aussi superficielle pouvait avoir sur les enfants. J'avais vu plusieurs de mes collègues traverser avec amertume l'épreuve du divorce, des consultations familiales, des comparutions devant les tribunaux pour enfants ou encore se heurter aux problèmes de drogues de leurs adolescents.

— J'comprends pas mon garçon. Le sacripant, je lui ai tout donné et regarde maintenant comment il a tourné et ce qu'il vient de nous faire à sa mère et à moi. Mais bon Dieu, qu'est-ce qui ne va pas chez les enfants d'aujourd'hui? Si j'avais osé faire un coup pareil, le vieux m'aurait botté le cul, j'te jure, et c'est pas les témoins qui l'auraient gêné.

Exactement. Et c'est probablement pourquoi il ne s'est jamais attiré de graves ennuis. La peur du père. Du châtiment. La certitude qu'aucune excuse ne serait admise. C'était aussi la façon dont mon père me traitait. Les pères de cette génération n'avaient peut-être pas la sagesse de Salomon, mais ils obtenaient des résultats parce qu'ils prenaient le temps de parler avec leurs fils et leurs filles en les considérant comme des personnes à part entière et non comme de perpétuels ennuis domestiques qu'il faut bien tolérer entre deux voyages d'affaires ou deux pannes de télévision. Même en nous creusant la tête, nous n'aurions pas pu trouver une méthode plus rapide pour détruire nos enfants et nous priver à jamais de leur affection.

Les plus sages d'entre nous nous rafraîchissaient parfois la mémoire en nous servant des aphorismes à saveur publicitaire du genre: «Savez-vous où se trouve votre enfant ce soir?», «Sachez être un grand frère ou une grande sœur pour votre enfant» ou «Quand avez-vous embrassé votre enfant pour la dernière fois?» Il existe toute une infrastructure sociale, des colonies de vacances, des familles d'accueil et des centres de jour qui sont nés à cause de l'indifférence des parents qui sont toujours trop occupés, trop fatigués, trop ennuyés, trop égoïstes ou trop saouls pour s'intéresser à leurs enfants. Une crise cardiaque peut remettre bien des choses en perspective.

— Papa?

— Hmmmm.

— Je me demandais... quand tout sera fini, j'veux dire quand tu iras mieux et que tu partiras d'ici, serons-nous encore riches comme avant?

— Tu veux dire riches d'argent?

À mes yeux l'argent a perdu de son importance, car jamais il ne pourra racheter ma santé ou remplacer la partie de mon cœur qui a été détruite.

— Pas exactement, dit-il pensivement. Mais je pense que nous avons besoin d'argent pour pouvoir nous payer ce qui est important.

— Vraiment?

Je fais l'imbécile, car j'ai le goût de l'entendre.

— Bien sûr, tu sais, pour pouvoir vivre dans une grande maison, avoir une piscine chauffée, deux autos, une tondeuse autoportée et être capables d'aller dans des places amusantes et de manger dans des bons restaurants les fins de semaines.

— Nous devrons peut-être avoir des rêves plus modestes pendant quelque temps.

— Est-ce que ça veut dire que nous sommes fauchés?

— Eh oui!

— Mais comment ça?

Il dépose son jeu, une main d'atouts.

— Si c'est vrai que t'as volé des millions, pourquoi on n'est pas riches? Comment ça se fait qu'il ne reste rien? Pourquoi maman a-t-elle besoin d'aide sociale? Pourquoi t'as pas engagé les meilleurs avocats au lieu de te défendre toi-même? Pourquoi sommes-nous tombés de si haut? Je ne comprends pas.

Ses yeux limpides se sont remplis de larmes de colère. Quatre années de frustrations remontent à la surface. Il m'a vu

116

escalader les plus hauts sommets et maintenant nous sommes tous au fond du gouffre, cherchant désespérément à survivre. Il ne peut plus imaginer l'avenir après la destruction de son passé. Nous n'avons jamais parlé de ces problèmes d'homme à homme. Les causes de son malheur lui sont toujours restées mystérieuses. Seuls les résultats de notre chute lui apparaissent clairement : la maison de London où il a passé les dix premières années de sa vie lui a été enlevée et, avec elle, il a perdu ses amis, l'arbre sur lequel il aimait grimper, ses cachettes préférées et ses meilleurs souvenirs. Même les meubles de sa chambre à coucher ont été vendus aux enchères pour pouvoir payer les factures et manger.

Il se rappelle des policiers qui, en vertu de leurs mandats de perquisition, ont mis la maison — sa maison — sens dessus dessous, saisissant des « preuves », tripotant ses jouets, fouillant les chambres de ses sœurs, à la recherche de je ne sais trop quoi. Il se souvient aussi de ces deux procès qui s'étirèrent pendant six mois et que les autorités mirent quatre ans à conclure.

Il y a trois semaines, il m'a rendu visite en prison et je l'ai félicité avec fierté des bons résultats de ses examens de Noël. Les prisonniers avaient organisé une fête pour les enfants et, pendant une heure ou deux, le bonheur fit la nique à la misère. Maintenant, il me voit à l'hôpital et il se demande si l'histoire de mon rétablissement n'est pas un truc pour lui faire accepter encore un autre échec. Il veut savoir la vérité. Mais parfois la vérité est bien difficile à cerner et encore plus difficile à dire...

Van Nuys, Californie

23 avril 1975

Les hangars et les bureaux de l'American Jet Industries occupent la partie est de l'aéroport de Van Nuys. À l'extérieur, sur les pistes de béton, des mécaniciens et des ouvriers s'affairent à modifier et à réparer une douzaine de gros avions. Des portes de soutes et des revêtements de planchers super-résistants sont installés sur un groupe de Lockheed Electras, deux Boeing 707 sont transformés en appareils d'affaires, un gigantesque Guppy est préparé pour un séjour en entrepôt, tandis qu'on change le moteur d'un Hercules C-130. Ici, tout n'est que bruits et choses et l'atmosphère est imprégnée de la bonne odeur des huiles et des graisses, du chromate de zinc et des gaz de l'arc électrique. Une visite à l'AJI stimule l'imagination de tout mordu de l'aviation. « Et si...? »

Le grand patron de cette société est Bill Paulson, un homme posé, au regard interrogatif, qu'on ne prendrait jamais pour un entrepreneur. Pourtant, dans le monde de l'aviation, son nom est sur toutes les lèvres; il est de la trempe de William Lear, le concepteur du Learjet, et, tout comme ce dernier, il est pilote, inventeur, concepteur, ingénieur et homme d'affaires. C'est un rêveur affable qui aime concrétiser les idées les plus novatrices et confondre les sceptiques. Il appartient à une race en voie de disparition.

Je suis venu négocier un arrangement avec l'AJI qui doit

s'occuper des dernières mises au point et de l'homologation des DC-7 qui se trouvent actuellement à la base de Midair dans le désert Mojave. Il s'agit de la phase finale de cette croisade de financement et de développement qui a commencé dans ma piscine lors de la visite de Cheeseman il y a cinq ans et un millier de battements de cœur.

Durant les dernières semaines, des financiers allemands se sont engagés à investir six millions de dollars dans la compagnie en échange de 51 pour cent des parts et une société britannique a accepté de s'occuper du recrutement de notre personnel, de l'entretien de notre flotte et de la supervision de toutes nos activités d'épandage. Toutes les dettes que nous avons contractées seront remboursées et chaque investisseur partagera notre bonne fortune. L'heure est enfin arrivée où je vais être capable de réduire le rythme frénétique auquel j'ai travaillé durant ces dernières années et de limiter mes responsabilités à la mise en marché et à la consultation technique. Dans la création de toute entreprise, il arrive un temps où l'entrepreneur doit prendre ses distances et laisser des spécialistes de la gestion assumer la direction. Pour Midair, cette heure à sonné.

Avant que nous discutions d'affaires, Paulson tient à me montrer ses dernières innovations. Nous nous rendons dans un atelier près du hangar principal où il découvre une maquette en bois. Il s'agira d'un turbopropulseur de haute altitude et à vitesse de croisière de 400 m/h. Conçu pour le marché des dirigeants d'entreprises, il pourra atterrir sur à peu près n'importe quelle piste au monde. Toutefois, sa caractéristique la plus alléchante tient à l'économie de carburant qu'il permettra de réaliser.

La maquette a l'air rapide et bien aérodynamique. Je monte dans la cabine des passagers. Elle pourra loger confortablement six personnes, dix au besoin. Je sens les ailes du rêve de Paulson m'emporter : « Et si...? »

— Le prix du carburant, dit-il calmement. Au cours des dix prochaines années, ce sera le facteur décisif sur le marché des aéronefs. Combien de milles au gallon ou de kilomètres au mille? Telle sera la question. L'ère des moteurs constamment assoiffés est bien finie.

Nous retournons à son bureau pour discuter du coût de la modification de nos DC-7, des goinfres qui engloutissent 380 gallons de carburant à l'heure...

****

C'est en 1972 que Midair démontra qu'il pouvait être rentable d'utiliser des quadrimoteurs de tourisme comme avions d'épandage agricole et forestier.

À la fin de février cette année-là, quatre de nos appareils arrivèrent à Long Beach depuis Kenai, en Alaska, et nous aménageâmes un terrain d'essais à l'aéroport de Daggett, près de Barstow, dans le désert Mojave. Désolée, chaude et plane, la région était infestée de serpents à sonnettes et extrêmement sèche. Les nuits, illuminées de milliers d'étoiles, étaient relativement froides. La première chose que je fis consista à passer quelques heures à l'aéroport pour me familiariser avec l'un des DC-7. Je découvris avec étonnement que ce géant de soixante-dix tonnes était une brute docile et sans caprice; même s'il était un peu lourdaud à basse vitesse, il signifiait son désaccord assez longtemps d'avance quand il n'appréciait pas la façon dont il était piloté.

Comme nous étions tous novices en la matière, je passai les premières heures à voler prudemment à moyenne altitude puis, quand chacun fut rassuré, je fonçai à près de 300 m/h dans le petit matin, à quelques pieds au-dessus du désert. Dès que nous nous sentîmes tous bien à notre aise et que l'équipage fut convaincu que je n'allais pas percuter contre une colline, nous invitâmes les experts canadiens à venir évaluer nos capacités de pulvérisation.

Ils arrivèrent durant la première semaine de mars, tout heureux d'échapper pour un temps à la poigne de l'hiver nordique. Le groupe de recherche du gouvernement fédéral, dirigé par A.P. Randall, était muni d'un équipement spécial capable de mesurer avec précision la largeur des bandes d'application et la grosseur des gouttelettes. Le service de foresterie du Québec avait aussi envoyé une équipe, sous la direction de Gérard Paquet, afin de s'assurer de l'exactitude des résultats consignés.

121

Cette semaine-là, je volai par toutes sortes de vents, à diverses altitudes et vitesses relatives, afin de déterminer les meilleurs critères d'utilisation possible. Je n'avais au départ qu'une vague idée des résultats que nous allions obtenir ; en fait, je comptais sur la turbulence créée dans le sillage d'un gros avion pour transporter sur une distance encore jamais égalée les fines gouttelettes d'insecticide.

Imaginez un hors-bord qui avancerait sur l'océan à une vitesse de vingt nœuds : son sillage ne dépasserait pas la largeur de sa coque de plus de quelques pieds et disparaîtrait rapidement. Toutefois, un pétrolier de deux cent mille tonnes naviguant à la même vitesse créerait, par la seule force de sa masse en mouvement, un sillage d'un mille composé de vagues de belle taille. Je pensais que les mêmes règles s'appliqueraient aux aéronefs.

À la fin de la semaine, nous avions terminé les essais et tourné sur ceux-ci un petit film spectaculaire. Les résultats des tests prouvaient qu'un DC-7 pouvait pulvériser des bandes de trois mille pieds de large s'il volait à une vitesse de 240 m/h et à une altitude de deux cents pieds. Il s'agissait d'une performance dix fois supérieure à tout ce qu'on avait obtenu jusque-là dans le domaine de la protection des forêts.

Le gouvernement du Québec tint parole et nous accorda un contrat d'un million de dollars. Il n'y eut aucun document à signer, ni rencontres comptables, ni autres misères du genre. On nous envoya simplement un télégramme de confirmation de deux lignes... rédigé en anglais. Nous étions aux anges.

Le monde nous appartenait. Puisque le DC-7 permettait de réduire les coûts d'épandage de 80 pour cent et de faire un travail dix fois plus efficace, il pouvait devenir un outil précieux dans le développement de la production alimentaire dans ces régions du monde où la maladie et les insectes affament des peuples entiers tout en dévastant leur économie. Nous pouvions dorénavant envisager de traiter les cultures de riz en Extrême-Orient, de canne à sucre au Brésil, de coton au Soudan et au Pakistan et de blé en Ukraine, de réprimer le moucheron des arbres fruitiers au Mexique et en Amérique du Sud ainsi que la mouche tsé-tsé en Afrique et, enfin, de pulvériser les forêts scandinaves et nord-américaines. Les possibilités étaient légion ; nous projetions d'avoir une flotte de vingt, voire de trente avions ainsi que des navires ravitailleurs chargés de pièces de rechange et transportant des ateliers mobiles. Nous aurions fonctionné au troc avec les pays du Tiers-Monde sans devise forte. Nous nous voyions déjà multimillionnaires, vieux, gras et enviés, nageant à jamais dans le bonheur parfait.

En réalité, il nous aurait fallu une autre année de travail pour terminer la mise au point du système d'épandage que nous avions créé dans la hâte. Dans l'état où il était, il aurait donné des cauchemars à n'importe quel plombier. Par ailleurs, il nous fallait faire plusieurs autres vols d'essai afin d'éprouver davantage le système de navigation pas inertie* Litton, car je n'étais pas du tout convaincu qu'il allait fonctionner comme le fabricant le prétendait à l'altitude réduite que nos activités exigeaient.

Mais nous n'avions pas suffisamment d'argent pour nous permettre une autre année de tests et d'expérimentations. D'autre part, le service de foresterie du Québec était convaincu que nous pouvions faire le travail ; après tout, ses envoyés avaient vu notre appareil établir des records d'efficacité...

Mais ils nous avaient observés depuis le sol et, moi, j'étais dans le cockpit. Or, à bord, rien n'avait fonctionné comme prévu. Les soupapes coulaient. Le problème n'est pas grave lorsque la cargaison est un mélange de mazout et de teinture rouge, mais peu signifier la mort de tout l'équipage quand celle-ci est un insecticide extrêmement volatil. Le moteur électrique de la pompe du pulvérisateur surchauffait après vingt secondes d'utilisation. Que se passerait-il dans des conditions normales alors qu'il lui faudrait fonctionner pendant au moins vingt minutes ? Je craignais de le vérifier avant que les envoyés du gouvernement ne soient partis. Le moteur numéro trois de l'avion refusait de tourner à plein régime lors du décollage. Encore une fois, cela n'était pas tellement grave tant que nous volions avec des chargements de cinq cent gallons dans des conditions idéales, mais qu'adviendrait-il lorsque nous décolle-

---

*Système de navigation par inertie : SNI

123

rions sur des courtes pistes de fortune avec une cargaison de cinq mille gallons? Et comme si tout cela n'était pas suffisant pour me défriser, les réservoirs — que nous avions pris la peine d'ancrer dans le plancher de la cabine centrale — tendaient à se libérer de leurs amarres durant les vols. Je frissonnais rien qu'à penser à ce qui pourrait arriver par gros temps avec un chargement d'insecticide.

Il nous fallait absolument remplacer ou réparer les pièces défectueuses et modifier certaines de nos innovations. Au stade où nous en étions, notre entreprise était un désastre et nous ne surnagions que grâce à un mélange de chance et de prières.

Quand les essais furent terminés, je ramenai le DC-7 à Long Beach et produisis une longue liste de réparations à l'intention de Cheeseman et de ses mécaniciens. Celui-ci me promit que tout serait prêt pour la saison d'épandage. J'arrivai à Toronto avec un second appareil au milieu de mars. À cette époque, on n'utilisait plus de DC-7 au Canada; nous devions donc fournir nous-mêmes toutes nos pièces de rechange. L'avion que j'avais emmené à Toronto était destiné à être démonté au fur et à mesure de nos besoins. Avec un peu de chance, nous le conserverions intact.

Aussitôt que les intentions de Québec furent connues dans les milieux de l'aviation, elles soulevèrent une tempête de protestations. On craignait que Midair ne chasse de l'industrie ces petits appareils que les programmes canadiens de protection des forêts au Québec et sur la côte Est employaient depuis toujours même s'ils étaient moins efficaces. Si un gros avion pouvait faire le travail de quinze petits aéronefs, quinze pilotes et autant de mécaniciens seraient au chômage. On fit des représentations auprès du gouvernement fédéral en vue d'interdire l'entrée de notre DC-7 en territoire canadien. Heureusement, le lobby politique québécois et l'entêtement des francophones eurent raison de ces oppositions et, le 24 mai, j'atterris à Lac-des-Loups, dans le nord du Québec, prêt à commencer la saison aux commandes de notre monstre rajeuni.

Celui-ci ne fonctionnait pas encore convenablement. Le SNI de Litton, branché sur le pilote automatique, nous faisait voler suivant d'étranges méandres, contrairement aux garanties des experts, et la pompe du système de pulvérisation surchauffait toujours. Mais nous étions à court de temps. La tordeuse des bourgeons avait déjà commencé ses ravages. Nous décollâmes avec le premier chargement de 5000 gallons deux jours plus tard, nous élançant pesamment, les doigts croisés, à la barre du jour.

Comme dans le désert Mojave, on dissémina sur notre parcours des cartons d'échantillonnage pour vérifier si la distribution des gouttellettes assurait bien une pulvérisation efficace. Dès la deuxième journée, nous pouvions faire un aller retour en une heure et couvrir 25 000 acres de forêt par chargement. Mais tout allait mal. Les réservoirs fuyaient, les moteurs de la pompe brûlaient les uns après les autres, les soupapes bloquaient, le SNI était inutilisable et deux cylindres du moteur numéro trois de l'appareil se fissurèrent. Nous tenions toutefois le coup, déterminés à nous battre jusqu'au bout.

Le travail débutait à l'aurore et se terminait vers la fin de l'avant-midi, quand les particules commençaient à se volatiliser à cause de la chaleur dégagée par le sol. Nous nous remettions à la tâche en soirée lorsque l'air était refroidi et le vent tombé, ce qui nous donnait rarement plus d'une heure ou deux de travail additionnel. Nous ne nous en plaignions pas, car nous avions besoin de chaque minute passée au sol pour réparer l'appareil. Les mécaniciens étaient horriblement surmenés et travaillaient jour et nuit dans des conditions minables, en butte aux attaques furieuses des mouches noires qui fondaient sur eux dès le coucher du soleil.

J'avais loué un bimoteur court-courrier qui devait se rendre à Ottawa ou à Toronto pour assurer notre ravitaillement en pièces de rechange. C'est à peine s'il fournissait à la tâche. Toutes les pièces que nous avions prévu d'apporter avec nous se révélèrent inutiles parce que ce furent les seules qui ne firent pas défaut. Nous dûmes même envoyer un jeune mécanicien à Los Angeles avec la mission d'acheter une autre série de moteurs de pompe. Il voyagea par avion sans dormir pendant deux jours et deux nuits. Avec ce qu'il en coûta comme excédent de bagages pour ramener les moteurs, nous aurions pu nous payer un voyage autour du monde en première classe ainsi qu'une croisière de luxe dans les Caraïbes. Il nous fallait réussir à tout prix. Les quotidiens nationaux, l'équipe des nouvelles de Radio-Canada ainsi que des représentants du Japon, des États-Unis et des pays scandinaves venaient constamment nous visiter pour nous observer et se renseigner.

À la fin de la première semaine, quand je fus convaincu que nous pouvions terminer la saison, je téléphonai en Californie à Larry Mudgett, l'ancien commandant de Pan Am qui avait contrôlé mes premiers essais sur le DC-7, et lui demandai s'il ne viendrait pas me remplacer au Canada pour que je puisse de nouveau me consacrer à la recherche de fonds. Il arriva à bord de notre bimoteur le lendemain après-midi, juste à temps pour le quart de début de soirée. Je fis mes bagages et lui souhaitai bonne chance.

Comme tout homme d'affaires le sait, les institutions prêteuses classiques sont réticentes à financer les nouvelles compagnies qui leur présentent des innovations, surtout quand celles-ci ne sont pas encore suffisamment perfectionnées pour pouvoir être exploitées commercialement. Face à la nouveauté, le scepticisme et la circonspection sont de mise dans les banques et les sociétés de gestion. De fait, et bien qu'elles se donnent une image contraire, je n'en ai encore découvert aucune qui accepterait d'engager des fonds dans un projet qui demande de la recherche, du développement et de la mise en marché. Comment les blâmer? Elles prêtent à condition d'avoir certaines garanties tangibles que, dans l'éventualité d'une faillite, elles pourront recouvrer leurs investissements. D'antiques avions de tourisme aux entrailles remplies d'insecticides nauséabonds ne font pas partie de la catégorie des risques raisonnables.

Les innovateurs doivent donc se trouver ce que par euphémisme on appelle des excentriques, c'est-à-dire des parieurs qui sont prêts à investir un peu — voire beaucoup — dans l'espoir de récolter le gros lot. Sans ces gens, les meilleures idées faneraient sur le cep des rêves.

Une nouvelle entreprise, comme toute chose dans la vie, commence par une insémination; le capital de départ, qui constitue la semence, sert normalement à payer les frais de formation en société, l'imprimerie des premières cartes d'affaires, la papeterie de bureau, les meubles d'occasion, le loyer et le téléphone.

Le capital d'implantation est le prochain échelon dans l'organisation de la croissance; c'est alors que les banques, la famille et les relations pourront consentir à devenir des créanciers personnels et à investir suffisamment d'argent pour que l'entreprise puisse fonctionner jusqu'à l'entrée des premiers revenus et l'établissement d'une marge d'autofinancement. Avec le contrat que nous avions obtenu de Québec à Lac-des-Loups et les activités habituelles de nos monomoteurs, nous étions prêts pour la prochaine étape financière: la recherche de capital de risque.

Le capital de risque est un investissement courageux que font les parieurs professionnels après avoir considéré la qualité de la gestion de la société, la valeur de l'idée qui leur est présentée, les fonds que les directeurs ont eux-mêmes engagés dans l'entreprise et, bien sûr, les profits qu'ils feront à long terme. En échange de leur courage, ces investisseurs exigent des taux d'intérêt élevés et une bonne part des actions de la société. Un risque bien calculé.

Eric Schwendau et moi-même commençâmes à battre les buissons pour lever des fonds. Il s'attaqua aux prêteurs privés et je me réservai le gouvernement d'Ottawa. Au ministère de l'Industrie et du Commerce, on me fit comprendre que nous pourrions éventuellement obtenir une subvention afin de perfectionner nos pulvérisateurs pour le marché étranger. Les subventions disponibles provenaient de diverses sources et étaient désignées par une variété de noms obscurs et d'acronymes: PAIT, LSRDS, MEER, etc. Durant les mois et les années qui suivirent mes premiers contacts, le ministère se montra très serviable et, à travers la filière de nos ambassades, m'introduisit dans de nombreux pays auprès de clients potentiels des secteurs privé et public; toutefois, je ne vis jamais le premier cent d'aucune subvention, malgré plusieurs demandes et promesses verbales.

C'est cependant grâce à ses bons soins que j'entrai en rapport avec un agent d'affaires égyptien dont la proposition valait la peine d'être étudiée. Le Caire avait envoyé au Canada une demande d'assistance technique : l'Égypte avait besoin d'avions d'épandage pour lutter contre les insectes qui s'attaquaient à ses vastes plantations de coton. Jusque-là, le travail avait été assuré par des sociétés tchèques et polonaises en vertu d'ententes bilatérales «inspirées» par l'Union soviétique. Mais comme, depuis la mort de Nasser, la réserve que Sadate éprouvait face à l'armée de Soviétiques qui «conseillait» son gouvernement n'avait cessé de croître, on avait pris la décision d'aller chercher de l'aide à l'Ouest. Serais-je intéressé à me rendre en Égypte pour évaluer la situation ? Tu parles...

Après avoir trouvé le financement nécessaire pour assurer le bon déroulement des activités de Midair jusqu'à la fin de l'été, je fis un saut à Halifax pour célébrer mon anniversaire avec Helen et les enfants chez mes beaux-parents où ils passaient les grandes vacances, puis m'envolai avec Eric en direction de l'Europe et du Moyen-Orient.

Même si les intérêts de Midair constituaient le principal but de notre voyage, nous avions beaucoup d'autres affaires à brasser ; or, la réussite d'une seule d'entre elles aurait instantanément fait de nous des multimillionnaires. Nous nous intéressions à une gamme de bouteilles de bière en plastique qu'un génial ingénieur suisse avait mise au point dans le but d'empêcher les brasseries d'ensevelir la planète sous un amoncellement de canettes ; nous devions promouvoir la vente de chasseurs de l'Armée de l'air vénézuélienne auprès des autorités pakistanaises en prévision de leur prochaine guerre avec l'Inde ; nous représentions également un fabricant d'humidificateurs qui avait conçu un appareil capable d'assurer le contrôle parfait des taux d'humidité dans les salles d'opération ; et, enfin, nous avions des émeraudes de Colombie — achetées d'authentiques brigands de montagne — à vendre aux tailleurs de Bruxelles et d'Israël ainsi que des diamants industriels et des lingots d'or du Brésil à céder au plus offrant. Chaque semaine une cohue de soi-disant entrepreneurs et de rêveurs nous soumettaient des projets. Certains d'entre eux étaient excellents, mais la plupart n'avaient aucun sens. Nous les étudiions tous, fascinés par le génie et la démence qui nous assaillaient de toutes parts. Maintenant que Midair semblait avoir pris son envol, la rumeur voulait que nous soyons de la race des gagnants, que nous ayons des fortunes à investir et une touche magique pour le succès. Les apparences sont tellement trompeuses...

Nous fîmes notre premier arrêt à Basingstoke, en Angleterre, pour discuter des humidificateurs avec les représentants de la Vickers Manufacturing, puis nous nous rendîmes à La Haye pour rencontrer les agents de l'Organisation mondiale de la santé qui voulaient lancer un vaste programme de lutte contre les insectes responsables de la cécité par onchocercose en Haute-Volta. Nous nous dirigeâmes ensuite au nord, vers Copenhague et Olso, pour promouvoir nos propres intérêts auprès des pays scandinaves qui envisageaient de louer notre DC-7 pour mener à bien leurs programmes de protection des forêts. À Prague, nous eûmes des pourparlers avec les directeurs de Skoda au sujet des armes et des munitions dont le Pakistan avait besoin. Pourraient-ils respecter les délais? Ils nous le laisseraient savoir. À Zurich, nous rentrontrâmes l'ingénieur suisse qui prétendait que ses bouteilles de plastique brun allaient un jour être utilisées partout au monde, puis notre ronde infernale de discussions, de conférences, de poignées de mains, de clins d'œil trompeurs et d'anecdotes savoureuses nous amena à Milan, Rome, Téhéran et Koweït. Nous visitions tous ceux qui avaient un plan pour faire fortune ou une fortune à dépenser pour un bon plan. Finalement, nous arrivâmes au Caire à deux heures du matin, sur un vol de Japan Airlines.

Écrasée par la chaleur sous un ciel sans nuage, l'Égypte n'est pas une place à visiter au mois d'août. Le nouvel hôtel Hilton était bondé de Russes trapus et malodorants qui portaient d'épais costumes de serge et des cravates défraîchies. Ces hommes aux allures de paysans et aux sourires de glace semblaient tout à fait dépourvus d'humour. On aurait juré qu'ils n'aimaient rien ni personne, pas même leur propre compagnie. Après m'être entassé dans un élévateur avec plusieurs d'entre eux, je compris la raison de cette morosité. Les fabricants de déodorants pourraient connaître une croissance extraordinaire derrière le rideau de fer... si l'idée intéressait quelqu'un.

Le Caire, naguère une perle urbaine comparable à Paris ou à Londres, n'avait pas bien vieilli sous le règne de Nasser. Au nom de l'avancement social, on avait réussi à y implanter une médiocratie au point que rien de rien ne fonctionnait convenablement, depuis le téléphone et la tuyauterie jusqu'aux transports. Les bureaux du gouvernement étaient occupés par une multitude de commis armés de timbres de caoutchouc et partageant tous le même tampon encreur. Chaque fonctionnaire semblait avoir pour seule tâche d'estampiller une papeterie déjà tamponnée avant de la passer à son voisin pour qu'il appose encore un autre cachet. Une créativité au travail avec un «c» vraiment très minuscule. Toutes les fenêtres le long des rues principales avaient été condamnées et les entrées des boutiques étaient dissimulées derrière de lourds sacs de sable.

— Craignez-vous un conflit? demandai-je à Aziz Ezzat, notre agent égyptien.

— Les Israéliens, laissa-t-il tomber. Ils survolent la ville à basse altitude à bord de leurs chasseurs, franchissent le mur du son et brisent toutes nos fenêtres. Puis ils foncent sur Alexandrie et recommencent leur manège. Les salauds.

— Mais pourquoi ne les abattez-vous pas?

— Avec quoi?

— Mais avec des missiles et des avions, voyons. Vous avez des MIG et des missiles air-sol, servez-vous en!

Ma naïveté provoqua chez lui un rire aussi moqueur qu'amer.

— Les Forces aériennes du pays sont clouées au sol parce que les Soviétiques refusent de nous fournir des pneus. Quand un MIG a fait cinq atterrissages, il faut changer ses pneus. Sans pneus, nos avions sont inutilisables. Quant aux missiles air-sol, l'armée ne veut plus en confier à personne parce que nos valeureux soldats avaient pris l'habitude d'abattre l'avion de ligne d'Illuyshin qui volait entre Le Caire et Alexandrie. Nous n'avons plus de missiles et ceux qui veulent se rendre à Alexandrie doivent dorénavant y aller en voiture ou prendre le train.

— Vous voulez rire?

— Bogdady, le Commandant des Forces aériennes, est un de mes bons amis. Je connais bien des choses qui ne se répètent pas. Croyez-moi, la véritable farce, c'est ce pays.

Je comprenais qu'il pût être amer. Sa famille possédait de vastes domaines avant l'arrivée de Nasser. On l'envoya étudier à Cambridge et il en revint avec un diplôme d'ingénieur et une passion pour le vol. Après la Deuxième Guerre mondiale, il se joignit à Égyptair et sillonna le Moyen-Orient aux commandes d'antiques Dragon Rapides de Havilland. Puis tout ce qu'il avait fut emporté par la tornade de nationalisme et d'égalitarisme qui marqua le début du règne de Nasser. Quand Sadate prit le pouvoir, il invita les exilés à rentrer afin de reconstruire l'économie et la nation. Il promit de leur restituer, en espèce ou en nature, tout ce qu'on leur avait enlevé. Des paroles en l'air? Seul le temps le dirait. Sous le chaud soleil d'août tout bouge lentement au Moyen-Orient.

Ezzat nous conduisit au ministère de l'Agriculture où nous devions rencontrer le ministre et ses sous-ministres. À part nous, tous les invités parlaient anglais, français et arabe. Une conversation trilingue s'ensuivit. L'arabe fut réservé aux commentaires généraux, le français, aux politesses et l'anglais, aux discussions d'affaires.

Ils nous donnèrent la permission de nous rendre dans le nord du pays pour visiter les plantations de coton et de nous écarter des routes principales pour converser avec les cultivateurs et examiner leurs champs. Ils voulurent savoir s'ils pourraient utiliser nos gros avions pour transporter en Europe les fruits et les légumes produits au pays. L'Égypte avait un besoin urgent de devises fortes. Les pays du Bloc communiste payaient leurs achats en crédit, mais à quoi pouvait servir le crédit quand on n'avait pas d'argent pour payer les fermiers?

Ezzat s'emporta dans un déluge d'arabe et le ministre hocha la tête d'un air entendu. Ces échanges en arabe, auxquels je ne pouvais participer, me mettaient mal à l'aise. Étions-nous en train d'engager nos ressources à mauvais escient?

Un serviteur apparut; il transportait un plateau de cuivre filigrané couvert de minuscules tasses de café. Il se déplaçait lentement autour de la table, en traînant obséquieusement les pieds, complètement ignoré des Égyptiens. Eric et moi le remerciâmes tous deux en français. Il eut l'air interloqué et faillit échapper son plateau. Ezzat sembla ennuyé et les autres, déconcertés.

Quatre immenses pales de bois brassaient irrégulièrement l'air pesant sans toutefois produire aucune brise dans cette pièce où la poussière nous étouffait. Nous projetâmes notre film couleur sur les activités du DC-7 au Canada et aux États-Unis. Les Égyptiens apprécièrent le spectacle. Regarder un film le matin en buvant du café leur parut être la manière idéale de commencer la journée.

La route qui menait à Alexandrie était étroite, défoncée et encombrée de mendiants et de chameaux. Tandis que, dans cette cohue, nous nous frayions un chemin à coups de klaxon, ces derniers lançaient des regards hautains à l'Impala blanche de Ezzat. Nous traversâmes une série interminable de canaux, suivant les méandres du Nil et de son inextricable réseau d'irrigation qui se divisait et se subdivisait depuis Le Caire pour abreuver le Delta. La chaleur et l'humidité étaient bien différentes de ce que nous avions éprouvé à la ville. Une moite oppression.

Après une heure, nous nous engageâmes sur une route secondaire faite de sable et de terre, mais tassée au point de ressembler à du ciment. Les fermes étaient minuscules. Les champs, irrégulièrement découpés, étaient parsemés de dattiers et d'eucalyptus géants et bordés d'adobes en ruine. Ici et là, des feux de bouse brûlaient et des rimbambelles d'enfants crottés se chamaillaient à quatre pattes sur le sol. Des bœufs aux yeux bandés marchaient léthargiquement en cercle, attelés à des prolonges de bois qui faisaient tourner des roues à aubes primitives. Un liquide brun circulait dans les rigoles et allait arroser les champs. Les fellahs, qui portaient tous des calottes grises et de longues robes à rayures, nous jetèrent des regards indifférents. Leur pauvreté était une insulte à la raison. En cinq mille ans rien n'avait changé dans ce pays et aucun changement ne s'annonçait pour les cinq prochains millénaires. Nous nous arrêtâmes près d'un paysan et descendîmes de la voiture climatisée de Ezzat. La chaleur s'abattit aussitôt sur nous comme un coup de massue.

— Demandez-lui s'il est satisfait de la lutte contre les insectes.

Ezzat agressa le pauvre homme en arabe. Une discussion dans cette langue donne toujours l'impression qu'un grave argument fait rage et que la violence est à la veille d'éclater. Mais non. C'est là la caractéristique de cet idiome qui privilégie les sons gutturaux, tout comme le turc ou l'allemand. Aux oreilles d'un Occidental, courtiser une femme en arabe ressemble à un prélude au viol.

Le fermier, un jeune homme aussi rabougri qu'un vieillard, au teint acajou et aux mains puissantes, expliqua timidement comment les pilotes chargés de la pulvérisation lui volaient ses insecticides parce qu'il était un homme pauvre. Il ne pouvait pas offrir le bakchich qui lui aurait assuré un travail de première classe. Il s'était déjà plaint à un représentant du gouvernement local, mais s'était aperçu que celui-ci était de connivence avec les pilotes. Il n'avait réussi qu'à se faire rosser par la police qui l'avait accusé d'essayer de causer des problèmes aux distingués hôtes étrangers. Il nous adressa en terminant un sourire résigné, qui révéla une bouche presque complètement édentée, et haussa les épaules.

— C'est la Volonté d'Allah, traduisit Ezzat. Cet homme est un parfait idiot. Allons-nous-en.

Nous restâmes en Égypte dix jours et visitâmes les mosquées, les temples, les musées et les pyramides. Les jours de travail nous nous faufilions le matin dans la circulation pour nous rendre à des réunions d'affaires où nous étions reçus par des fonctionnaires incrédules, tandis que le soir nous faisions du coude dans les boîtes de nuit du Tent City, dans le El Giza, en périphérie du Caire.

Finalement, on nous assura que notre offre — qui consistait en un plan triennal de pulvérisation des cultures de coton à l'aide de cinquante petits appareils — serait favorablement reçue par le gouvernement de Sadate si nous nous donnions la peine de déposer une soumission. Nous nous envolâmes aussitôt pour Athènes.

Le berceau de la démocratie avait beaucoup souffert du totalitarisme.

La dictature militaire venait d'être renversée, les colonels étaient en prison et le nouveau gouvernement s'affairait à remettre au secteur privé toutes les entreprises commerciales que l'armée avait saisies. Ceci comprenait toutes les activités annuelles de pulvérisation des cultures de coton et d'oliviers ainsi que de lutte contre la malaria.

Un étrange petit brigadier retraité, qui boitait et portait un bandeau sur un œil, nous amena assister à une série de conférences et de réunions clandestines avec des officiers militaires. Sous les colonels on avait pris l'habitude de mener les affaires dans le secret et leur règne avait duré si longtemps que la ruse était devenue un mode de vie. Notre problème tenait au fait que la drachme était difficilement convertible en devises fortes et que nous avions besoin de celles-ci pour acheter les produits chimiques nécessaires aux divers programmes de pulvérisation. Le gouvernement voulait nous payer en drachmes plutôt qu'en denrées, mais insistait pour que nous réglions en dollars américains tous les salaires et les achats sur les marchés locaux.

— Mais que ferons-nous de toutes ces drachmes si nous ne pouvons pas les sortir du pays ni les convertir en dollars? demanda Eric au cours d'une de nos réunions clandestines.

— Construisez des hôtels! suggéra tout de go le brigadier. La Grèce aura toujours besoin d'hôtels touristiques. Et moi-même, Georges Demetrius Papadopolos, serais heureux de vous aider dans vos nouvelles activités hôtelières.

On doit se méfier comme de la peste des Grecs qui boitent et qui se cachent un œil derrière un bandeau.

Nous rentrâmes au Canada juste à temps pour la Fête du travail. À part quatre petits appareils que nous envoyâmes pulvériser les champs de coton nicaraguayens, la saison était finie pour nos avions. La différence entre nos revenus et nos dépenses avait de quoi donner des sueurs froides. Nous avions besoin d'un ange gestionnaire pour nous tirer d'affaire. Le monde était peut-être à nos pieds, mais nos créditeurs et nos actionnaires étaient sur notre dos et exigeaient une intervention énergique, des progrès plus rapides et de nouveaux contrats. En un mot, plus d'argent.

J'allai frapper à la porte de Brascan, le géant canado-brésilien installé à Toronto, sur la rue Bay, ainsi qu'à Rio de Janeiro. Son président, Jake Moore, se montra intéressé par les possibilités qu'offraient les activités de pulvérisation agricole. Il m'envoya travailler avec une équipe de comptables et d'analystes financiers; nous devions lui préparer un plan d'exploitation quinquennal basé sur les revenus escomptés de Midair. C'est ce qui s'appelle rêver en grand... Sans aucune rémunération, et pressé de toutes parts, je travaillai comme un fou durant de longues semaines pour concrétiser le mirage et assurer la solidité de ce nouveau mariage.

Brascan n'aimait pas l'idée qu'Eric Schwendau assure la présidence. Une affaire personnelle. Eric et moi en discutâmes et décidâmes de changer de titres. Je devins donc président. Le pouvoir des mots m'étonnera toujours. Nos futurs associés voulaient également racheter tous nos actionnaires le jour de la fusion; ils nous demandèrent de rassembler toutes les actions que nous avions émises et de les faire porter à leurs noms. Nous nous précipitâmes pour combler leurs exigences. Les semaines passaient. Octobre. Novembre. Ezzat téléphona de Beyrouth, car il était impossible de placer un appel outre-mer depuis l'Égypte. Le Caire était pressé de se défaire des Tchèques et des Polonais et voulait savoir où en était notre projet de pulvérisation de neuf millions de dollars. Brascan hésita et demanda d'être payé en or. Le Caire accepta. On dépêcha un avion au Moyen-Orient pour aller remettre en mains propres notre soumission et notre dépôt.

Deux semaines plus tard, on nous annonça que nous avions obtenu le contrat. Brascan fut forcé d'annoncer ses couleurs. Et c'est alors que la cupidité entra en scène. Frank Lewarren, vice-président au développement industriel, profita de la soirée de Noël des employés de la société pour se mettre à table et m'avouer que lui et ses partenaires avaient décidé de modifier notre entente originale.

— Écoutez Tony, ce partage qui vous donne quarante-cinq pour cent des intérêts et cinquante-cinq à Brascan n'est pas acceptable.

— Vraiment?

Sûr de lui, il s'empara de mon bras et me guida vers un endroit discret, à l'écart de la ronde des convives.

— Maintenant que nous avons une meilleure idée de ce qui nous attend, Jake croit que notre entente devrait davantage tenir compte de la réalité et non être basée sur des vœux pieux. Je suis de son avis. Qu'en pensez-vous?

— Je pense que nous avions conclu un marché : cinquante-cinq, quarante-cinq.

— Vous n'êtes pas réaliste. Midair n'a plus un sou. Sans nous, vous êtes fini. Vous vous demandez quel sort vous sera réservé? Ne vous inquiétez pas. Nous vous avons réservé une place dans notre équipe. Nous pouvons vous offrir une option d'achat sur les actions, la direction des travaux... Jake vous aime bien. Ted Freeman-Atwood vous apprécie et je vous aime bien aussi.

— J'en suis très flatté, mais le marché a été conclu et il tient toujours.

— Non, plus maintenant.

Son visage se durcit, de même que l'étreinte de sa main sur mon coude.

— Nous avons décidé que la part de Brascan serait de quatre-vingt-cinq pour cent. Qu'avez-vous à dire là-dessus?

— Une seule chose : allez vous faire foutre!

Ce furent des mots courageux mais stupides qui n'arrangèrent pas les choses même s'ils m'assurèrent une certaine satisfaction personnelle. Joyeux Noël 1972! Quatre mois de travail intense venaient de se solder par une perte sèche.

En Égypte, les Tchèques et les Polonais remportèrent la partie par défaut. Il y eut un tremblement de terre au Nicaragua. Armando Rivas, notre partenaire et directeur de nos activités dans ce pays, disparut avec sa femme et ses enfants sous les décombres de la ville de Managua. Nous perdîmes quatre avions, notre stock de pièces de rechange, les dossiers de la compagnie et tout espoir de jamais recouvrer nos comptes à recevoir. D'ailleurs, la plupart de nos débiteurs avaient également été ruinés par ce mauvais coup du sort. Notre rupture d'avec Brascan parvint la même semaine aux oreilles des fonctionnaires du service de foresterie du Québec qui nous avisèrent diplomatiquement que notre contrat ne serait pas renouvelé en 1973. Nous découvrîmes plus tard que Conair — la société de Colombie-Britannique qui partageait avec Midair la piste d'atterrissage de Lac-des-Loups et dont les ingénieurs avaient photographié dans les moindres détails notre système de pulvérisation — avait transformé deux DC-6 en avions d'épandage et loué des quadrimoteurs américains pour les mettre au travail au Québec. Ses directeurs ne voulaient pas de nous sur le terrain. J'en restai muet de colère.

L'année 1973 devait mieux tourner. On ne pouvait pas connaître une année plus catastrophique que 1972. Et, effectivement, les choses allèrent un peu mieux. Eric, qui avait prévu la volte-face de Brascan après qu'elle eût exigé qu'il abandonnât la présidence de Midair, s'était mis à ratisser la communauté financière de Toronto à la recherche d'un ange potentiel. Il découvrit le mélange parfait en la personne de D. Gordon Badger qui offrait tout ce dont nous avions besoin, y compris l'habit blanc, les ailes et le halo légèrement terni. Tout à fait notre type d'ange.

Ce grand bonhomme de six pieds aux cheveux prématurément gris, intelligent et plein de prestance avait à son actif le développement et le succès phénoménal de *Homemaker's Digest*. Il avait acquis sa formation comptable chez Clarkson and Gordon, puis avait créé la Holdex Group, une société consacrée à la recherche et à la réalisation de bonnes affaires pour le compte d'une coterie d'investisseurs ambitieux aux prises avec l'impôt; parmi ses clients, il comptait des avocats, des médecins, des millionnaires de l'immobilier et des comptables.

Badger était à l'aise dans le monde abstrait des chiffres et des projections. Le plan quinquennal de Midair — de Brascan en vérité — eut l'heur de lui plaire et il décida presque sans hésiter de financer un tiers de l'entreprise. Nos avocats concoctèrent les documents nécessaires et Midair épousa Badger et la Holdex Group.

Au début du printemps suivant, Midair pouvait à nouveau compter sur un million de dollars. Nous réglâmes nos dettes, engageâmes des employés et achetâmes une flotte de DC-7 en solde. Les travaux de modification devaient se dérouler à l'aéroport de Daggett sous la supervision de Peter Cheeseman. Un consultant en commerce international et ancien membre du bureau de direction de Salada-Shirrif-Horsey s'engagea à nous ouvrir de nouveaux marchés à l'étranger. Dès que notre siège social fut déménagé dans les bureaux de Holdex, sur l'avenue University, au cœur de Toronto, je commençai à accumuler un nombre incroyable d'heures de travail que je n'interrompais que pour me lancer dans des campagnes de vente. De la folie furieuse. Je mangeais mal, perdis du poids et acquis un tic nerveux.

Pour ne pas perdre de temps sur la route, je me louai un petit appartement près du bureau. Je me rendais encore à London les fins de semaines, mais, le plus souvent, j'étais trop fatigué pour passer beaucoup de temps en compagnie d'Helen et des enfants ou bien trop occupé à travailler sur les dossiers volumineux que je ne manquais pas d'apporter avec moi. Je fumais comme une cheminée, m'emportais pour des riens et étais devenu irritable au sujet des délais. Les échéances se bousculaient et je n'étais jamais satisfait de mon rendement, car il y avait toujours un nouveau problème qui demandait à être solutionné sur-le-champ. J'étais constamment harcelé par des banquiers nerveux, des créditeurs inquiets, des fournisseurs contrariés ou des actionnaires angoissés.

Selon les estimations originales de Cheeseman, il en aurait coûté un quart de million de dollars pour modifier chaque DC-7 en fonction des normes de la FAA. Quand l'ingénieur en chef est aussi l'un des principaux actionnaires de votre compagnie, il est difficile de mettre ses prévisions en doute. D'après lui, les six premiers appareils auraient été prêts à voler dès octobre 1973, puis, tous les quatre mois par la suite, un autre avion se serait ajouté à la flotte; à ce rythme, celle-ci aurait été complète à la fin de l'année suivante. Pas de problème.

Sur papier, ces estimations semblaient magnifiques et Badger s'en montra satisfait. J'aurais toutefois dû être plus vigilant et demander l'avis d'un autre spécialiste au lieu de me fier au parfait optimisme de Cheeseman. Pour ne pas être pris au dépourvu, j'ajoutai tout de même au budget une marge de 50 pour cent et fixai à décembre la date de livraison du premier appareil modifié. Cheeseman déménagea avec sa famille à Barstow et y acheta une maison. Il adorait la vie du désert et ce sentiment d'importance que lui donnait la possibilité d'être l'unique patron. Seul un télex le reliait encore au siège social de Toronto. L'aéroport de Daggett n'avait jamais connu autant d'activités depuis la fin de la Deuxième Guerre mondiale.

Après avoir déterminé nos objectifs pour l'année et libéré suffisamment de fonds pour les réaliser, je m'attaquai au problème de la mise en marché de nos gigantesques oiseaux. À Rome, la FAO, l'organisation de l'O.N.U. pour l'alimentation et l'agriculture, me dirigea vers les pays qui étaient les plus susceptibles d'avoir besoin des services de Midair. Je dressai une interminable liste d'endroits à visiter, dont le Pakistan, l'Inde, l'Afrique du Sud, la Malaisie, l'Indonésie, la Lybie, l'Égypte, l'Iran, la Colombie, la France, l'Allemagne, le Panama et la Trinité.

J'entrepris ensuite de faire le tour du monde en compagnie d'experts techniques. Nous fûmes engagés par la FAO pour ensemencer la région désertique du Sahel, en Haute-Volta; la Commission chargée de la lutte contre les sauterelles du désert nous offrit un contrat d'exclusivité selon lequel l'un de nos avions devait être basé en permanence en Arabie Saoudite. Nous engageâmes des négociations avec le Vénézuela et le Brésil dans le cadre de leurs programmes de lutte contre la malaria; les

Brésiliens souhaitaient éliminer la paludisme de toutes les régions irriguées par l'Amazone. Le Nigéria était déterminé à consacrer plusieurs millions de dollars pour réprimer la mouche tsé-tsé dans la région de Kaduna. Le Pakistan voulait que deux DC-7 pulvérisent toutes les cultures de coton et de citrus de la vallée de l'Indus, tandis que Chypre désirait éliminer de l'île le moucheron des arbres fruitiers. Des affaires d'une valeur de cent millions de dollars étaient à la portée de la main.

Mais, en décembre, quand je me rendis en Californie, les coffres de Midair étaient vides et la société n'avait plus ni matériel ni crédit. Les deux DC-7 en cours de modification n'étaient pas plus prêts qu'au printemps pour l'homologation de la FAA. Parce qu'un pingre avait refusé de payer une chiche facture d'entreposage de quelques milliers de dollars de l'aéroport de Sebring, en Floride, six de nos appareils ainsi que de pièces de rechange et d'autre matériel avaient été saisis puis vendus par les représentants du shérif au cours d'une enchère rondement menée. Le tout s'était déroulé en parfaite légalité, quoique la manœuvre fût à peine loyale. Les pertes totales de Midair s'élevaient à près de deux cent mille dollars, un coup dont celle-ci ne se remit jamais tout à fait. J'étais furieux.

Selon les révisions apportées au budget, le coût de chaque avion modifié était maintenant de 750 000 dollars et le premier appareil devait être livré sans faute en mai 1974. Nous avions tellement investi en prévision de l'homologation de la FAA qu'il nous semblait insensé d'abandonner à ce stade-là et de nous rabattre sur des permis de catégorie expérimentale. J'ai toutefois tendance à penser aujourd'hui que cela aurait été la meilleure chose à faire.

L'été suivant, comme les normes d'homologation n'avaient pas encore été remplies, tous nos rêves de richesse instantanée s'envolèrent en fumée et Midair commença à se désintégrer, entraînant dans sa perte aussi bien Badger que la Holdex. On placarda des avis du shérif sur les portes de notre bureau.

À la fin de la même année, Cheeseman déserta Midair comme si tout ce fiasco ne le concernait plus et se joignit à une autre société installée à Daggett. Il s'acheta une plus grande maison à Apple Valley, dans le voisinage de l'étoile western Roy Rogers, et se tira très bien d'affaire.

Après avoir perdu tout ce qu'il possédait — ce qui avait été considérable — Eric Schwendau perdit aussi sa femme dans un divorce malheureux, puis ouvrit un petit bureau d'experts dans Cabbagetown, à Toronto. Ses affaires étaient à nouveau sur le point de réussir lorsque le mauvais sort fondit une seconde fois sur lui.

Tous les employés et consultants de Midair quittèrent la société les uns après les autres, jusqu'à ce que je me retrouve seul dans une pièce délabrée d'une vieille maison de la rue Wellesley au milieu de classeurs, de boiseries fanées et de rêves détruits. Dire que 1974 marqua le creux de la vague serait un euphémisme. Pourtant, en trois mois, dans une explosion d'énergie frénétique, je réussis à colmater presque toutes les brèches, de sorte qu'il fut bientôt possible d'envisager un redressement complet.

Bill Paulson avait décidé de lancer l'American Jet Industries dans l'affaire. Sa société allait s'occuper de l'homologation des DC-7 tandis que la British Air Ferries de Mike Keegan exploiterait la flotte. Le groupe de Francfort, qui proposait à chaque actionnaire trois dollars par dollar investi, avait offert de régler nos dettes en échange de 51 pour cent des parts.

****

L'aventure tire à sa fin.

Je suis assis dans le bureau de Paulson en compagnie de Keegan; nous attendons l'arrivée de Bill Bone, le directeur de la planification chez AJI. La pièce est grande et simple, à l'image de l'homme qui l'habite. Une série de photographies et de plaques de bronze décore les murs. La table de travail a été dégagée pour qu'on puisse y étaler les rapports et les plans d'ingénieurs. Autour de nous, le chaos règne. C'est la première fois que je me sens complètement détendu depuis des années, plein de cette confiance qui vient avec la certitude de la réussite. Un sentiment qui se déguste.

Le téléphone sonne. Paulson répond.

— C'est pour toi. Un interurbain.

Je m'accoude sur le bord de son bureau. Dehors, un avion à réaction rugit en se posant en pas inversé. De fines particules de poussière dansent devant la fenêtre.

— Tony?

C'est mon frère qui m'appelle de Toronto.

— On a des problèmes ici, me dit-il d'une voix tremblo-tante. Les policiers viennent de faire une descente au bureau et ils ont tout saisi: les classeurs, les livres, les machines à écrire, absolument tout. Ils ont aussi vidé le bureau d'Eric. Sa maison. Ma maison. Ta maison. Ils ont des mandats de perquisition pour dix ou quinze endroits. Tu ferais mieux de rentrer.

La douleur me transperce la poitrine. J'essaie désespérément d'attraper un peu d'air, mais il n'y en a plus. Je ne sens plus mon bras qui tient le téléphone. Une lame noire percée d'éclairs roule dans la pièce. Puis tout redevient normal, les sons, les odeurs, la vue. Mes compagnons sont en grande conversation. Bill Bone vient d'arriver et il se présente. Au fond de mon cœur, je sais que tout est fini. La page est tournée. Un autre chapitre va commencer.

Kingston, Canada

24 janvier 1980

M. Leader est mort la nuit dernière. Cela s'est passé un peu après minuit. On a entendu des cris rauques, des appels étouffés : il n'arrivait plus à respirer. Ses mains fortes, qui avaient sculpté et poncé des milliers de monuments, essayaient frénétiquement d'étreindre ce cœur qui ne voulait plus battre. Puis, elles s'immobilisèrent à jamais.

Des médecins et des infirmières arrivèrent en courant. Un réanimateur percuta contre la porte, provoquant un vacarme assourdissant, dominé par les bruits de roulettes et le choc des bouteilles d'oxygène. C'était une reprise de la scène de la semaine précédente, alors que ma compagne d'aquarium avait abandonné la partie et était morte.

Ils s'engouffrèrent dans la chambre avec leurs machines de sauvetage, leurs médicaments et leur connaissance et luttèrent pour sauver sa vie. Ils cognèrent, s'exclamèrent, jurèrent, mais en vain : l'esprit de M. Leader s'était à jamais enfui.

Je ne m'aventurai pas hors du lit pour aller aux nouvelles. C'aurait été bien inutile. Malgré l'ombre qui nous enveloppait, je pouvais voir M. Sung qui me regardait en hochant gravement la tête. M. Sung et moi, deux marins échoués sur une île déserte, baignions dans des eaux infestées de requins et écoutions le combat désespéré de ceux qui essayaient vaillamment de repousser l'attaque de ces monstres dans la chambre voisine. Après un moment, le silence se fit et la dépouille de M. Leader roula sur une civière devant notre porte, en route pour l'éternité.

Les décès qui surviennent à l'hôpital nous font frissonner jusqu'aux mœlles, car ils n'ont pas la soudaineté de ceux qui se produisent à la guerre, dans des accidents de la route ou des catastrophes aériennes. La mort à l'hôpital n'est pas une question de hasard comme une bombe qui exploserait en nous transformant en une bouteille de chair et d'os ou une balle perdue qui viendrait pratiquer un grand trou net au beau milieu de notre front. Elle n'a rien à voir non plus avec une semi-remorque qui ferait un tête-à-queue juste devant nos yeux et nous aplatirait sous vingt tonnes de cargaison, ni avec un avion qui s'écraserait sur le sol à la vitesse du son en transformant toutes les personnes à bord en une épaisse marmelade hurlante. Ce genre de choses n'arrive jamais qu'aux autres et elles se passent si rapidement qu'on n'y réfléchit guère. Dans ces cas, les rôles sont bien définis : ou on est acteur, ou on est spectateur.

À l'hôpital, la perspective est bien différente. Nous y sommes tous des acteurs et d'intimes témoins des diverses facettes de notre condition d'être mortel. Aucun choix n'est possible. Quelque Grande Puissance dans l'ordre naturel des choses décide pour nous. D'ailleurs, personne ne veut vraiment savoir ni la date, ni l'heure, ni comment cela se produira. Le jeu en perdrait tout intérêt.

Mais M. Leader savait-il que sa fin approchait ? Quand je lui ai parlé, il avait l'air d'être au fait de ce qui l'attendait. Peut-être y a-t-il un rideau qui s'entrouve dans notre inconscient à la veille de la dernière heure et que nous pouvons nous voir glisser sur les eaux de la paix éternelle. La pensée est rassurante. Néanmoins, je dois bien avouer que mon rideau est resté bien tiré et que, dans mon cas, la vie continue.

Le onzième jour de mon hospitalisation se lève une lumière éclatante. Il fait très froid. Du givre enveloppe les arbres, les fils électriques et les voitures. Des panaches de fumée s'échappent de la bouche des passants, tandis que les gaz des voitures font dans l'air des guirlandes presque opaques. Quelques moineaux

aux plumes gonflées cherchent des miettes dans les caniveaux sales.

Je mange, me lave et me rase, puis attends, allongé, la visite du médecin. Vers dix heures, le docteur Koval arrive avec sa suite, tel un empereur en habit blanc qui aurait réussi à conserver un peu des manières du bon peuple. Est-il conscient de l'effet qu'il a sur les patients? Sans aucun doute. Il prend mon pouls, écoute mon cœur battre sereinement, puis sourit.

— Vous pouvez partir ce matin. Je vais laisser une prescription pour vous au poste des infirmières. Demandez-la en sortant.

— Une prescription? Mais qu'allez-vous me prescrire?

— De la Digoxine; il s'agit d'un nom de marque sous lequel la digitale est vendue.

Je me rappelle avoir lu un roman policier d'Ellery Queen où le meurtrier perpétrait son forfait en administrant à sa victime une surdose d'un dérivé de digitale de manière à pouvoir faire main basse sur sa fortune et partager les jours de sa magnifique épouse. Lit-on encore les policiers de Ellery Queen aujourd'hui ou sont-ils passés de mode comme ceux de Nero Wolfe? Une chose semblable ne pourrait toutefois pas se produire dans mon cas: les biens que je possède encore n'ont aucune valeur et Helen est beaucoup trop avisée pour se laisser convaincre par quelque Lothario local de m'assassiner. Je n'ai rien à craindre de ce côté. Mais pourquoi ai-je besoin de Digoxine?

— Votre rythme cardiaque est légèrement irrégulier. La Digoxine est un stimulant mineur qui l'aidera à se stabiliser.

Les autres approuvent la décision du chef. Devant un tel front commun de connaisseurs, qui suis-je pour mettre en doute les mérites de la digitale?

— Y a-t-il autre chose que je doive prendre?

— Oui, durant les six prochains mois, prenez votre temps. Ne retournez que graduellement à votre ancien régime de vie.

N'en exigez pas trop à la fois. Allez-y lentement. Dans les escaliers, n'hésitez pas à faire des pauses. Faites de courtes marches et ne soulevez rien de lourd. Dans deux mois, vous devriez vous sentir aussi bien qu'avant votre crise et vous n'aurez probablement plus aucun problème. Bonne chance.

Je lui serre la main en lui adressant un large sourire. C'est la rémission. Le tout-puissant Seigneur Koval vient de m'assurer que tout allait revenir à la normale. Que pourrais-je demander de plus? Aucun régime spécial. Aucun besoin de réduire mes activités ni de modifier mes habitudes de travail. L'expérience n'a finalement pas été un désastre; la vie m'a simplement souligné que j'étais arrivé à cet âge dit moyen où l'organisme n'apprécie plus d'être bousculé. Je me suis plu à m'apitoyer sur mon sort pour des balivernes. Quel idiot!

— Vous partir? me demande M. Sung.

— Absolument. Et le plus vite possible.

Je téléphone à Helen pour lui apprendre la nouvelle. Le soulagement. Nous rions. Elle me promet de ne jamais m'administrer de digitale à mon insu. M. Sung me regarde en hochant la tête, se réjouissant de ma bonne fortune et partageant ma joie. J'aimerais tellement aller à la maison avec Helen pour que nous puissions parler, nous caresser, tout partager. Mais je ne peux pas, c'est interdit. Je dois retourner là d'où je viens: je suis un détenu en libération conditionnelle. J'appelle donc mes gardiens et leur communique la nouvelle.

Le préposé à l'accueil m'informe sèchement qu'un véhicule de la prison m'attendra près de la porte latérale à onze heures trente pile. Le retour à la réalité. À la stupidité. Il ne serait pas plus compliqué d'appeler un taxi ou de demander à Helen de me ramener. Mais la bureaucratie pénitentiaire préfère faire les choses à sa manière et ne pas s'écarter de la sainte routine procédurière qu'elle réserve aux détenus en congé de maladie. Les détenus... car les mots «prisonniers» et «condamnés» ne sont plus employés de nos jours.

En décembre, quand je fus déclaré en parfaite santé à l'issue d'une terrifiante course en ambulance, Helen me reconduisit en voiture. Ce n'était pas du tout dans l'ordre des choses. Le personnel de la prison était furieux. J'aurais pu en profiter pour m'évader.

— Mais je ne me suis pas enfui. Vous voyez bien, je suis ici, moi-même, en chair et en os.

— Ce n'est pas la question. Quand vous faites des choses semblables, vous nous tournez en ridicule, souligna amèrement le préposé.

Mais la vrai raison de son amertume était tout autre : comme je l'appris plus tard, on lui aurait posé moins de questions et causé moins de problèmes si je m'étais évadé. En fait, mon rôle aurait été de traverser la frontière par le pont des Mille-Iles et de disparaître dans les méandres de la clandestinité, parmi les vingt millions d'étrangers qui vivent illégalement aux États-Unis. Je n'avais pas respecté les règles du jeu. Il fallut donc remplir des papiers, donner des explications, travailler plus que de coutume, toutes choses qui ne manquent jamais de faire grincer les rouages des bureaucraties.

L'heure du départ est arrivée. Je rassemble mes choses, puis exécute une révérence pour saluer M. Sung ; je lui souhaite une longue vie, un prompt rétablissement et beaucoup de bonheur. Son épouse arrive armée de son sempiternel sac à provisions et de journaux. En me voyant habillé et bien peigné, elle pépie quelques mots à mon intention.

— Madame Sung dire : vous ne pas venir ici autre fois, me traduit son mari.

— Dites à madame Sung que je ferai tout pour lui obéir.

Je l'embrasse sur la joue et elle pousse de petits rires nerveux d'adolescente. Mes ordonnances se trouvent au poste des infirmières : de l'Indéral, de l'Anturan et de la Digoxine. Le premier médicament est destiné à réduire ma pression artérielle et mon rythme cardiaque, le deuxième, à prévenir la formation de caillots et le troisième, à régulariser les battements de mon cœur.

Au lieu de me dire au revoir, les infirmières et les internes me souhaitent bonne chance. Sont-ils au courant de quelque chose que j'ignore? La grassouillette infirmière en chef me rappelle une fois de plus de ne pas me fatiguer durant les prochaines semaines et de ne pas faire de bêtises. Quelle sorte de bêtises? Mais je n'ai droit qu'à un clin d'œil pour toute explication. J'ai l'impression qu'aucun d'entre eux n'est convaincu que je peux me rendre jusqu'au hall et encore mois quitter l'hôpital.

— Et surtout ne soulevez rien de lourd.

Elle lance un œil accusateur en direction de mon petit sac de voyage comme si j'avais déjà enfreint cette règle. Mais ce sac ne doit même pas peser quatre livres! Je prends l'ascenseur jusqu'au rez-de-chaussée et me dirige lentement le long des corridors vers la porte latérale. C'est toute une aventure. J'ai les jambes comme de la guenille et mon cœur bat la chamade. Heureusement, il y a des chaises dans les couloirs pour permettre à ceux qui s'en sentent le besoin de faire des pauses. Une administration pleine de prévenances.

Je m'assois dans le hall et prends mon pouls : cinquante-six pulsations à la minute. Avant, quand je marchais, le compte se situait entre quatre-vingts et quatre-vingt-dix. Maintenant, que je marche, sois assis ou allongé n'influe en rien sur mon pouls qui ne varie pas d'un iota. Est-ce une bonne ou une mauvaise chose? J'aurais dû m'informer.

Ce n'est que quelques mois plus tard que j'ai découvert pourquoi on me prescrivait de la Digoxine. Après une crise cardiaque, un patient court le risque de souffrir d'arythmie. Celle-ci peut se déclencher n'importe quand durant les six premiers mois qui suivent la crise et, de fait, 10 pour cent des cardiaques y succombent pendant cette période. Peut-on reprocher aux médecins de ne pas en informer les patients? Difficile à dire. À bien y penser, je ne pense pas que cela aurait changé grand-chose dans mon cas, mais peut-être certaines personnes ont-elles tendance à s'inquiéter plus que d'autres.

Un fourgon marine à douze places vient se garer le long du trottoir. Sur la porte du chauffeur on peut lire les mots SOLLICITEUR GÉNÉRAL inscrits en lettres rouges. Mes gardiens sont venus me reprendre. Mon chauffeur est un homme maigre de type saturnien aux cheveux gris coupés en brosse; il a la voix rocailleuse et l'œil soupçonneux. Je monte à côté de lui.

— Alors, ça va mieux?

— Très bien, merci.

Il essaie de se montrer aimable; je peux sentir sa sympathie à mon égard. Face à un adversaire commun, tous les hommes ont tendance à se serrer les coudes. Il s'appelle Earl et il aura bientôt l'âge de la retraite, cet âge critique où les maladies du cœur et le cancer frappent impitoyablement, sans discrimination. La maladie est un patron qui donne des chances égales à tous. Une grande égalitaire.

Quand les émeutes qui éclatèrent en 1971 au pénitencier de Kingston furent matées, on transféra les détenus les plus dangereux à la nouvelle prison à sécurité maximale de Millhaven, où ils furent accueillis par deux haies de gardiens armés de gourdins. Forcés de courir sous les bâtons, ils furent tous battus et certains, gravement blessés. La Commission parlementaire chargée d'enquêter sur les causes de l'émeute déposa plus de soixante recommandations en vue d'améliorer le système pénitentiaire et les conditions de détention. Elle conseilla entre autres que la demi-douzaine de gardiens-chefs qui avaient participé à l'incident de Millhaven soient nommés à des postes du service où ils n'auraient plus de contacts directs avec les prisonniers. Earl faisait partie de ce groupe. On le replaça avec trois de ses collègues dans une ferme de détention à sécurité minimale. Ils échangèrent leurs uniformes contre l'habit civil et un travail de moins grande responsabilité qui consistait à assurer la surveillance des détenus les moins violents du système.

Je plains cet homme. Curieusement, j'en suis venu à prendre en pitié tous mes gardiens. Malgré leurs personnages bourrus, leur brutalité verbale et leurs sarcasmes, on se rend vite compte qu'ils ne sont que de simples mortels, désillusionnés et même parfois un peu effrayés par les hommes et les événements sur lesquels, au fond, ils ont très peu d'emprise. En ce qui me concerne, la prison n'est qu'un passage transitoire, une expérience dont j'aurais très bien pu me passer, mais grâce à laquelle j'ai découvert une foule de choses remarquables au sujet des hommes. Le travail par relais, la semaine de cinq jours et les heures supplémentaires rythment ce quotidien où il est condamné à regarder les détenus reconquérir leur liberté et passer à une autre vie, tandis que lui reste prisonnier d'un purgatoire qu'il a lui-même choisi. Dans son cas, la seule porte de sortie, c'est la retraite.

— Qu'est-il arrivé d'excitant durant mon absence?

— Deux évasions, la fin de semaine dernière.

— Ah!

— On les a repris à Toronto le lendemain, ajoute-t-il, mine de rien, comme si cette capture n'avait pour lui aucun intérêt.

À son avis, tous les prisonniers sont des minables, les déchets de la société, et il n'y a pas d'exception à la règle, tout au plus quelques degrés dans l'abjection. Je fais partie de la catégorie tolérable, ce qui veut dire qu'il répondra à mes questions, me parlera poliment et me sourira à l'occasion. Mais pas davantage.

C'est un conducteur prudent, lent et méthodique. Pendant la route, je me réjouis secrètement du spectacle qui se déroule autour de moi. Les camions, les voitures aux vitres givrées et les piétons pressent tous l'allure, aiguillonnés par l'air glacial. L'activité règne partout et la vie bat la mesure. Je me cale dans mon siège et savoure la joie d'être en vie, bien portant et capable de reprendre la partie.

Kingston et ses environs présentent la plus forte concentration de prisons et de pénitenciers en Amérique du Nord. Il y a là des établissements à sécurité maximale, moyenne et minimale, l'ensemble pouvant répondre à tous les besoins. La ville est aussi un haut lieu de formation: on y trouve le Collège militaire royal du Canada, le Collège de défense nationale pour les cadres supérieurs de l'armée et l'Université Queen. Si ce n'était des diverses activités du gouvernement fédéral, l'économie locale s'écroulerait.

Malgré ce que les médias laissent entendre chaque fois qu'un gardien ou un policier est tué dans le cours de son travail, ces emplois comptent parmi les activités qui comportent le moins de risques. Les pompiers, les pilotes, les fermiers et les ouvriers de la construction connaissent un taux de mortalité beaucoup plus élevé. Le plus grave problème qui menace les gardiens — ces «matons» dans le vocabulaire des prisonniers ou «agents de correction» dans celui du grand public —, c'est l'ennui. Leur travail leur donne très peu d'occasions de faire de l'exercice, ne demande aucune imagination et peu d'initiative. Avec le temps, ils finissent par sombrer dans un état quasi comateux et développent une attitude apathique envers la vie.

— Tu vas devoir aller à l'ombre pour une couple de jours, m'annonce Earl.

— Oui? pourquoi?

— Le règlement.

— C'est vrai, j'oubliais, le règlement.

Il veut dire qu'au lieu de retourner à la ferme de détention à sécurité minimale de Frontenac et à sa vie relativement plaisante, je dois me rendre au pénitencier de Collins Bay. Le règlement veut que les détenus qui viennent de recevoir leur congé d'un hôpital passent au moins vingt-quatre heures en observation à l'infirmerie de la prison au cas où des complications se déclareraient. Une précaution sensée, puisque Frontenac n'a aucun personnel médical ni installations qui lui permettraient d'intervenir efficacement en cas d'urgence.

La prison de Collins Bay est construite sur une terre de mille acres à la périphérie ouest de Kingston. Cette lugubre forteresse en pierre, ridiculement chapeautée de pinacles roses, ressemble à un décor de film abandonné. Un modèle d'architecture moyen-âgeuse. La pierre, extraite d'une carrière de la région, est uniformément grise et déprimante. Les murailles sont flanquées à chaque angle de tours de guet vitrées et chichement chauffées, comme je l'ai appris de sources bien informées. Des gardes armés, solitaires et malades d'ennui y font continuellement les cent pas pour se réchauffer dans l'attente d'un événement quelconque. Mais rien n'arrive jamais. Une fois leur quart fini, ils descendent l'escalier circulaire qui les conduit à l'extérieur des murs et s'en retournent chez eux.

Après avoir expliqué les raisons de ma présence au gardien réfugié dans le poste de contrôle à l'épreuve des balles, Earl passe avec moi les portes d'acier à commande électrique. Un deuxième gardien vide mes poches puis me fouille. Il ne cherche rien de particulier ; il agit par habitude. Je porte mes vêtements au lieu de l'uniforme vert des prisons, ce qui prouve que je relève de la ferme de détention à sécurité minimale et que je ne risque pas d'essayer de m'évader ou d'introduire dans les murs de la drogue, de l'alcool ou des armes. Par ailleurs, je suis plus âgé que lui ; or, en prison, on respecte l'âge, sans en faire un plat, mais suffisamment pour qu'on le sente. Ce sont les jeunes qui sont craints, ceux de moins de trente ans qui ont encore quelque chose à prouver — leur virilité, leur force, leur autorité ou leur révolte, peu importe. Comparé à eux, je suis un animal bien inoffensif.

Je rempoche toutes mes choses. La prochaine série de portes d'acier s'ouvre en vrombissant. Nous marchons le long du corridor central, toujours bien éclairé. L'infirmerie se trouve derrière la première porte, à droite. Earl sonne et nous attendons que quelqu'un vienne ouvrir. Un gardien apparaît au guichet, nous examine brièvement, puis nous laisse entrer. Lui aussi est jeune et il me regarde d'un air inquiet jusqu'à ce que je lui sourie et le salue. Earl me redonne ma radio et mes effets personnels et me dit en marmonnant qu'il est heureux que je sois rétabli. Puis, avant même que je puisse lui répondre, il est reparti.

L'infirmerie compte huit chambres privées, bien éclairées, aérées et très propres. Chacune comprend un lit à position réglable, un matelas confortable et des oreillers mœlleux. Une petite salle commune, dont une partie a été aménagée en cuisinette, donne accès à un téléviseur, à une radio et à des livres. Bien entendu, toutes les portes de l'infirmerie sont fermées à clef et, après vingt-deux heures, les patients sont enfermés dans leurs chambres pour la nuit; il est toutefois difficile de croire que cet endroit est une prison.

Le préposé aux malades est un motard du nom de Roger, un rude voyou dont les tatouages dissimulent à peine les piqûres d'aiguilles et qui purge les derniers mois d'une sentence de dix ans pour vol à main armée. Malgré ses allures de mauvais garçon, ses attitudes et ses remarques condescendantes, c'est un être plein de compassion. Son ignorance des choses de la vie est renversante. Il ne connaît pas grand-chose de ce qui se passe en dehors de la prison et il est à la fois fasciné et effrayé par l'imminence de sa libération. Il prend des pilules chaque fois qu'il peut en trouver et des amphétamines dès qu'il en a suffisamment pour une bonne injection.

Il me donne la plus belle de ses chambres, puis attend mon approbation et mes remerciements. L'infirmerie a deux autres pensionnaires : un vieillard dont le stimulateur cardiaque a fait des siennes et un jeune poids lourd dont le genou blessé est enveloppé dans un emplâtre. Le vieil homme a l'air un peu ahuri et il passe ses journées à grommeler des jurons et des obscénités; quant au poids lourd, il reste assis dans son fauteuil roulant à regarder vaguement la télévision et fumer d'innombrables cigarettes.

L'excitation provoquée par mon retour à la vie, le plaisir de marcher dans l'air froid et l'espoir retrouvé ont fini par m'épuiser tout à fait. Avant de m'allonger, je demande à Roger de donner mon repas à l'un des autres pensionnaires. Il veut savoir s'il doit tout de même me garder mon morceau de gâteau au chocolat. Ici, un gâteau au chocolat est le délice suprême et c'est le dessert du jeudi midi.

— Garde-le pour toi.

Je m'endors en quelques secondes.

****

Durant les quatre dernières années, j'ai connu plusieurs prisons, depuis celle du comté de Los Angeles — la pire — jusqu'à la ferme de détention de Frontenac — la meilleure —, en

153

passant par toute une série d'établissements intermédiaires. Il est assez étonnant de constater avec quelle rapidité on peut s'adapter à son environnement.

Au début, alors que les portes d'acier se referment sur vous dans un fracas terrible, un sentiment de terreur vous transperce l'âme. Vous avez l'impression d'être une bête prise au piège, un animal sauvage qu'on vient de mettre en cage. La panique vous gagne, vous serre la gorge. Certains sont pris de vertige, d'autres de claustrophobie ou d'hyperventilation. Pour échapper à tout cela, j'essayais de dormir dans ma couchette étroite. La fuite sous sa forme la plus primitive.

Durant les premières semaines, la vie n'est plus qu'une longue succession de repas, d'humiliations et de crises d'ennui. On écrit de longues lettres à ceux qui nous sont chers. Un sentiment de frustration s'installe à mesure qu'on se rend compte qu'on n'a plus aucun pouvoir sur ce qui se passe à l'extérieur. Et puis il y a cette sensation d'avoir été privé des satisfactions les plus fondamentales, de l'action, de l'amour et de la compréhension, sans parler de la colère face aux circonstances qui ont mené à l'arrestation, puis à la condamnation.

Peu à peu, les jours commencent à se confondre et l'esprit apprend à dominer la situation. On ne permet plus à sa conscience que l'investigation de son environnement immédiat, de ce qui peut être touché, vu, senti ou goûté. Tout le reste doit être interdit. On traverse ensuite une période d'introspection où l'on découvre avec étonnement que la liberté est un état d'esprit sur lequel ni les portes, ni les barreaux, ni les prisons n'ont d'influence. Ce n'est qu'à ce stade qu'on peut de nouveau donner libre cours à son imagination.

Lors de mes premiers contacts avec le système pénitentiaire, je pensais, comme la plupart des gens, que les prisons remplissaient une fonction utile à la société en séparant ceux qui transgressent les lois du reste des citoyens. Je supposais que tous les prisonniers avaient eu un procès équitable, avaient été jugés coupables et méritaient leur sentence. J'estimais la justice omnipotente et croyais que le temps passé derrière les barreaux, dans l'horreur du monde carcéral, était le pire des châtiments. J'en concluais qu'une fois sa sentence expirée, l'ex-détenu retournerait vivre en société, sinon amendé, tout au moins plus prudent dans ses futures activités illégales.

Rien ne pouvait être aussi loin de la vérité.

La prison n'est ni punitive, ni rédemptrice, ni réhabilitante. C'est plutôt un système d'entreposage qui sert d'abord les intérêts de ceux qui en ont besoin pour gagner leur vie. Les policiers, les avocats, les juges, le personnel de la Cour, les gardiens, les agents de probation, les services alimentaires, les travailleurs sociaux et des dizaines d'autres intérêts inter-dépendants survivent, profitent et s'enrichissent sous le pro-tectorat de la justice pénale.

Qu'on ne croie pas que je suis en train d'élaborer une critique sur la façon dont on devrait administrer le système pour qu'il soit plus efficace. Je constate simplement qu'il en est ainsi, pour le meilleur ou pour le pire, selon le point de vue qu'on adopte.

D'après mon expérience, le criminel a très peu de choses à retirer de son séjour à l'ombre. Il n'est que le fagot qui alimente la chaudière financière de la justice. Peut-être est-ce dans l'ordre des choses; toutefois, je suis convaincu qu'il y a des méthodes plus pratiques pour créer de l'emploi que de harnacher l'énergie humaine des pénitenciers.

On aurait pas eu besoin d'incarcérer plus de quinze pour cent des hommes que j'ai rencontrés en prison. Ceux-là étaient vraiment dangereux. Ils faisaient partie des malades criminels, des détenteurs du double chromosone Y, aux yeux fous et fuyants, qui se livrent soudainement à des meurtres insensés, à des assauts sexuels crapuleux ou à une brutalité aveugle. Ces êtres sont nés avec une main perdante et les prisons les ont transformés en déchets humains, les rendant difficiles à maîtri-ser même pour leurs gardiens. Si la société s'en préoccupait, ils seraient dans des hôpitaux psychiatriques. Mais la société n'en a cure.

Parmi les autres, au moins dix pour cent n'ont pas commis le crime pour lequel ils ont été condamnés et ne devraient donc pas se trouver derrière les barreaux. Quant au reste des prisonniers, ils ne présentent aucun danger pour la société et ils pourraient être remis en liberté afin de purger leur peine dans des emplois plus productifs. Ils pourraient ainsi dédommager leurs victimes, rembourser à la collectivité au moins une part de ce qu'il en a coûté pour les juger et s'acquitter des travaux communautaires les plus conformes à leurs capacités. Si on leur donnait le choix, la plupart profiteraient de cette occasion de s'éviter un séjour en taule. Il y a des milliers de travaux urgents qui sont abandonnés faute de pouvoir trouver une main-d'œuvre qui accepterait de travailler pour un salaire jugé dérisoire, tandis que nos prisons sont remplies d'oisifs qui attendent le passage des ans.

Comme à l'ombre je ne manquais pas de moments de loisir, j'ai eu toutes les occasions du monde d'étudier le système et ses vices. Les bibliothèques des prisons regorgent de livres de sociologie, de criminologie, de pénologie, d'idéologie et d'innombrables études faites en taule ou à l'extérieur sur la psychologie du criminel. Les taulards qui écrivent leur autobiographie sont célébrés par le monde littéraire et ses coteries qui découvrent à chaque nouvelle publication une mine d'informations et différents points de vue. Toutefois, la lecture la plus instructive que j'ai faite sur le sujet consistait à comparer deux rapports annuels déposés par le Solliciteur général du Canada.

Durant l'année fiscale 1968-1969, la population totale des prisons fédérales du pays s'élevait à 6 928 détenus, hommes et femmes; pour les contribuables, la facture s'établissait à 63 millions de dollars.

En 1979-1980, cette population se composait de 9 529 personnes et la note avait grimpé à un vertigineux 336 millions de dollars. Même si on considère l'effet de l'inflation durant cette décennie, on doit admettre que le coût d'exploitation du système a plus que quintuplé. La Justice est devenue une industrie en pleine expansion.

Aujourd'hui, chaque prisonnier coûte à la société près de 40 000 dollars par année. Je ne connais pas un détenu qui refuserait la moitié de cette somme en échange de sa promesse de garder la paix et, surtout, de respecter son engagement. Vingt mille dollars par année, c'est beaucoup de fric et constitue un stimulant diablement efficace qui en inciterait plusieurs à marcher droit.

****

Roger me réveille vers la fin de l'après-midi en secouant mon lit. Il évite de me toucher, car cela pourrait être interprété comme un assaut et mener à la bagarre.

— Debout, là-dedans.

C'est l'heure du dîner. Dehors, les ombres s'épaississent. Les hauts murs de pierre se fondent rapidement dans la nuit. Le ciel rosit, puis tourne au pourpre, tandis que la neige passe du blanc au gris.

Le dîner arrive de la cuisine principale sur une desserte roulante : un pain de viande accompagné de pois, de pommes de terre et d'une épaisse sauce foncée. Pour dessert, il y a de minuscules poires. Les chambres de l'infirmerie donnent toutes sur une étroite guérite en verre armé qui permet aux gardiens et à l'infirmière de garder continuellement leurs pensionnaires à l'œil. Si ce n'était de l'absence de tout moniteur cardiaque et de la présence constante des gardiens, on pourrait se croire à l'Hôtel-Dieu dans l'aquarium des soins intensifs.

Nous nous assoyons tous à une petite table de mess. Après s'être traîné jusqu'à sa chaise, le vieil homme au stimulateur cardiaque se met à s'empiffrer ; des pois et de la sauce lui dégoulinent sur le menton, puis retombent dans son assiette. Entre deux bouchées, il marmonne des insanités en conservant la tête baissée. Les deux autres l'ignorent. Le gars au genou amoché mastique ses aliments d'un air pensif, les yeux rivés sur la télé, perdu dans un monde de faux-semblants. Mais il faut bien admettre qu'au delà des murs tout n'est également que simulacres. La réalité on la trouve tout entière en prison.

Roger partage notre table. Il ne s'intéresse ni à son dîner ni à la télévision. Quelque chose le préoccupe. Il fume nerveusement une MacDonald's Export après l'autre, puis écrase ses mégots dans un petit tas de décombres fumants. Il attend que les autres aient fini et s'en aillent. C'est une affaire personnelle.

Finalement, le vieil homme rote bruyamment, s'essuie le nez sur la manche de son pyjama, puis se dirige en chancelant vers la salle de bains. L'éclopé rapproche son fauteuil de la télévision. Roger se penche au-dessus de la table et passe aux confidences.

— J'ai entendu dire que t'écris des affaires. C'est vrai?

Il attend quelques secondes, le temps que je confirme la rumeur, puis continue.

— J'ai besoin d'une lettre pour ma bonne femme. J'peux te donner cinq cartouches, mettons dix, si tu fais vraiment un beau travail.

Il est désespéré. Derrière les barreaux, les cigarettes constituent une monnaie d'échange. Faire poignarder un homme coûte cinq cartouches. Son emploi de préposé aux malades lui rapporte trente dollars par mois, pas en espèce, mais sous forme de crédit auprès du magasinier de la prison.

— J'pourrais le faire moi-même tu comprends, mais ça sonnerait mieux si c'était toi.

— Mais ça ne sera plus ta lettre, non?

Nous parlons tous deux à voix basse pour que les autres ne puissent rien entendre de notre conversation.

— Ben oui, je vais te dire quoi écrire. T'auras juste à arranger ça, à corriger les fautes, ces affaires-là. Tu peux faire ça non? Je veux dire, moi, j'ai pas d'instruction. Une sixième année, pas plus. Je peux lire et écrire, mais c'est pas fameux. Bev, ma bonne femme, elle, elle a une douzième. Je veux pas avoir l'air d'un niochon.

En taule, l'épouse, la petite amie ou la maîtresse d'un détenu devient vite «sa bonne femme». Chacun se doit de posséder une femme, ne serait-ce qu'en imagination.

— Après mon arrestation, on a un peu perdu le contact. Mon p'tit gars aura neuf ans c't'été. J'l'ai jamais vu. Elle m'a envoyé une photo y a queq' années. J'ai rien trouvé à lui dire; j'ai pas répondu.

Tous les pères rêvent-ils de leur fils? De ce fils qui sera doté de toutes les qualités qu'il n'a jamais acquises et qui s'élèvera vers des sommets qu'il n'a lui-même jamais atteints? Peut-être est-ce là une facette de la paternité que tous les hommes partagent. Je le comprends.

Roger m'explique qu'ils vivaient chez ses beaux-parents, sur une ferme, près de Brantford. Son fils Mickey devrait maintenant être en quatrième année, s'il a réussi les trois premières.

— Penses-tu qu'ils recalent des enfants de c't'âge-là? me demande-t-il gravement, comme s'il craignait le pire.

Tandis que je finis mes poires, il me parle du temps heureux où il vivait avec sa bonne femme. Il se souvient encore de ces soirées d'août où la vie baignait dans un air chaud et calme, bercée par le chœur de grenouilles et de grillons qui avait pris l'habitude de sérénader près de l'étang du beau-père. De l'amour et des rires dans un champ mûrissant sous un milliard d'étoiles. Ce sont ses souvenirs qui l'ont soutenu durant ses longues années de solitude. Ses souvenirs et une mauvaise photo d'un petit enfant nu.

Je n'ose pas lui demander comment il peut supposer que sa femme et son enfant s'intéresseront encore à lui ou qu'ils voudront même le revoir. Bev a pu se remarier et avoir d'autres enfants; elle a peut-être quitté la ferme quand ses parents sont morts pour aller vivre en Californie avec un grand gaillard de mari qui ne fait qu'une bouchée des jeunes vauriens de son espèce. Mais, pour Roger, les années passées en taule ne comptent pas. Le temps s'est arrêté le jour où il a mis les pieds en prison.

Je lui promets d'écrire sa lettre. Je n'ai pas besoin de ses cartouches de cigarettes, mais au lieu de le placer dans une situation où il croirait me devoir quelque chose, je décide de les prendre. De cette manière nous sommes quittes. En prison, il importe de n'être l'obligé de personne.

Il n'a pas encore commencé à me dicter sa lettre que le gardien m'appelle. J'ai un visiteur.

Collins Bay n'a rien de l'atmosphère décontractée d'un établissement à sécurité minimale; ici, l'accès au parloir est étroitement contrôlé et les visites se déroulent dans une pièce exiguë et toujours bondée. Des machines distributrices sont alignées le long des murs de même qu'un assortiment de chaises délabrées où se succèdent des gens encore plus mal fichus. L'air est stagnant et un peu fétide. Helen semble perdue parmi ces épaves humaines. C'est la première fois qu'elle entre dans un établissement de ce type et on peut lire sur son visage le désarroi que lui cause la découverte. Nous nous assoyons, puis nous nous tenons les mains comme des adolescents.

— Je n'ai pas amené les enfants, s'excuse-t-elle.

— C'est aussi bien. Ce n'est pas la peine de les exposer à ceci après tout ce qu'ils ont déjà eu à subir.

Les enfants ne sont venus me visiter qu'à Frontenac où le parloir à aire ouverte assure une ambiance cordiale qui contraste grandement avec l'atmosphère hostile et tapageuse de Collins Bay. Ici, les visiteurs et les prisonniers sont littéralement entassés dans une pièce étriquée qui interdit toute intimité ou conversation privée. Et c'est intentionnel. À Frontenac, durant l'été, on encourage les visites à l'extérieur. Des tables de piquenique et un terrain de jeux permettent une certaines vie familiale et personne n'a à subir la présence envahissante et contraignante de gardiens en uniforme. À Collins Bay, des surveillants enfermés dans une cage de verre à l'épreuve des balles peuvent tout voir.

Enfin, presque tout, car, à quelques pieds de nous, une jeune femme qui tourne le dos aux gardiens est en train de masturber son homme tout en l'embrassant passionnément. Il défaille sous l'ultime caresse et elle recueille dans son mouchoir son émission poisseuse. Elle l'essuie ensuite gentiment, puis fait disparaître le mouchoir sous sa blouse. Personne ne leur porte la moindre attention et il est difficile de savoir si c'est par courtoisie ou indifférence. Helen les observe, fascinée. Des enfants s'amusent à se poursuivre entre les chaises.

— Ne les regarde pas ainsi, ce n'est pas très gentil.

160

— Bon Dieu, mais quelle place! C'est le Carnaval des animaux!

Pas vraiment. Pour tous ceux qui n'ont jamais vu d'êtres humains frustrés satisfaire, par nécessité, leurs besoins en public, la révélation fait l'effet d'un choc. Dès que le sexe, l'amour et l'affection débordent de la vie privée, nous les considérons comme des choses vulgaires. Mais quand la Justice, dans sa grande sagesse, jette l'un des partenaires en prison, quelle possibilité reste-t-il? Les êtres humains créent des liens entre eux en satisfaisant mutuellement leurs besoins émotifs. Pour chaque homme qu'on punit par la prison, il y a habituellement une femme innocente et des enfants tout aussi innocents qui sont pareillement punis. C'est la façon dont nous avons conçu notre système.

Dans une telle atmosphère, Helen a de la difficulté à faire la conversation. Je suis désolé qu'elle soit venue, je regrette de l'avoir soumise à un pareil spectacle. Elle a l'air effrayée. Je lui étreins la main.

— Souris un peu mon cœur. Dans cinquante ans, nous ne nous souviendrons plus de tout cela.

Mais aujourd'hui, pour chacun de nous, ce réconfort est bien mince.

Les visites vont de dix-huit à vingt heures, mais, après quinze minutes, je la renvoie. Sans protester, elle se lève et sort, avec un dernier signe de la main. Après une autre fouille superficielle, une porte d'acier coulisse derrière moi et je suis de retour à l'infirmerie.

Roger vient de finir la première page de la lettre qu'il veut envoyer à «sa bonne femme». Il a couché son texte à la mine dans un cahier ligné. Son gribouillis est fait d'une large écriture enfantine et est farci de fautes d'orthographe. Il épie ma réaction tandis que je prends connaissance de son œuvre. Pathétique.

161

Allô bébé,
J'gage que tu pansè pas avoir encor des nouvels de ton
homme. Ben me vlà, plin d'énargie et une envie de me batt
deux fois plus grosse qu'avent. Comment va le petit? Pis
toé? Moé, c'est pas pire, J'va sortir d'ici betô. J'voudrè vous
voir, toé pis not ptit. Tu dois avoir changé. J'ai changé itou.
Tout l'monde y change. T'sé que je veux dire? P'têt qu'on
pourrait recommencer comme aven. Tu te rappel-tu? Soé
Sage.
Roger.

Il me lance un regard pitoyable, torturé; il sait que sa lettre
est minable, mais il n'est pas capable de trouver les mots qui
traduiraient ses émotions. Il les a réprimées pendant tellement
d'années au profit de sa prétentieuse image de macho endurci
qu'il a fini par oublier comment on peut exprimer sa douleur,
son regret, son chagrin, son amour.

— J'sais que c'est pas très bon, mais c'est le genre d'affaires
que je voudrais lui dire. Tu n'as qu'à mettre ça dans des mots qui
sonnent mieux. Je reviendrai te voir demain matin. T'auras
peut-être des idées, hein?

Embarrassé, il s'empresse de desservir et s'en va. Aussitôt
qu'il est parti, je déchire sa lettre en minuscules morceaux et
recommence sur une autre page du cahier.

Ma très chère Beverly,
Le temps a passé. J'ai vieilli et suis devenu plus sage. Les
années se sont succédées, semblables les unes aux autres,
mais bientôt, si Dieu le veut, je quitterai cet endroit pour
toujours. Si tu peux me pardonner la douleur, le chagrin, la
peine que je t'ai causés, j'aimerais pouvoir me consacrer à
toi et à notre fils... si tu me le permets.

Mais écoute un peu ce poème qui dit les choses tellement
mieux que moi.

Pour te plaire je t'offrirai des fibules et des broches
Faites d'oiseaux du paradis et d'aurores boréales.
Je construirai un château semblable à notre amour

Sous le dais vert des arbres, bercé par la mer.
Je bâtirai si bien nos jours que tu pourras te reposer
Dans la blanche écume des rivières,
Te saoulant des parfums des fleurs et des fruits
De la douce bruine de l'aube à la rosée du soir.

Ce poème sera une musique à nous seuls réservée
Notre grand chant d'amour, un éternel secret
Que nous partagerons encore à la fin de la route
Quand tout le reste vacillera devant nos yeux fatigués.

Je t'en prie, écris-moi dès que tu en trouveras le temps.

C'est très court, mais il n'en a pas besoin davantage. D'ailleurs, je suis de nouveau fatigué. Après une longue douche, je me lave les dents et me mets au lit. Je n'entends pas la clef tourner dans la serrure, ni les rondes du gardien qui, toutes les demi-heures, vient briser le silence de la nuit. Selon les saisons, l'infirmerie est chauffée ou climatisée à l'aide de conduites d'air surplombantes. Toutefois, le système doit être défectueux, car, lorsque le jour se lève, je claque des dents. La température est déjà tombée près du point de congélation et continue de se refroidir. Quand les gardiens viennent ouvrir nos portes, ils s'excusent de ce contretemps.

Roger arrive en poussant la desserte du petit déjeuner. Il a caché cinq cartouches de cigarettes dans le compartiment en coulisse. Il me les livre « à domicile » et prend la lettre qu'il lit deux fois de suite. Ses yeux s'emplissent d'eau et il bat des paupières. Il ne s'attendait pas à ça. Il marmonne des remerciements bourrus et promet de me donner cinq autres cartouches quand il passera ramasser le linge sale.

Le docteur Ted DeJager arrive au beau milieu de l'avant-midi, débordant de sollicitude et d'une étonnante bonne volonté; il est prêt à m'accorder toute l'aide dont je pourrais avoir besoin, tant sur le plan professionnel que personnel. Il m'offre d'écrire à la Commission des libérations conditionnelles et à la direction de Frontenac pour qu'on me décharge des corvées obligatoires et il se propose même d'aller visiter Helen pour la rassurer au sujet de mon état de santé. Je dois bien avouer qu'il essaie au moins de faire amende honorable, mais il a tant de choses à se faire pardonner.

Il me conduit à l'écart et m'explique qu'il y a tellement de connards en prison qu'il lui est parfois difficile de savoir si on lui dit ou non la vérité. Il estime que s'il fallait qu'il croie sur parole tout ce qu'on lui raconte, la plupart des prisonniers purgeraient leur sentence, bien peinards, dans un lit d'hôpital. Il est d'ailleurs convaincu que la moitié des bâtards qu'il hospitalise sont en fait des malades imaginaires.

Pourquoi discuter avec lui? Un médecin n'est-il pas sensé pouvoir déterminer si un patient est vraiment malade ou s'il bluffe en écoutant sa respiration et les battements de son cœur, en prenant sa pression, en examinant ses yeux et sa gorge ou la coloration de sa peau et de ses ongles? À moins que ces examens rituels ne soient qu'une forme sophistiquée de fétichisme.

L'infirmière remplit les prescriptions du docteur Koval et me remet des tubes d'Indéral, d'Anturan et de Digoxine, ainsi qu'une bouteille brune pleine de comprimés de nitroglycérine au cas où j'aurais d'autres attaques d'angine. La posologie est indiquée sur chaque emballage. Au rythme où je dois prendre ces médicaments, je deviendrai bientôt pilulomane.

Les estropiés de Frontenac arrivent à la suite de Bill Briscoe. Un gars clopinant sur des béquilles vient faire changer les pansements de son pied bandé, tandis que son compagnon doit se faire enlever les sept points de suture qu'on lui a fait sur le crâne la semaine dernière à la suite d'un accident sur la ferme. Ces hommes portent des blue-jeans, des chemises sport et des chandails de laine. Seuls leurs chaussures et leur parkas sont des « dons » du gouvernement. Les détenus préfèrent porter le moins souvent possible l'uniforme des prisons. Dans la salle d'attente de l'infirmerie, les visiteurs de Frontenac font toujours l'objet de l'envie des soi-disant malades de Collins Bay qui viennent déballer leurs histoires à Ted DeJager. Je m'assois avec eux et attends mon tour.

— Tu vas nous quitter, Foster? me demande Briscoe.

164

— Oui, pour toujours.

J'aime bien Briscoe. En fait, je l'apprécie davantage que tous les gardiens, les conseillers, les agents d'évaluation ou de libération conditionnelle que j'ai rencontrés. C'est un homme grand et mince, légèrement voûté et doté de larges yeux rieurs qui regardent le monde comme s'il s'agissait d'une bonne farce écrite et interprétée pour son seul plaisir. Il traite tous ceux qu'il rencontre avec la même courtoisie, qu'ils soient détenus ou employés. Pas de favoritisme, jamais un reproche ni de jugement; c'est un homme sympathique et bon comme l'or; si seulement ils étaient tous comme lui.

Dans ses heures libres, il collectionne les vieilles voitures et les retape à la perfection. De temps à autre, il se présente au travail au volant de l'un de ses bijoux pour délier les langues aussi bien des jaloux que de ses admirateurs.

Pendant que j'attends, Briscoe me raconte les événements qui ont entouré la crise cardiaque qui l'a terrassé il y a trois ans alors qu'il travaillait au centre de détention à sécurité minimale près de Petawawa. Une ambulance l'emmena d'urgence à Ottawa. Il transporte encore sur lui des comprimés de nitro.

— Tu vois?

Il s'agit d'une réplique de ma propre bouteille.

— As-tu eu d'autres crises d'angine?

— Quelques mois plus tard, pas aussi douloureuses, mais tout de même assez graves.

— Moi, je ne sens plus aucune douleur.

— T'en fais pas, ça reviendra, commente-t-il tristement. La chose la plus importante est de ne jamais s'énerver. Moi, c'est quand je m'excitais que ça se déclenchait. Détends-toi et n'essaie pas de résister à la vie.

Dès que l'infirmière et le médecin ont fini leur travail, Briscoe nous ramène tous dans son fourgon.

Nous nous dirigeons à l'intérieur des murailles vers les grilles de l'arrière-cour et nous arrêtons en chemin pour prendre livraison des sacs de lessive. Le règlement stipule que tout fourgon doit s'immobiliser à trois cents pieds de la sortie et que le conducteur doit en descendre pour montrer aux gardiens des tours de guet et à ceux de la réception qu'il n'a pas été pris en otage. Briscoe lève son arme, puis remonte dans le véhicule. Une fois arrivés aux portes, nous nous arrêtons de nouveau pour une fouille générale. Il s'agit d'un exercice un peu idiot, destiné à empêcher la contrebande, mais qui consiste essentiellement à palper les passagers, à ouvrir le capot du véhicule, à examiner rapidement le moteur, puis à sonder le dessous de la carrosserie et les enjoliveurs. Personne n'a jamais pensé à regarder dans les sacs de lessive qui entrent et sortent de Collins Bay. Pourquoi compromettre un aussi bon système d'expédition?

Après la fouille, nous sommes autorisés à passer les grilles de métal et à continuer notre chemin. Nous roulons un quart de mille le long de la muraille arrière de la prison, puis retrouvons enfin le «monde libre» de Frontenac et ses cinq choix de desserts.

Woodstock, Canada

25 mars 1979

Le dimanche, vers midi, les policiers et la poursuite commencent à s'inquiéter : les choses pourraient bien ne pas tourner comme prévu. Selon Mac Haig, le reporter du *London Free Press,* il existe un vieil adage en jurisprudence qui veut que plus longtemps les jurés délibèrent, moins il y a de chance qu'ils proposent un verdict favorable à la poursuite ou qu'ils arrivent même à s'entendre sur un verdict. Notre jury délibère depuis déjà trois jours, mais je ne suis pas optimiste pour autant.

Les représentants de la défense et de la poursuite patientent en fumant assis sur un banc ou en arpentant les larges corridors du vieux Palais de Justice du comté d'Oxford. À l'extérieur, sous un beau soleil de printemps, la neige achève de fondre et, dans le grand jardin en pente, de jeunes pousses chargées de vie s'élancent de terre. À l'intérieur du Palais, toutefois, le temps s'est arrêté dans l'attente du verdict de dix hommes et d'une femme. Un des jurés, fermier de sa profession, a été relevé de ses obligations pour aller ensemencer ses champs. Dans une atmosphère lourde de menaces, le suspense plane au-dessus de la fumée de cigarettes et du bruit des conversations. Sitôt le débat terminé, les protagonistes ont abandonné un à un les personnages. Même le juge est descendu de son Olympe pour venir s'asseoir dans le corridor où, parmi les mortels, il fume pensivement sa pipe. Jim Riley, le chef des enquêtes criminelles, tente de s'attirer les bonnes grâces de Son Honneur en l'entraînant dans de longues conversations. Ils font ensemble une drôle de paire : les deux bras de la Justice.

Le juge Chester Misner est un petit homme nerveux et combatif aux traits anguleux et au nez en lame de couteau. Il a le tempérament vif et l'esprit agile. Je suis maintenant persuadé qu'il a reçu l'ordre de me faire condamner coûte que coûte. (Comme les procès criminels finissent toujours par transformer les défendeurs en maniaques soupçonneux, j'en suis venu ces derniers temps à me méfier de tous et de chacun. Siéger sur le banc des accusés n'est pas une partie de plaisir.) Depuis le début du procès, en janvier, Misner a interrompu l'audience exactement cinq cent vingt-huit fois, soit pour rappeler la défense à l'ordre, soit pour questionner les témoins quand leurs versions des faits avantageaient le moindrement les accusés ou encore pour servir à la Cour les commentaires les plus gratuits. Ses interventions laissaient peu de doute dans l'esprit des défendeurs quant au verdict qu'il attendait des jurés.

Je n'avais jamais pris conscience de la facilité avec laquelle un juge peut influencer le cours de la justice chaque fois qu'il délaisse son rôle d'arbitre impartial pour jouer celui d'un auxiliaire de la poursuite. Même si Misner a accédé à la magistrature il y a trois ans, c'est la première fois qu'il préside un procès où deux des trois accusés doivent se défendre sans l'aide d'un avocat. J'ai d'ailleurs l'impression que cette situation est l'œuvre de quelque autorité supérieure qui tenait absolument à ses coupables.

Émotivement et physiquement, je suis épuisé. Depuis déjà trop longtemps, je m'empiffre d'antiacides pour combattre mes soi-disant indigestions et de Valium pour calmer mes nerfs ; chaque soir, je veille tard et fume d'innombrables cigarettes tandis que je prépare ma stratégie pour la prochaine audience.

Tous ces abus ont miné mes forces : je suis vidé. J'aimerais pouvoir me réfugier sur la belle plage de sable blanc que j'ai découverte au Yucatan. Allongé sous le ciel émeraude, je m'y laisserais sombrer dans une torpeur profonde ou contemplerais la danse des goélands et le jeu des enfants. La sainte paix.

— Alors Tony, on dirait que vous allez vous en tirer, me dit

Riley au moment où je passe devant le banc de chêne qu'il partage avec Misner.

— Vous voulez rire?

Mais je peux voir à son regard qu'il ne bluffe pas. Incroyable. Ou bien il ne s'est pas rendu compte de l'influence que le juge a eue sur les jurés, ou bien je suis devenu complètement paranoïaque. Il semble mal à l'aise; sans doute est-il un peu effrayé à l'idée que son enquête de cinq ans et sa cause d'un million de dollars puissent virer en queue de poisson. Un verdict de non-culpabilité, ce serait tellement merveilleux!

Misner tire sur sa pipe, le regard impénétrable, mais un sourire entendu aux lèvres. Lui et moi, nous nous comprenons parfaitement. Mon plus grand malheur tient à ce que Riley ait été une espèce de bouledogue entêté et naïf. Comment peut-il ne pas voir qu'il a déjà gagné et ce, peu importe le verdict des jurés? En fait, j'ai perdu la partie il y a cinq ans, le jour où, avec son armée de policiers, il a saisi les registres de la société.

Tout a commencé sur une note suffisamment anodine pour satisfaire n'importe quel amateur de mélodrames. Deux voisins discutaient par-dessus leur clôture arrière d'un investissement que l'un d'eux avait fait l'hiver précédent dans une vague affaire de lingots d'or brésiliens. Or, l'un de ces voisins était policier. Il rapporta sa conversation au procureur de la Couronne du comté d'Oxford qui la communiqua au Quartier général de la Police provinciale de l'Ontario. Le caporal Jim Riley, qui avait été promu deux jours auparavant de la patrouille de l'autoroute à l'escouade des fraudes, se vit confier l'enquête.

Durant six mois, Riley et ses hommes jouèrent aux gendarmes et aux voleurs dans la plus pure des traditions policières. Tous les dirigeants et ex-dirigeants de Midair furent placés sous surveillance. Les réunions d'investisseurs furent photographiées à l'aide de téléobjectifs et on brancha plusieurs de nos téléphones sur des tables d'écoute. Chaque fois que je me rendais quelque part, que ce fût en voiture ou en avion, j'avais droit à une escorte. Si ces efforts n'avaient pas eu un effet aussi dévastateur, toute l'affaire aurait été du plus haut comique, car elle tenait le plus souvent de l'opéra bouffe. Je ne connais pas de gens qui se prennent plus au sérieux que les policiers, quelle que soit l'absurdité de ce qu'on leur demande de faire au nom de la loi.

Tandis que je luttais de vitesse pour consolider nos assises financières, j'espérais que l'équipe d'agents secrets que j'entraînais à ma poursuite se rende compte que je ne commettais rien d'illégal. Mais ce ne fut pas le cas et je suis encore persuadé que c'est l'imminence de mon succès qui persuada Riley de passer à l'action et de profiter de mon séjour en Californie pour saisir les dossiers de la compagnie. Il avait investi trop de temps et d'argent en salaires et en équipement pour renoncer à sa cause. Un investisseur qui touche des profits substantiels ne fait pas un témoin de la poursuite bien convaincant dans un procès pour fraude, peu importe les chefs d'accusation invoqués par la police.

Dès que j'eus reçu le téléphone de mon frère, je rentrai de Californie et essayai de prendre rendez-vous avec Riley. Il fit de l'obstruction pendant une semaine. Il était trop occupé ou devait s'absenter de la ville pour une autre affaire. Finalement, grâce aux nombreux coups de téléphone de mon avocat, un rendez-vous fut arrêté à l'un des postes du service de la ciculation de Toronto. Riley se fit accompagner d'un policier plus expérimenté que lui dans les interrogatoires, le sergent Carl Manneke. Quant à moi, je me présentai avec mon avocat.

Cette rencontre ne fut pas tout à fait inutile, puisque j'appris, d'une part, qu'il y avait très peu de chances pour que je puisse recouvrer rapidement les livres et les registres de la société et, d'autre part, que la police était convaincue qu'elle avait réussi à démanteler le plus grand réseau international de crime organisé au Canada depuis l'affaire de l'alcool de contrebande des années trente. Aux yeux des enquêteurs, toutes les activités de Midair étaient suspectes et sans doute frauduleuses. Et ils ne pensaient pas à de petites escroqueries de bonnes femmes, mais à une fraude colossale du genre de celles qui peuvent plonger les sociétés dans le chaos, provoquer les guerres et entraîner la perte des gouvernements. Tout cela était trop abracadabrant pour être crédible. Pourtant, ils y croyaient. Et il suffisait qu'ils y croient pour que ce soit vrai. La logique policière.

— Quand pourrai-je ravoir les livres de la compagnie?

— D'ici une ou deux semaines. Donne-nous une chance de les étudier, Tony.

Manneke avait tout de suite versé dans le copain-copain, nous tutoyant tous et nous appelant par nos prénoms. Pas de cérémonies ni de formalités. Quant à Riley, il garda un air renfrogné tout au long de la rencontre.

— Allez-vous faire une vérification?

— Nous allons faire une vérification exhaustive, promit-il.

Si c'était vrai, c'était une bonne nouvelle. Une vérification complète m'aurait coûté au moins dix mille dollars et je devais en faire faire une avant de pouvoir conclure une entente définitive avec les investisseurs allemands et les administrateurs britanniques. Aussi bien laisser la police payer la note.

Plus tard, dans un café où nous nous étions arrêtés avant de rentrer en ville, mon avocat commenta la chose en ricanant:

— Une vérification? Ces deux-là ne sauraient pas lire un bilan même si leur vie en dépendait. Ils ne le feront jamais.

Harry Kerr est un avocat qui a la bosse des affaires. Quatre semaines auparavant, il m'avait accompagné en Angleterre pour m'aider dans mes dernière négociations avec Keegan. Grâce à lui, l'affaire avait marché. Et voilà que Riley avait aussi confisqué ses registres.

— Tu veux que je te le dise franchement? me demanda-t-il, en brassant son café.

— Bien sûr, vas-y.

— Trouve-toi un avocat spécialisé en droit criminel. Le meilleur. La police a quatre-vingt-dix jours pour tenter de te fourrer dans le plus beau des merdiers. Après ce délai, ils te remettront tes livres — sans les avoir vérifiés — ou ils t'arrêteront pour fraude. Moi, je parierais sans hésiter sur ton

171

arrestation. Tu as environ trois mois pour trouver une façon de sauver ta peau.

— Mais, Harry, je n'ai commis aucune fraude! Nous n'avons détourné aucun fonds. Nous n'avons pas de compte secret en Suisse. Ils finiront bien par s'apercevoir que tout était bien licite! Riley se figure peut-être que je suis son tremplin vers la célébrité, mais personne n'a rien fait de répréhensible. Tu le sais aussi bien que moi.

— Mais cela n'a absolument rien à voir! S'ils sont convaincus que tu es coupable, eh bien! mon vieux, tu es coupable. S'ils veulent ta putain de peau, tu peux être sûr qu'ils l'auront et celle de tous ceux qu'ils décideront de faire danser avec toi. C'est peut-être dur à avaler, mais c'est ça la justice. Et c'est pas moi qui ai inventé le foutu système.

Trois mois presque jour pour jour après les perquisitions, Eric Schwendau, Angelo Guglielmo, un entrepreneur italien, et moi-mêmes fûmes arrêtés sous l'accusation de fraude. La nouvelle fit les premières pages des journaux régionaux et les rubriques spécialisées des quotidiens nationaux. Les histoires qu'on racontait avaient de quoi titiller l'imagination de l'amateur de sensationnalisme le plus blasé: commerce illégal de diamants, vente de chasseurs d'occasion au Pakistan, vol de certificats d'actions et d'obligations, trafic de lingots d'or pour une valeur de plusieurs centaines de millions de dollars entre le Brésil et Zurich et, en primeur, location de quadrimoteurs d'épandage à travers le monde.

Le procureur de la Couronne, Fred Porter, décida d'agir comme si toutes nos transactions financières constituaient autant de fraudes soigneusement planifiées. Or, dans le domaine de la politique et des affaires, les vues de Porter s'arrêtaient aux limites du comté d'Oxford. Il croyait sans réserve tout ce que Riley lui rapportait.

Guglielmo et moi-même fûmes conduits depuis London au centre de détention de Woodstock. Schwendau arriva un peu plus tard de Toronto sous escorte. Nous consacrâmes une bonne partie de la soirée à analyser l'absurdité de la situation; nous devions presque crier pour pouvoir nous comprendre d'une cellule à l'autre. Comme personne n'avait songé à prendre des dispositions pour qu'on nous serve à manger, nous dûmes payer nous-mêmes notre dîner qu'un flic sympathique nous ramena d'un comptoir local de repas-minute.

Le matin suivant, en compagnie de reporters et de photo-graphes, nous comparûmes devant le magistrat de Woodstock qui nous inculpa formellement. Les conditions du cautionne-ment stipulaient que nous devions tous comparaître aux audiences subséquentes, rendre nos passeports et, curieusement, nous abstenir de communiquer avec les témoins de la Couronne et nos investisseurs jusqu'à la date du procès. Nous signâmes tous les documents nécessaires et rentrâmes chacun chez soi.

Helen et les enfants étaient dans un état d'agitation épouvantable. En une nuit, les membres de la famille Foster étaient devenus des lépreux. Les enfants s'étaient fait dire à l'école que leur père était un escroc et un assassin qui allait finir sur la chaise électrique et ils en étaient profondément ébranlés. Les jeunes peuvent se montrer très cruels envers leurs pairs quand ceux-ci souffrent de handicaps physiques ou sont victimes d'outrages publics. Même Helen avait reçu toute une série d'appels sarcastiques durant la soirée. Ma première réaction fut de les éloigner des feux de la rampe. Je considérai diverses possibilités. Nous aurions pu vendre la maison et aller nous installer dans un coin du pays où on aurait accordé moins d'importance aux accès de démence de la Police provinciale de l'Ontario. Je serais revenu pour les audiences périodiques et aurais vécu chez Guglielmo durant le procès qui, d'ailleurs, ne devrait pas commencer avant des mois. De cette façon, Helen et les enfants auraient été épargnés. Ils n'avaient rien à voir dans cette histoire. Pourquoi auraient-ils dû en souffrir? J'étais encore assez naïf pour croire que je pourrais faire valoir mon point et gagner ma cause devant un tribunal.

Finalement, je décidai de rester à London, parce qu'après une semaine l'affaire était tombée dans l'ombre, mon cas ayant perdu l'attrait de la nouveauté. Par ailleurs, les camarades des enfants avaient décidé qu'après tout leur père n'était pas un gibier de potence. Les choses rentrèrent peu à peu dans l'ordre, tout au moins en apparence, car je n'oubliais pas un instant l'épée de Damoclès suspendue au-dessus de ma tête.

Bien entendu, mes projets avec les investisseurs allemands et les gestionnaires britanniques tournèrent court dès que ceux-ci apprirent que je ne pouvais pas leur soumettre le rapport financier demandé, parce que la police avait confisqué les livres de la société.

Durant les premières semaines suivant la saisie, je parcourus le pays à la recherche d'un autre investisseur. À Calgary, je tombai sur Sydney Williams, un Montréalais qui avait travaillé comme enquêteur pour la société de chemins de fer CPR et qui était devenu riche en exploitant un commerce de location de voitures à Los Angeles. Il était prêt à reprendre l'affaire là où les Allemands et les Britanniques avaient abandonné et il proposa de consolider l'actif de Midair sous un même toit et une seule administration.

Interact Aircraft of America ouvrit ses bureaux à l'aéroport de Burbank, dans la vallée de San Fernando, au début de juillet. Tout ce qui avait survécu aux mésaventures de Midair à l'aéroport de Daggett fut transporté en camion et par avion au cœur même de la jolie ville de Burbank.

Dès que Riley eut vent de ce qui se tramait, il informa Williams que Midair reposait sur une vaste fraude et que je serais probablement arrêté sous peu; il lui fit comprendre que s'il ne voulait pas qu'on le soupçonne de complicité, il serait mieux avisé de ne pas tremper dans cette affaire. Mais Sydney ne prit pas peur si facilement. Pas à ce stade, du moins.

L'une des conditions du cautionnement stipulait que, si je voulais me rendre aux États-Unis, je devais aviser Riley de l'heure de mon départ, de ma destination et de mon itinéraire. J'avais l'impression que c'était là un exercice bien inutile, conçu avant tout pour me mettre des bâtons dans les roues et sans aucun fondement judiciaire. Toutefois, lors de mon premier voyage suivant mon inculpation, je découvris le véritable objectif de cette condition.

Quand j'atterris en Californie deux semaines plus tard, j'y

fus accueilli par la Garde frontière ainsi que par des agents de la police locale et du FBI, tous armés jusqu'aux dents et particulièrement méfiants. Après m'avoir fouillé des pieds à la tête, ils me passèrent des menottes et me poussèrent sur la banquette arrière d'une voiture de police. Je fus ensuite conduit à une allure folle à la prison municipale où j'appris que, en vertu du mandat d'amener, j'étais un « étranger indésirable ». Les policiers américains avaient mystérieusement obtenu un rapport complet sur l'affaire de Woodstock et même une copie des accusations retenues contre moi.

Pendant deux jours j'attendis en cellule, me nourrissant tant bien que mal d'écœurants sandwichs au saucisson de Bologne que je diluais d'un jus trouble et sucré offert sous l'appellation de « cowfee ». Le troisième jour, Williams versa les trois mille dollars de ma caution. Il était temps, car je devais comparaître le lendemain après-midi à Woodstock. La session fut interminable et consista essentiellement à renvoyer mon procès de mois en mois, tandis qu'on essayait d'arrêter la date de l'enquête préliminaire.

Bien que Riley jurât qu'il ignorait tout de mes démêlés avec la Justice américaine, j'appris plus tard de la Garde frontière de Californie que l'ordre de m'arrêter avait émané du service de l'immigration de Buffalo après que la « police canadienne de Toronto » eut fait une demande en ce sens.

En août, je volai en compagnie de Williams entre New York, Washington — où nous négociions avec la Banque mondiale — et Burbank pour essayer de faciliter le plus possible la transition entre Midair et Interact. En échange de mon statut de créancier unique, Williams s'engagea à rembourser toutes les dettes de Midair à même les profits d'Interact. La Banque mondiale avait retenu nos services et il nous fallait de toute urgence compléter la mise au point des appareils.

Durant l'été, la Global Navigation Inc., de Torrance, en Californie, avait conçu pour le DC-7 un système de navigation non seulement deux fois plus précis que le SNI que nous avions utilisé au Québec trois ans auparavant, mais également deux fois moins cher. Des fonctionnaires des services de foresterie de Washington et de plusieurs États voulaient voir ce nouveau système fonctionner dans des conditions d'épandage simulées et Williams me demanda de trouver pour ces démonstrations un appareil moins coûteux à utiliser que le DC-7. En tant que président directeur général d'Interact, il avait décidé de réduire les dépenses au strict nécessaire.

J'étais encore à la recherche de l'avion idéal quand l'avocat de Williams me suggéra de négocier une location à court terme avec Charlie Hudson, l'un de ses clients. Celui-ci possédait une petite flotte de bimoteurs Beechcraft d'une capacité de dix passagers. En louer un nous aurait coûté soixante dollars de l'heure au lieu de six cents. Une économie substantielle. Malheureusement, l'avion promis était surveillé de près, son équipage étant impliqué dans une affaire d'importation illégale de marijuana en provenance du Mexique.

Le matin du 4 septembre, tandis que j'attendais que le Beechcraft que nous avions réservé rentre de Culiacan, je réussis à me faire arrêter pour la troisième fois en autant de semaines. Un véritable exploit.

Quelques instants après que l'appareil se fut posé sur la piste d'un ranch abandonné dans les montagnes à l'est de Ventura, trois voitures de la Brigade fédérale des stupéfiants dévalèrent des collines; les policiers se précipitèrent sur nous, agitèrent sous nos nez une série d'armes et de mandats et nous mirent sur-le-champ en état d'arrestation. Ils avaient toutefois raté un lièvre.

Après un vol de neuf heures sans escale, le pilote de l'avion était allé se soulager derrière l'un des hangards désaffectés. Quand il vit les voitures charger, il remonta rapidement son pantalon et se réfugia sous les combles du hangar où il resta pendant sept heures, jusqu'à ce que les policiers vident les lieux, malgré la chaleur ardente dégagée par le toit de fer blanc.

Quant à nous, on nous força à attendre à genoux, menottes aux poignets, tandis qu'on nous conduisait à l'écart les uns après les autres pour nous interroger. Tous les membres des deux groupes en présence avaient l'air très jeune et bien mis; personne n'avait rien de l'image qu'on prête habituellement aux criminels endurcis ou aux policiers chargés de réprimer le crime. Les flics semblaient néanmoins beaucoup plus nerveux et mal à l'aise que les trafiquants et lançaient à tous moments des regards inquiets vers les collines environnantes comme s'il craignaient que du renfort n'arrive et ne renverse la situation.

Comme j'étais plus vieux que les autres et qu'en plus je portais des lunettes d'aviateur, ils supposèrent immédiatement que j'étais le pilote. Quand j'admis que je détenais effectivement un brevet de pilote, la boucle fut bouclée. J'essayai d'expliquer la raison de ma présence sur les lieux et leur dis que j'avais loué l'avion pour aller faire des tests de navigabilité à Burbank. Il leur aurait suffi de téléphoner à Sydney Williams pour vérifier mes allégations. Mais je perdais mon temps. Il leur fallait un chef de gang et je convenais parfaitement pour ce rôle. Je fus donc renvoyé avec les autres.

Un hélicoptère se posa sur la piste en se trémoussant. Le Grand Manitou en descendit en rentrant la tête dans les épaules pour éviter les hélices du rotor. Il se pavana devant les hommes agenouillés, proférant les menaces les plus ridicules et s'éraillant la voix à force de crier. Dans le ciel, un Mohawk de la Brigade piqua vers nous en roulant des ailes comme si la scène qui se déroulait au sol était un bon coup de son équipage.

Après plusieurs heures d'attente dans une chaleur acca-blante, on nous entassa à bord de deux paniers à salade mandés de San Luis Obispo et on nous conduisit à la prison du comté. Je repris mon régime de sandwichs au saucisson et de mauvais café tiède.

Le chef d'accusation fut le même pour tous : «conspiration en vue d'introduire une substance non autorisée aux États-Unis». Ma caution fut fixée à dix mille dollars. L'avocat de Williams déposa la somme exigée par l'entremise d'un garant local et le lendemain après-midi j'étais en route pour le Canada, car je devais de nouveau comparaître à la Cour de Woodstock.

Pendant ce temps, Riley avait été promu au grade de sergent et on lui avait accordé une allocation de dépenses plus importante qu'il devait consacrer à la recherche de preuves indiscutables en prévision de l'enquête préliminaire. Il décida donc de se rendre aux États-Unis en compagnie d'un comptable pour vérifier la légalité des activités de Midair à l'aéroport de Daggett. Après avoir raconté une longue histoire de son cru au juge de la Cour du comté de San Bernardino, il réussit à se faire délivrer un mandat de perquisition et se présenta à l'aéroport avec deux adjoints du shérif. Tous les livres comptables de Midair étaient conservés sous clef dans une roulotte. Ils ne se laissèrent pas arrêter pour si peu. Ils enfoncèrent la porte, firent sauter les serrures, éventrèrent les classeurs et chargèrent dans leur voiture tout ce qui leur paraissait d'un intérêt quelconque.

Après vérification, ces comptes ne se révélèrent pas d'une grande utilité, puisqu'il ne s'y trouvait rien qui pût prouver que Midair Inc. avait été autre chose qu'une entreprise tout à fait légitime. Cependant, tandis qu'il était en Californie, Riley eut vent de mon arrestation et des charges de trafic qui pesaient contre moi.

Il rentra immédiatement au Canada et demanda à faire valoir des motifs qui auraient justifié l'annulation de mon cautionnement et mon incarcération jusqu'au procès. À l'allure où procède la Justice canadienne, j'aurais passé des années à me tourner les pouces derrière les barreaux en tant que simple prévenu. La date de l'enquête fut fixée fin novembre.

J'adoptai alors un régime de travail beaucoup plus intense que celui que j'avais connu à l'époque de Midair. Entre mes comparutions aux Cours de Woodstock et de Los Angeles, pour lesquelles je dépensais des fortunes en pure perte, je continuais de travailler comme un dingue pour qu'Interact puisse le plus rapidement possible voler de ses propres ailes. Il fallut engager des pilotes et des mécaniciens et les former à l'aéroport de Burbank, faire des vols d'essai dans les montagnes et le désert de la région et préparer des soumissions pour les États du Maine, de la Floride, de la Louisiane, de Washington et de la Californie tout en poursuivant les négociations amorcées par Midair dans d'autres parties du monde. Pendant que je m'acquittais de ces tâches, je devais aussi définir la défense que je voulais que mes avocats soutiennent dans chacun de mes procès. Je ne passais jamais plus que quelques heures de suite à la maison, car je forçais l'allure le plus possible afin de terminer toutes mes affaires avant que le pire ne survienne.

L'enquête sous cautionnement eut lieu en novembre et le juge statua qu'aussi longtemps que ma culpabilité n'aurait pas été établie, on devrait me présumer innocent. Le témoignage de Sydney Williams fut décisif. Je pus donc continuer à vivre en liberté sous caution.

En décembre, Williams avait racheté toutes les créances de Midair ou pris des arrangements en ce sens. Le jour du Nouvel An 1976, je décollai de l'aéroport de London aux commandes du dernier DC-7 que nos créanciers avaient fait saisir comme garantie. La police, qui avait soutenu jusque là que cet appareil ne pourrait jamais plus voler tant il était en mauvais état, en fut fort embarrassée. Je me posai à l'aéroport de Burbank deux jours plus tard et me rendis aussitôt chez un médecin.

Depuis déjà des mois, j'étais constamment harcelé par des douleurs pectorales. Chaque fois que je me surmenais, je finissais par avoir le souffle court et ressentais des malaises que je prenais pour les symptômes d'indigestions aiguës. Que je puisse avoir des problèmes cardiaques m'effleurait rarement l'esprit. Le médecin de la FAA qui me reçut me soumit à un examen de renouvellement de licence et conclut que mes douleurs étaient dues à des indigestions nerveuses provoquées par la quantité extraordinaire de nicotine que j'inhalais.

— Adoptez la pipe ou diminuez le nombre de cigarettes que vous fumez et vous vous en porterez beaucoup mieux.

Certainement. À la première heure demain matin.

Vers la fin de février, j'essuyai un nouveau coup de jarnac. Tandis que j'étais absorbé par les affaires d'Interact, une série de tractations avait été conclue dans les coulisses de la Justice avec le personnel du procureur du district de Los Angeles. Quelques jours avant le procès, j'appris que le chef du réseau de trafic et son partenaire allaient être les principaux témoins de la poursuite. En échange de sentences avec sursis, ils avaient accepté de témoigner contre tous leurs co-accusés, y compris moi-même.

Horrifié, je me rendis à Ventura pour rencontrer Charles Hudson. Il exploitait un club de golf aux abords de la ville et détenait un permis d'instructeur de l'Association professionnelle des golfeurs; parmi ses amis, il comptait des gens aussi connus que James Garner et Efrem Zimbalist, Jr. à qui il avait enseigné toutes les règles du swing.

Après avoir écouté ma requête, Hudson se contenta de hausser les épaules; il s'excusa de ne pouvoir rien faire pour moi et me dit qu'il ne pouvait pas dénoncer l'homme qui avait piloté son avion ce jour-là, parce que celui-ci était non seulement en liberté sous caution à la suite d'une accusation similaire, mais aussi en liberté sur parole pour une affaire du même genre. Si cet homme, qui avait déjà plus de soixante ans, était de nouveau condamné pour contrebande, il finirait ses jours à l'ombre.

— C'est bien joli tout ça, lui criai-je, hors de moi, mais qu'est-ce qui va m'arriver à moi, espèce de vieux dégueulasse?

— Bof! tu trouveras bien un moyen de t'en sortir. Oublie ta caution. Qui irait te chercher au Canada?

Je jurai de le poursuivre en justice.

— Tu perdrais ton temps, conclut-il sans rancœur.

Mon avocat, Steve Heiser, me demanda dix mille dollars pour ce procès qui, finalement, ne dura qu'une seule journée. Tous les autres accusés, à l'exception d'un seul, étaient représentés par l'Assistance judiciaire, une vaste couveuse juridique qui assurait aux débutants un minimum vital tandis qu'ils se faisaient la main sur du menu fretin.

Hudson et son partenaire s'installèrent au fond de la salle d'audience et distribuèrent des sourires aimables à tous ceux qui voulaient bien les regarder. Une fois que les agents de la Brigade des stupéfiants eurent fini de déposer, le jeune adjoint du procureur du district s'entretint avec les avocats de la défense pour leur proposer un arrangement. Mais l'entente n'allait pas être si facile à conclure.

Si tous les accusés plaidaient coupable, son honneur s'engageait à les récompenser en ne leur imposant que la peine minimale. En 1976, le commerce de la marijuana n'était pas vraiment considéré comme un crime en Californie. On nous apprit que le juge Irving Hill avait hâte de passer à la prochaine cause inscrite sur son rôle; celle-ci était beaucoup plus importante et mettait aux prises l'acteur de cinéma Robert Cummings et la société Pacific Telephone. D'après son secrétaire, Hill nous faisait cette offre parce qu'au fond les affaires de marijuana l'ennuyaient. Étions-nous prêts à accepter ce geste de grande magnanimité et à expédier le procès?

Tous sautèrent sur l'occasion, à l'exception d'un seul. Je refusai en effet carrément en invoquant mon innocence; un dossier criminel m'aurait valu une interdiction de séjour aux États-Unis. Heiser se rangea à mes arguments et retourna conférer avec l'adjoint du procureur, tandis que j'avais droit à une pluie de regards hostiles de la part de mes co-accusés. Trois mois d'emprisonnement pour une tonne d'herbe mexicaine leur paraissait une bonne affaire. Dans mon cas, ç'aurait été un désastre. Je devais être à Woodstock le lundi suivant pour l'ouverture de l'enquête préliminaire et j'avais bien l'intention de respecter mon engagement.

Après d'innombrables discussions, la Cour et les avocats en arrivèrent finalement à un compromis. Si les accusés acceptaient de signer une «déclaration» reconnaissant le bien-fondé de la poursuite, mais sans plaider coupable aux inculpations, le juge s'engageait à libérer tout le monde après avoir rendu un verdict de culpabilité et laisserait la Cour d'appel décider de la validité des arrestations et des inculpations. Apparemment, la Brigade des stupéfiants avait violé un bon nombre de droits civiques. Heiser était convaincu que le jugement serait cassé en appel et qu'il pourrait même y avoir un non-lieu pour toute l'affaire.

— Y a-t-il une autre possibilité? demandai-je.

Il hocha la tête:

— Un procès devant jury. Douze hommes et femmes, honnêtes, dûment sélectionnés, et qui auront vite fait de vous condamner dès que le juge aura terminé son petit discours sur l'immoralité de cette herbe diabolique. Et vous écoperez de la peine maximale prévue pour une première offense: cinq ans. Je vous conseille d'accepter le compromis.

Et, ainsi donc, libéré sous caution en attendant l'appel, je revins à Woodstock avec une condamnation pour contrebande qui me pendait au nez. Riley me retrouva devant la salle d'audience et me gratifia d'un large sourire, façon crocodile.

— Accepteriez-vous de discuter d'un compromis dans ce cas-ci, maintenant?

— Non.

— Je peux attendre. Rien ne presse.

Contre toute logique, il débordait de confiance, mais après l'audition de la cause, deux semaines plus tard, sa belle assurance s'était complètement envolée.

Les enquêtes préliminaires ont pour but de permettre à la défense d'apprendre ce que la poursuite se propose de démontrer. Un exposé de la preuve, en somme. Si la cause est manifestement trop mal fondée pour justifier un procès, le juge peut prononcer un non-lieu, mais la poursuite n'est pas tenue de se soumettre à cette décision.

Comme après une semaine et demie d'audience, nous apprîmes que la Couronne en avait encore pour une autre semaine à présenter sa preuve, mon avocat, Robert Carter, suggéra de mettre fin à ce supplice. Même si, à son avis, l'accusation ne tenait pas debout, le procureur de la Couronne avait clairement laissé entendre que, peu importe les recommandations du juge, il se rendrait jusqu'au procès. Pourquoi donc engager des frais inutilement?

Les défendeurs décidèrent de subir un procès collectif. Pris de court, Fred Porter fit des pieds et des mains pour retarder les procédures et déclara que le mois de septembre conviendrait parfaitement à la Couronne. De cette manière, Riley aurait le temps de dénicher des preuves un peu plus consistantes. Jusque-là, en effet, il n'avait fait état que de preuves circonstancielles.

Jusqu'à la fin du printemps et pendant tout l'été, je limitai au minimum mes activités professionnelles. Williams voulait que je me tienne loin d'Interact tant que mon appel, aux États-Unis, et le procès de Woodstock ne m'auraient pas blanchi. Pendant quelque temps, il avait fait l'objet de pressions croissantes et de manœuvres d'intimidation de la part des policiers des deux pays qui lui « recommandaient » de laisser complètement tomber la société ainsi que toutes les activités auxquelles j'étais relié. J'étais désormais perçu comme un caïd du trafic de la drogue.

On décida donc que je me consacrerais à la préparation du procès qui devait s'ouvrir dans à peine cinq mois. Après avoir passé plusieurs semaines à effectuer des recherches et à rédiger des documents, je décidai d'aller rencontrer nos anciens associés au Venezuela et au Brésil parce que, en dépit de nombreux coups de téléphone, je n'avais pas encore réussi à les convaincre que leur présence était capitale pour l'obtention de notre acquittement. Fidèle aux directives de Riley, j'écrivis à son patron, l'officier Peter Sawaski, afin de lui expliquer les raisons de mes déplacements et lui demander qu'il m'autorise à me rendre à l'étranger et me rende mon passeport.

Alors que j'attendais sa réponse, Heiser me téléphona de Californie avec une nouvelle accablante: le juge Hill exigeait que je comparaisse devant lui le lundi suivant pour révoquer mon ordonnance de mise en liberté sous caution. Il avait appris que j'avais l'intention de m'enfuir au Brésil!

Echec et mat.

J'expliquai de mon mieux la situation à Helen, embrassai les enfants et m'envolai pour Los Angeles en espérant que l'immigration américaine refuserait de me laisser passer.

Bien qu'il fût alors à Los Angeles, Riley ne se présenta pas en cour. Sa déclaration fut lue par la poursuite et consignée comme preuve *prima facie* de mon intention d'échapper à la sentence du juge Hill pour trafic de marijuana. Tout ce que je pus dire pour me justifier tomba dans l'oreille d'un sourd.

Tout en hochant la tête, Heiser s'excusa d'avoir sous-estimé l'influence de la police canadienne en dépit de mes mises en garde.

Mon cautionnement fut annulé et je fus envoyé pour quinze

mois à la prison fédérale de Terminal Island. La situation était risible. Alors que tous mes co-accusés étaient en liberté en attendant l'appel et continuaient de vaquer à leurs occupations plus ou moins louches, moi, je me retrouvais derrière les barreaux pour avoir voulu réunir des témoins et prouver mon innocence dans une autre cause. Le sort s'acharnait sur moi. J'étais vraiment le dindon de la farce.

Terminal Island avait servi de prison pour la marine américaine durant la Deuxième Guerre mondiale. Coincée entre les villes de San Pedro et de Long Beach, l'île était pourvue de docks où venaient s'amarrer la Garde côtière, une flotille de thoniers et l'immense *Glomar Explorer* d'Howard Hughes.

Construite à l'extrémité ouest de l'île, à côté des locaux de la Garde côtière, la prison hébergeait, dans le cadre d'un projet-pilote, des détenus des deux sexes. Aux ateliers, à l'heure des repas et durant les temps libres, une centaine de prisonnières, vêtues normalement, se mêlaient en toute liberté à quelque six cents hommes en tenue kaki. Sandra Good, l'une des enfants-fleurs du groupe Manson y était incarcérée, de même que Sara Jane Moore qui avait tenté d'assassiner le président Gerald Ford l'année précédente. Au moment de ma libération, j'étais devenu relativement intime avec elles, mais pas assez, tout de même, pour comprendre leur philosophie. Peut-être étais-je trop obtus pour apprécier toutes les subtilités de l'anarchie.

Assez curieusement, je me plus beaucoup à T.I. durant les huit mois que j'y passai. Il faisait un temps splendide, la nourriture était parfaite, le ciné et les autres distractions ne coûtaient pas un sou et l'entourage était fascinant. Par ailleurs, j'étais à l'abri des pressions financières et professionnelles pour la première fois depuis bon nombre d'années. Pour m'occuper, je me lançai dans la rédaction d'un roman que je terminai juste une semaine avant d'être relâché.

Toutefois, même si je vivais sans problème, Helen, elle, connaissait, sur le plan financier, un véritable enfer au moment même où le Canada traversait l'un des pires hivers de tous les temps. Afin de pouvoir régler les factures, elle prit un étudiant en pension et trouva un emploi dans une boutique de porno où elle vendait de la lingerie excentrique. Elle ne gagnait pas grand-chose, mais elle rencontra ainsi un tas de gens plus bizarres les uns que les autres. Les enfants s'habituèrent à se faire à manger le midi et à rentrer de l'école à l'heure. Ils réagissaient magnifiquement à la situation.

Les prisonniers avaient le droit de téléphoner vingt-quatre heures par jour. Je n'avais donc aucun mal à conserver le contact grâce à l'interurbain, mais, sur le plan pratique, j'étais incapable d'aider les miens. Comme des comptes de téléphone exorbitants n'auraient fait qu'ajouter à leurs difficultés financières, nous nous en tînmes à une communication de dix minutes par semaine. C'était peu, mais il fallait bien s'en contenter.

En avril, je quittai la prison pour terminer ma peine en semi-liberté dans un foyer de transition à Long Beach. Interact avait disparu pendant mon incarcération. Williams s'était désintéressé de l'affaire après que les employés eurent démoli l'équipement et pillé les avions. Il s'installa à Calgary et on ne le revit plus jamais. Helen me rendit visite et nous passâmes une merveilleuse fin de semaine à rattraper le temps perdu. Mais, en juillet, Riley apprit que j'étais virtuellement libre de mes allées et venues et les autorités de L.A. furent informées par leurs homologues canadiens que j'avais l'intention de m'évader du foyer de transition. Du coup, on m'envoya purger les trois dernières semaines de ma sentence dans l'aile à sécurité maximale de Terminal Island. Cette fois-ci, je réussis à rire de la situation parce que je m'en fichais complètement.

Des agents de l'immigration vinrent me cueillir à Terminal Island et me conduisirent à la prison du comté de L.A. où j'attendis trois semaines la fin des procédures d'extradition. Puis une délégation de la police ontarienne arriva pour me ramener au pays sous bonne escorte. Autant le premier transfert m'avait paru absurde, autant le second fut agréable parce que les policiers, vêtus en civil, firent tout pour me distraire jusqu'à l'atterrissage de l'appareil d'Air Canada. On m'emmena aussitôt au centre de détention du comté de Middlesex pour y attendre une nouvelle enquête sous cautionnement. Comme Helen et les enfants étaient alors en visite chez mes beaux-parents sur la côte Est, toute cette mascarade leur fut épargnée.

Je retrouvai ma liberté à la fin de l'enquête sous cautionnement. À cet égard, la chance semblait me sourire davantage au Canada qu'aux États-Unis. Les juges ontariens se laissent peut-être moins influencer par les témoignages des policiers que leurs confrères américains.

Comme notre maison était en vente et que la plupart de nos meubles avaient déjà été cédés aux enchères, j'empruntai une voiture et me mis en quête d'un appartement à proximité de Woodstock afin que, à leur retour, Helen et les enfants puissent s'installer quelque part. Je dénichai une petite maison toute simple dans la paisible municipalité d'Ingersoll, mais la police me refusa l'autorisation de m'envoler pour Halifax afin d'en ramener ma famille. Guglielmo me proposa d'y aller à ma place et j'acceptai son offre.

Angelo Guglielmo était arrivé au Canada au début des années 60, alors que les cours d'anglais pour les immigrants n'existaient pas encore. Au fil des ans, il avait fini par oublier l'italien presque entièrement, mais en revanche, il n'avait jamais réussi à apprendre l'anglais correctement. Il s'exprimait donc de façon à peu près incompréhensible dans l'une et l'autre langue, mais c'était un type au cœur d'or. Son seul crime, selon ce que j'avais cru comprendre, était d'avoir voulu nous aider, Schwendau et moi, à financer Midair en investissant dans notre société. Il n'entendait pas grand-chose à la bonne trentaine d'accusations qui pesaient contre lui, mais, tout comme moi, il était convaincu de son innocence et ne doutait pas de l'issue du procès.

****

Le procès s'ouvrit au début de novembre. G. Stewart McKeown, un avocat de Toronto fort sympathique, représentait Schwendau; il était délégué par le Bureau d'aide juridique. Guglielmo était assisté par Harold Stafford, C.R.*, tandis que, pour ma part, j'en étais réduit à me défendre moi-même. Le Bureau d'aide juridique, auquel je m'étais adressé pour obtenir

_____

*C.R.: Conseiller de la Reine.

186

l'assistance d'un avocat, m'avait opposé une fin de non-recevoir, sous prétexte que je n'avais qu'à puiser dans les énormes réserves que j'avais accumulées dans des banques à l'étranger. Si seulement ç'avait pu être vrai!

Pour la plus grande joie de la presse du sud-ouest de l'Ontario et de ses lecteurs, le procès s'éternisa durant des semaines, puis des mois. Outre de nombreux Canadiens, les témoins venaient d'un peu partout : Brésil, Venezuela, États-Unis, Italie, Angleterre. Le grand-duché du comté d'Oxford vivait des moments mémorables. Il dut lui en coûter une fortune.

Les débats furent brièvement interrompus pour Noël, puis tout le monde se retrouva en cour pour encore quelques semaines de mascarade. Finalement, vers la mi-février, la Couronne termina sa preuve. Ce n'était pas trop tôt. Avant-même que la défense ait exposé notre version des faits, il ne faisait aucun doute que le verdict nous avantagerait. Bien entendu, le procureur de la Couronne en était également conscient. Que faire? si un verdict d'acquittement était prononcé, le bureau du procureur général s'exposerait à la risée générale ainsi qu'à de nombreuses poursuites au civil. La Couronne demanda donc un ajournement afin d'y voir un peu plus clair.

Lorsque la Cour siégea de nouveau, le dernier jour de février, ce fut pour annoncer que le procès avait été entaché d'un vice de procédure. Harold Stafford, que Guglielmo avait récusé comme avocat le 16 février à cause de ses trop nombreuses absences, avait déclaré à la Couronne que, selon ses informations, on aurait tenté d'acheter les jurés. Sérieux comme un pape, le juge K.Y. Dick ordonna à la Police provinciale de l'Ontario de procéder à une enquête et tout le monde rentra chez soi.

Je me plaignis auprès du ministre de la Justice, du procureur général et de tous ceux qui auraient pu me prêter l'oreille, mais je me heurtai à l'indifférence générale et, en dépit des questions en Chambre, le silence de la Justice triompha. (À la fin de l'enquête, la police resta muette, elle aussi, et on n'entendit plus jamais parler de corruption de jury.)

Mon roman avait été accepté par un éditeur de Los Angeles qui me demanda de venir sur place en faire la promotion. Une généreuse avance sur les droits d'auteur accompagnait sa proposition. Dès la fin de l'année scolaire, je partis avec toute la famille pour Costa Mesa, en Californie, où nous emménageâmes dans une ravissante maison dotée, à l'arrière, d'une piscine flanquée d'orangers. Si absurde que cela pût paraître, je me dis que je pourrais peut-être gagner ma vie comme écrivain. Je m'attaquai donc à un nouveau roman pour voir si j'étais capable de répéter mon exploit.

À l'automne, notre vie paisible fut bouleversée une fois de plus. Le F.B.I. de Los Angeles convoqua mon éditeur afin de lui poser quelques questions sur mon compte. La police canadienne l'avait informé que je servais d'agent de liaison aux terroristes de l'O.L.P. installés aux États-Unis — le sujet de mon roman — et que je ne pouvais pas avoir écrit un tel livre faute d'une scolarité suffisante. L'immigration américaine me demanda de quitter le pays. Et Fred Porter m'apprit, par lettre recommandée, qu'il avait décidé de nous intenter un nouveau procès à Woodstock. Joyeux Noël! Je m'envolai donc pour le Canada afin d'y subir mon deuxième procès. Celui-ci n'avait plus grand-chose de commun avec le premier; on avait maintenu seulement la moitié des accusations et gardé les autres pendantes, au cas où le jury nous acquitterait.

Eric reprit comme avocat Stewart McKeown de l'Aide juridique, tandis que Guglielmo et moi décidions de nous défendre nous-mêmes. Peut-on imaginer quelque chose de plus grotesque que d'obliger un immigrant italien sans instruction et s'exprimant avec difficulté à se défendre tout seul devant un tribunal? Ah! Justice! Inutile de se demander pourquoi tu portes un bandeau sur les yeux.

Même si mon éditeur américain m'offrit de payer les honoraires exorbitants que Robert Carter exigeait de toucher à l'avance pour assurer ma défense, je savais que ce serait de l'argent gaspillé en pure perte. Le quarante-deuxième jour de ce cirque, le jury se retira pour délibérer...

****

Une sonnerie retentit dans la salle des pas perdus. L'étonnement se lit sur les visages, on écrase des cigarettes, on rajuste des cravates. Après trois jours de délibérations, le jury en est arrivé à un verdict. Tout le monde rentre dans la salle d'audience. Les accusés restent debout. Le greffier déclame :

— Jury, veuillez vous tourner vers les accusés. Accusés, veuillez regarder votre jury. Comment avez-vous jugé les défendeurs quant au premier chef d'accusation, coupables ou non coupables ?

La salle est plongée dans le plus grand silence. Mon cœur tressaute, bat la chamade, heurte mes côtes. La première inculpation est la seule qui importe. Conspiration. Les autres sont subsidiaires. S'il n'y a pas de condamnation sur le premier chef d'accusation, tout le reste s'écroule. Le juge a expliqué aux jurés la notion de conspiration afin qu'il ne subsiste pas le moindre doute dans leur esprit :

— Donc, si MM. Foster et Schwendau ont été vus en train de prendre un café ensemble, c'est la preuve qu'il y a conspiration.

Tu parles !

Il paraît qu'on peut deviner un verdict en fixant les jurés à tour de rôle. S'ils soutiennent le regard de l'accusé sans sourciller, c'est qu'ils ont pris parti pour la défense. Sinon, on doit s'attendre à un verdict de culpabilité. Je les observe en vain ; personne ne lève les yeux vers moi — sauf Jim Riley, et il sourit.

— Nous déclarons les accusés coupables du premier chef d'accusation.

C'est ainsi que, le cinquième jour du printemps de 1979, le cœur lourd et dégoûté de tout, je repris le chemin de la prison.

London, Canada

30 mars 1979

Habituellement, il s'écoule toujours trois ou quatre semaines entre le verdict et le prononcé de la sentence, ce qui, dans le cas d'un crime non violent, permet au condamné de mettre ses affaires en ordre avant de commencer à purger sa peine. La Commission des libérations conditionnelles et la police préparent à l'intention du juge des rapports relatifs au type de sentence qu'il pourrait imposer. Et, en cour, les avocats de la défense font leurs dernières représentations en faveur d'une condamnation avec sursis.

Dans notre cas, toutefois, tout cela s'avéra superflu. Eric et moi savions que, judiciairement parlant, nous aurions droit au traitement de faveur. Comme il aurait été inutile d'attendre les rapports des agents de probation ou les observations de la police, le juge nous ordonna, dès que le verdict fut connu, de comparaître devant lui la semaine suivante pour entendre notre sentence. Puis, sans plus de formalités, on nous passa les menottes et, devant les caméras de télévision, on nous poussa sans ménagement vers la voiture de police qui devait nous conduire au centre de détention des comtés d'Elgin et Middlesex, à London. Je ne regrettai pas le délai habituel. Aux États-Unis, on tient compte, dans la sentence, du temps passé à l'ombre avant le procès et après le verdict, mais au Canada, le coucou qui annonce les libérations ne se met en marche qu'au moment où l'on commence à purger sa peine.

Eric et Angelo étaient sidérés de la rapidité avec laquelle les événements s'étaient déroulés. Un instant, nous attendions dans le corridor et, l'instant d'après, nous étions en route vers la prison, menottes aux poings. Eric était couleur de cendres. Il n'avait encore jamais vécu une telle expérience. Guglielmo restait assis, interloqué.

— Quessé qui va se passer, Fos? chuchota-t-il.

— Ils nous expédient en taule.

— Tabarnak!

On n'aurait pu mieux dire.

Avant de quitter le tribunal, le président du jury s'était approché de nous pour s'excuser du verdict. Il possédait une petite entreprise de métal en feuilles à Woodstock.

— La décision a été difficile à prendre parce que nos cœurs penchaient pour vous, avoua-t-il.

— Dans ce cas, vous auriez dû écouter vos cœurs.

— Tenez, voici ma carte. Téléphonez-moi en sortant de prison si vous cherchez du travail. Vous êtes un foutu bon vendeur.

Mais pas assez bon pour son jury, de toute évidence.

Situé à l'extérieur de London, le centre de détention était un établissement à sécurité maximale où les gardiens roublards étaient à peine plus âgés que les petits voyous boutonneux qu'ils surveillaient. Tous nous réservèrent un accueil terrifié, comme si nous avions été quelques divinités noires.

Matons et taulards avaient suivi notre procès à la télé et dans les journaux avec beaucoup d'intérêt. Avions-nous vraiment fauché tous ces millions? Et combien avions-nous pu en planquer? Avions-nous besoin de gorilles? L'un des jeunes vauriens affirma à Eric qu'il voulait se joindre à notre «gang» quand il aurait fini son temps et lui demanda son adresse postale. Un autre, qui projetait de dévaliser les bureaux locaux de la Brinks Express, voulait m'en vendre les plans cinq cents dollars. Sa petite amie irait voir mon avocat qui lui remettrait la somme.

Les quelque deux cents détenus étaient répartis dans des sections semi-circulaires par groupes de six ou de onze. Étant donné que nous attendions notre sentence et que nous risquions moins de vouloir nous évader que ceux qui étaient déjà condamnés, on nous relégua dans l'une des sections de onze hommes, au second étage. Pour se déplacer dans la prison, il fallait franchir un nombre incalculable de portes auxquelles étaient préposés des gardiens qui trimbalaient d'énormes clefs et un walkie-talkie. Un vrai paradis pour les fanatiques des ondes courtes. Dix-quatre*. Je frissonnais rien qu'à penser aux conséquences qu'aurait, en cas d'incendie, cette passion pour la sécurité. Il serait pratiquement impossible d'évacuer les lieux en vitesse.

Dans les sections, les cellules ouvraient sur une salle commune meublée d'inconfortables chaises et de tables carrées en plastique moulé. Nous y passions toutes nos journées à lire, jouer aux cartes ou regarder la télévision et nous y prenions aussi nos repas. Exception faite d'une demi-heure de gym tous les deux jours — dans une petite cour, quand le temps le permettait —, rien n'avait été prévu pour nous occuper, que ce soit physiquement ou intellectuellement. Il existait bien une bibliothèque assez bien fournie et des ateliers entièrement équipés, mais les prisonniers n'y avaient pas accès. Un agent de sécurité m'expliqua d'un ton mystérieux que cette situation était due à «des raisons de sécurité». Selon toute apparence, pas plus aux États-Unis qu'au Canada, l'administration pénitentiaire n'avait entendu parler de la théorie mise en pratique par les Forces armées selon laquelle on empêche les hommes de nuire en les tenant occupés.

À cause de ce désœuvrement, il y avait chaque jour des bagarres et des actes de vandalisme imbéciles, mais les autorités

---

*Dix-quatre : Code employé par la patrouille motorisée de la police et signifiant « bien reçu ».

les toléraient avec une sérénité qui frôlait l'indifférence. Nos cellules restaient fermées toute la journée pour éviter que des gars n'y soient passés à tabac, hors de la vue du gardien enfermé dans sa guérite vitrée. Aussi les raclées étaient-elles administrées dans les douches de la section.

Mon précédent séjour avait été trop bref pour que je puisse remarquer le côté « Alice au pays des merveilles » de l'établissement, qui, d'ailleurs, n'est certainement pas exclusif à l'univers carcéral. Conformément à la Troisième Loi du mouvement de Newton, toutes les actions et réactions procédaient d'une logique à rebours — la sécurité étant l'ultime justification, une sorte de divinité hindoue qui enfermait aussi bien les détenus que les gardiens dans un rituel immuable.

Trois fois par semaine, même s'ils ne trouvaient jamais rien, des gardiens maussades nous faisaient déshabiller pour nous fouiller. Un jour, je demandai à l'un d'entre eux ce qu'ils cherchaient.

— De la marchandise de contrebande, me répondit-il.

Il ne précisa toutefois pas à quelle marchandise il pensait. Comme les détenus n'avaient pas de contacts physiques avec personne de l'extérieur, il était difficile de s'imaginer d'où une telle marchandise aurait pu venir et comment ils auraient réussi à la cacher.

Le simple fait de demander une aspirine déclenchait un long processus au terme duquel le formulaire, dûment rempli en deux exemplaires, finissait par atterrir sur le bureau de l'infirmerie, au rez-de-chaussée, après avoir franchi l'interminable barrage des portes closes. En général, il s'écoulait au moins quatre heures entre la demande et l'ingestion du comprimé ; à ce moment, ou bien on n'avait plus mal à la tête depuis longtemps ou bien la douleur était telle que seul le sommeil pouvait y apporter un soulagement. Et si quelqu'un avait envie de s'allonger pendant la journée, il devait le faire à même le sol dans le tumulte des jeux télévisés ou des romans-savon que la télé débitait à plein volume, sans parler des cris qui ponctuaient les parties de cartes. Ces parties, tout comme le fait de changer de chaîne, étaient le plus court chemin vers une bagarre dans les douches, après quoi les joueurs ou les téléphiles retournaient à leurs distractions respectives jusqu'à l'échauffourée suivante.

Nos lettres, qui ne devaient pas dépasser deux pages, étaient obligatoirement écrites sur du papier ligné fourni par l'administration. C'était, même si le directeur s'en défendait avec énergie, pour des raisons de censure. Les feuilles devaient être d'un format et d'une épaisseur uniformes afin de pouvoir passer dans la Xerox, mais personne n'aurait pu dire pourquoi on conservait dans les dossiers des détenus un double de leur correspondance. Dans une des lettres que j'écrivis à Helen, qui était encore en Californie, je mentionnai le cas d'un codétenu qui s'était plaint qu'une conversation qu'il avait eue avec un visiteur, au parloir, avait été enregistrée à son insu et utilisée contre lui au tribunal; je reçus l'ordre de biffer les trois lignes outrageantes.

Un peu plus tard, j'eus la visite du directeur qui m'affirma avec insistance qu'il n'y avait aucun dispositif électronique dans les boxes du parloir, mais il refusa de lire la transcription du procès qui avait eu lieu quelques jours plus tôt et au cours duquel un policier, déposant sous la foi du serment, avait même indiqué l'emplacement du micro.

— Eh bien! ce policier a menti, s'exclama le directeur avec indignation.

Tu parles!

Les cuisines, pourtant bien équipées, ne servaient jamais à la préparation des repas, mais étaient plutôt utilisées comme lieu de livraison pour un service de traiteurs qui avait signé un contrat avec l'établissement. Tous les jours, les plats, servis dans des plateaux en plastique, nous arrivaient plusieurs heures après leur préparation dans des chariots chauffants. Ils étaient systématiquement immangeables, bien que ce fût tout de même mieux que des sandwichs au saucisson de Bologne.

Eric qui, durant le procès, avait atteint le poids imposant de 236 livres alors qu'il ne mesurait que cinq pieds six, décida de se mettre au régime. Étant donné la qualité de la bouffe, il n'eut aucun mal à résister à la tentation. Guglielmo et moi partagions le contenu de ses plateaux.

À force de passer des journées vides, de me ronger les sangs à propos de la longueur de la sentence qui me serait imposée et de bouillonner de colère en pensant à la sinistre farce judiciaire dont je faisais les frais depuis cinq ans, j'étais mûr pour conclure une entente sur les accusations encore pendantes. Et juste au moment où j'avais atteint les limites de l'ennui et de la frustration, Jim Riley vint discuter le bout de gras dans l'une des pièces du rez-de-chaussée, réservées à ce genre de rencontre.

Il passa quelques remarques peu flatteuses sur les journaux qui avaient écrit que je voulais «lui trancher la gorge» et il s'excusa en disant qu'il avait été cité hors contexte. Étant donné la nature de sa déclaration, on pouvait difficilement imaginer un autre contexte, mais je n'insistai pas. Il semblait on ne peut plus satisfait de lui-même. Il y avait de quoi.

Le marché proposé par la Couronne était la simplicité même : je plaidais coupable à la quelque douzaine d'inculpations en suspens et j'écopais pour l'ensemble de peines confondues d'un an. Fini la taule. Plus de procès. On passerait l'éponge.

— Et votre grotesque histoire de parjure? Vous ne voulez tout de même pas que je plaide coupable là-dessus?

— Sur tout ce qui est pendant.

— Pas question.

Et l'entretien fut clos.

Le lendemain, Angelo, Eric et moi fûmes conduits à Woodstock sous bonne garde pour y entendre notre sentence. La salle d'audience était pleine à craquer : journalistes, jurés et curieux s'y entassaient. Stewart McKeown prononça un plaidoyer éloquent en faveur d'une condamnation avec sursis ou d'une période de probation pour Schwendau. Un autre avocat prit la parole au nom de Guglielmo; quant à moi, je déclarai au juge que, pas un instant, je ne l'avais pris pour un clone de Robespierre. Mais nous gaspillions tous notre salive. Misner prononça un réquisitoire amusant pour le bénéfice des médias, puis colla quatorze mois de maison de correction à Angie, tandis qu'Eric et moi écopions chacun de quatre ans de prison ferme. Nous nous y attendions.

Fred Porter me fit enlever mes menottes et m'invita dans son bureau pour discuter en tête à tête. Après avoir reconsidéré toute l'affaire, il était prêt à laisser tomber l'accusation de parjure si je plaidais coupable à tout le reste et convainquais Guglielmo d'en faire autant. Eric n'était pas accusé d'autres délits. En outre, Porter interviendrait pour que je sois autorisé à apporter ma machine à écrire et mes ouvrages de référence en prison, afin de pouvoir continuer à écrire. Et comme dernière amabilité, il recommanderait qu'Eric et moi soyons envoyés dans un établissement à sécurité minimale et rapidement libérés sur parole.

— Vous serez libre dans seize mois, me prédit-il.

Je lui répondis que j'allais étudier son offre attentivement. Au sortir de son bureau, je fus menotté aux deux autres « criminels » et nous reprîmes tous le chemin de London.

La semaine suivante, le directeur de la prison m'apporta mes bouquins de référence, mon Olivetti et 417 feuilles de papier blanc. Pour je ne sais trop quelle raison de sécurité, chaque feuille avait été paginée. On m'attribua une petite salle de cours où, exception faite des heures de repas, je passais tout mon temps, en proie à une inspiration fiévreuse. Par la suite, je dus jeter la majeure partie de ce que j'écrivis au début parce que j'exprimais alors mes émotions en vrac, sans aucun recul; toutefois, durant les derniers temps de mon séjour à London, je réussis à m'évader dans le monde merveilleux des mots et de la fantaisie.

Au bout d'une semaine, il me fallut prendre une décision quant aux autres accusations. J'avais été prévenu sans trop de subtilité que si jamais j'optais pour un procès, la Couronne s'arrangerait pour le retarder jusqu'à la fin de ma sentence de quatre ans. Avec des inculpations en suspens, il ne serait évidemment pas question de libération conditionnelle et il était plus que probable que la Couronne m'intenterait un procès distinct pour chacune des autres accusations.

197

On m'avait aussi fait clairement comprendre que je risquais de passer le reste de ma vie à faire la navette entre le tribunal et la prison, sans jamais réussir à m'en sortir.

Ces «arguments» étaient on ne peut plus convaincants. Je capitulai.

Cinq semaines s'écoulèrent durant lesquelles je terminai mon livre ainsi que ma requête pour en appeler de ma sentence, ce qui était une perte de temps, puisque je n'avais pas d'avocat.

Pendant les premiers temps qui suivirent le prononcé de la sentence, Eric et Angie se démenèrent comme des diables pour être libérés en attendant leur appel. Peu à peu, la perspective de devoir affronter l'inévitable devint moins intolérable et ils parlèrent de moins en moins de se pourvoir en appel. L'un et l'autre avaient été victimes de ce choc initial que j'avais moi-même ressenti à Terminal Island alors que ma première réaction avait été de m'agiter en tous sens comme un poisson solidement ferré. À cette époque, mes mains et mes pieds s'étaient couverts de centaines d'ampoules; cette réaction nerveuse, causée par la brutalité du stress, s'accompagnait de migraines, d'angoisse et de claustrophobie.

Rien n'est plus pénible, pour une personne active, que l'inaction forcée sans la moindre possibilité d'un dérivatif physique. Le soulagement survient seulement quand on a réussi à discipliner son corps en fonction de ce nouveau mode de vie et qu'on peut laisser son esprit libre de vagabonder où bon lui semble. Tout l'être doit tendre vers l'intériorisation jusqu'à ce que, comme le sait tout bon bouddhiste, le temps n'ait plus aucune importance parce qu'il n'existe pas.

Une semaine plus tard, au beau milieu de la nuit, Guglielmo fut extirpé de sa cellule et expédié à la Maison de correction de Guelph. Dans la soirée du 2 mai 1979, on nous conduisit, Eric et moi, dans la section à sécurité maximale en attendant l'arrivée du fourgon qui, le lendemain matin, devait nous emmener au pénitencier de Kingston. Tout cela semblait tiré d'un roman de cape et d'épée.

Nous quittâmes nos tenues de taulards pour nos vêtements

civils, puis nous récupérâmes nos effets personnels qui furent vérifiés et emballés dans des sacs de toile jaune. Bien rangée dans son étui, ma machine à écrire eut droit à une étiquette FRAGILE. Pour parer à toute tentative de suicide, on nous fit laisser nos ceintures et nos souliers à l'extérieur de nos cellules. Deux autres paires de chaussures et des ceintures étaient déjà déposées devant des portes voisines. Nous ne serions donc pas seuls durant le trajet jusqu'à Kingston, mais nous dûmes attendre au matin pour connaître l'identité de nos compagnons, que les gardes refusèrent de nous révéler «pour des raisons de sécurité».

Le plus grand secret entourait les transferts d'une prison à l'autre. L'administration craignait que des complices extérieurs n'apprennent l'horaire de ces fameux transferts et n'essaient d'intercepter le fourgon. Ça ne tenait évidemment pas debout, mais, au fil des ans, les autorités avaient fini par se convaincre qu'il s'agissait là d'un risque fondé et constant. Pourtant, aucun des prisonniers que j'ai pu rencontrer aux États-Unis ou au Canada n'a jamais suggéré quelque chose d'aussi dingue que l'attaque d'un panier à salade. Les évasions se faisaient sans complice ou, à la rigueur, par équipe de deux gars; elles se préparaient à l'insu de tous et se déroulaient au moment le plus imprévu, de préférence durant la nuit. S'emparer d'un fourgon en pleine autoroute n'était pas une solution. Mais les fantasmes des bureaucrates ne connaissaient pas de limites.

Après le petit déjeuner, on nous conduisit dans une salle d'attente où nous rencontrâmes nos compagnons, un bourreau d'enfants cafardeux qui ne s'exprimait que par grognements et ne regardait personne dans les yeux, ainsi qu'un jeune type assez beau qui venait d'écoper de huit ans pour meurtre. Il avait surpris sa femme en flagrant délit avec un immigré chinois et les avait descendus tous les deux avec un fusil de chasse. Son procès avait passionné les badauds du coin presque autant que le nôtre, mais il avait reçu une sentence beaucoup plus sévère.

Vers le milieu de la matinée, notre fourgon arriva avec, à son bord, quelques passagers endormis en provenance de Windsor et de Chatham. Menottes aux poings et fers aux pieds, Eric et moi ne pouvions marcher qu'en coordonnant parfaitement nos mouvements. Nos sacs de toile furent chargés à l'arrière du

199

véhicule et une escorte nous conduisit le long de l'allée centrale jusqu'à deux sièges contigus. Donny — comme je l'appellerai — et le tortionnaire d'enfants prirent place de l'autre côté de l'allée. Les autres passagers levèrent à peine les yeux sur nous et personne ne dit un mot. Le garde et le chauffeur montèrent à leur tour et nous sortîmes du garage à reculons.

Hourra! nous étions en route vers le Gros Pen.

Par les glaces nous pouvions voir le ciel gris, tout à fait en harmonie avec notre humeur. Les pneus crissaient sur l'asphalte glissant. À l'intérieur l'atmosphère baignait dans la fumée des cigarettes et était imprégnée d'une aigre odeur de transpiration; des frissons d'inquiétude nous gagnaient les uns après les autres.

Donny se pencha vers nous pour nous demander si Eric ou moi avions déjà été au Képi, comme les initiés qualifiaient le pénitencier de Kingston. Je reconnus que j'étais déjà passé devant une ou deux fois en voiture et que je l'avais survolé à plusieurs reprises, mais que je n'y étais jamais entré. Donny se demandait avec une certaine inquiétude ce que lui réservait l'avenir, là-bas.

Un Noir laconique, couleur café, qui venait de Chatham, se tourna légèrement vers nous et répondit d'un ton calme:

— C'est le bagne, mon vieux, mais ça vaut fortement mieux que toutes ces saletés de taules du provincial. Au pen, au moins, un gars a une certaine liberté et n'a pas à se farcir tous ces minus qu'on rencontre dans ces trous à rats. Relaxe, bonhomme, le temps passera quand même.

Durant les vingt ans qu'il avait dû purger pour avoir dévalisé des banques, Jesse s'était tapé les pires bagnes du pays.

— V'comprenez, la loi dit qu'avec deux ans et plus à tirer, tu vas au pen. Moins de deux ans, tu tombes sous le provincial. Alors, le gars qui écope de deux ans moins un jour, j'vous garantis qu'il y goûte, dans ces maudits trous du provincial. Y s'offre pas des vacances tranquilles. Les fers, les chaînes, les matons su'l dos vingt-quatre heures sur vingt-quatre, v'voyez le tableau? Mais au pen, si tu dois pas te taper dix ans ou plus t'es dans les ligues junior, vu? Le pen, c'est ce qu'il y a de mieux pour les p'tites sentences. Combien t'as pris, l'flo?

En entendant Donny lui répondre qu'il en avait pris pour huit ans, Jesse se mit à rire.

— Merde, c'est rien ça! Tu seras dehors dans moins de trois ans, j't'en passe un papier. Tu feras ce temps-là les doigts dans l'nez.

Nous fîmes plusieurs arrêts pour ramasser des passagers, puis arrivâmes en fin d'après-midi au centre de détention de Toronto-Est où nous devions passer la nuit. Eric et moi fûmes conduits dans une cellule meublée de deux grabats superposés.

Le règlement des prisons interdit de loger plus d'un homme par cellule, mais le centre de Toronto était tellement bondé qu'enfermer deux gars dans une chambre prévue pour un seul était devenu la norme.

À la tombée de la nuit, la section du cinquième étage, où nous nous trouvions, avait été remplie de type expédiés de divers bleds du nord de la province et de quelques pensionnaires des pénitenciers de Kingston qui avaient comparu à Toronto. Jeunes pour la plupart, ils arboraient des muscles couverts de tatouages, observaient tout d'un œil méfiant et manifestaient une indifférence calculée à l'endroit des gardiens et de leur entourage. Tous fumaient nerveusement et jouaient aux cartes ou discutaient à voix basse. L'heure était à la conspiration.

Un fourgon beaucoup plus gros nous ramassa tous, le lendemain matin. L'Oie bleue, comme on l'appelait, fila directement vers le pénitencier de Millhaven, sans s'arrêter une seule fois. Une demi-douzaine des taulards les plus coriaces arpentaient l'allée à grands pas en murmurant aux autres: « Te bile pas, mon vieux, ça ira » et « Bonne chance ».

Exception faite des tours de guet, qui se dressaient à l'extérieur de la prison, et de la double rangée de barbelés, l'établissement ressemblait assez au centre de détention de London. Mais, à l'intérieur, il en allait tout autrement. À la seule vue de l'ignoble Millhaven, tout le monde, dans l'autobus, devint silencieux. Plusieurs de nos compagnons connaissaient bien la brutalité et la vie de forçat qui prévalaient au-delà des barbelés. Tandis que nous reprenions la route, l'un d'eux nous fit un petit topo :

— T'sais là-dedans, s'ils s'imaginent que t'es un p'tit futé qui voudra toujours leur en faire voir, ils t'enferment dans la Section spéciale. Là, t'es cuit, mon gars. Les cellules ressemblent à des coffres-forts. T'es sous clef vingt-quatre heures par jour et s'ils ont décidé de t'en faire vraiment baver, ça dure longtemps. Y a des gars qui en sortent jamais. Pas de conditionnelle. Pas de libération d'aucune sorte. Quand ils te filent à la Spéciale, t'es arrivé au bout du voyage, mon gars, parce que, tu vois, t'as pas de billet de retour. Tu deviens dingue là-dedans. Pis si t'es plus contrôlable, ils te laissent plus ressortir de là. T'es bon pour la claque. T'es un mort vivant dans un tambour d'acier. Moi, j'aimerais mieux crever pour de bon que de les laisser me saloper comme ça. Ces maudits enculés de merde !

Cinq autres nous quittèrent à Collins Bay. Ils semblaient ravis de rentrer chez eux après leurs semaines de procès à Toronto. Ils avaient enfin quitté la surveillance étouffante et les conditions minables de la prison de la capitale ontarienne et allaient retrouver un certain confort et la petite vie tranquille qu'ils menaient avec leurs pairs. On se sent toujours mieux là où on a des copains. L'arrêt suivant, c'était Képi.

Le pénitencier de Kingston, qui date du début du siècle dernier, était à l'origine une caserne destinée aux soldats de l'Armée britannique, postés sur la rive nord du lac Ontario pour prévenir une invasion américaine. Le changement de « vocation » des baraquements militaires survint beaucoup plus tard.

Comme la date de 1833 est gravée sur une pierre qui surmonte le portail menant au dôme du bâtiment central, on peut présumer que des transformations étaient déjà en cours à ce moment-là. À la même époque, le dimanche après-midi, les citoyens de Kingston se rendaient en calèche jusqu'à la prison où, bien protégés par les murs, ils visaient les prisonniers avec des arcs et des flèches. L'histoire ne précise pas si ce sport dominical était dû à une initiative du gouverneur du pénitencier ou si celui-ci se contentait de le tolérer.

Au fil des ans, la cité de Kingston connut un tel essor que la prison, sa curieuse chapelle en pierre, les logis des gardiens et les vastes champs qui l'entouraient furent absorbés par la ville en pleine expansion. Aujourd'hui, le pénitencier se trouve pratiquement au cœur de Kingston.

L'Oie bleue s'arrêta devant l'entrée principale, une étroite poterne en pierre conçue pour laisser passer les attelages. Des gardiens en uniforme brun nous retirèrent nos fers et nos menottes, puis nous escortèrent vers la réception pour les formalités; nos sacs de toile fermaient la marche.

Même si le soleil brillait et qu'un vent frais soufflait du lac, une grisaille taciturne régnait sur la prison. Les bâtiments en granit, qui avaient été témoins de la misère humaine pendant au moins huit générations, se dressaient avec une arrogance toute victorienne comme un défi au changement. Chacune des fenêtres semblait adresser une grimace de dérision aux derniers arrivants — les nouveaux « poissons », en langage vernaculaire.

La cour de la prison et le terrain de sports se trouvaient derrière les bâtiments et étaient entourés sur trois côtés de murs épais gardés par des tourelles. Au-delà du mur du fond, hors de notre vue, s'étalait le lac Ontario. Dire qu'il était si près ! Durant cent cinquante ans, on avait étendu sur le terrain de sports les cendres des grandes chaudières centrales alimentées au charbon. La couche était tellement épaisse, qu'il n'y poussait plus que des pissenlits. C'était un endroit sinistre, hanté par des fantômes et des souvenirs amers. Je pouvais sentir leur présence, bien tangible, dans tous les coins.

Après la distribution des tenues de taulards et de la literie, la douche à l'eau froide et la séance de photos, on nous escorta par un étroit sentier le long du mur ouest jusqu'à un imposant bâtiment où on nous désigna nos cellules. Avant l'émeute de 1963, plus de six cents hommes, répartis sur quatre étages, vivaient dans cette bâtisse. Une fois les réparations terminées, on installa un faux plafond pour condamner les deux derniers étages et la population carcérale fut réduite à moins de trois cents détenus. Un important projet de modernisation était en cours depuis plusieurs années, car on voulait extraire de cet anachronisme victorien un chapitre acceptable de *Canadiana*.

Avec le temps, Képi aussi avait changé de vocation et était maintenant un refuge pour les bourreaux d'enfants, les violeurs, les mouchards et les flics condamnés qu'il fallait isoler des autres détenus qui auraient pu vouloir leur administrer un châtiment sommaire. Dans l'aile est, on avait installé une clinique psychiatrique pour ceux qui avaient le cerveau fêlé. L'établissement était également devenu un centre d'accueil régional où tous les nouveaux condamnés étaient évalués, interrogés, analysés et examinés pendant six semaines avant d'être transférés vers une prison des environs.

Après qu'un gardien du pavillon central m'eut remis une couverture, un oreiller et une trousse de toilette, on m'attribua une cellule au rez-de-chaussée du bloc G. Eric fut envoyé au deuxième étage, ce qui signifiait qu'il devait gravir des escaliers métalliques et emprunter une passerelle pour gagner ses nouveaux quartiers. Les cellules étaient petites, peintes d'une couleur vive qui laissait voir les fissures du plâtre et assez confortables. Chacune comprenait une table de travail, un lavabo, un cabinet et — contrairement aux prisons provinciales — un matelas bien rembourré et un sommier à ressorts. L'éclairage était amplement suffisant pour qu'on puisse lire sans fatigue. Tous les nouveaux « poissons » avaient reçu une paire d'écouteurs qui permettait de capter les stations radiophoniques locales.

Je m'assis sur mon lit pour contempler mon nouvel univers. Les cellules du rez-de-chaussée donnaient sur un vaste couloir qui servait de salle commune et où il y avait deux téléviseurs et quantité de chaises et de tables pour les amateurs de cartes, de dames, de monopoly ou de tout autre jeu fourni par le service des loisirs. La passerelle du deuxième surplombait la salle commune que les locataires de cet étage partageaient avec nous. Si l'on pense qu'il y avait trente cellules par étage, on devait sûrement refuser du monde dans la salle à l'époque où les deux derniers n'étaient pas condamnés.

Je n'étais pas trop malheureux de mon sort. En Amérique latine, j'avais habité dans des hôtels infiniment plus minables et avais même payé ce privilège avec plaisir parce qu'il n'y avait rien d'autre. Je pensais qu'une forte proportion de la population du globe aurait donné n'importe quoi pour être aussi bien logée.

Je décidai donc que la détention n'était, en fin de compte, qu'une question de perspective personnelle et je remerciai ma bonne étoile de pouvoir purger ma peine dans la liberté relative d'une institution fédérale plutôt que dans l'atmosphère suffocante d'une prison provinciale.

Nous dînions très tôt, à seize heures. Les rangées de cellules se vidaient alors une à une et une queue se formait devant les guichets de la cuisine où on remplissait nos plateaux du menu du jour et nos tasses de lait, de thé ou de café ; nous rapportions le tout dans nos cellules et nous mangions en tête à tête avec nous-mêmes. La nourriture était excellente, mais il n'était pas question d'avoir une seconde portion. Je décidai rapidement de me trouver quelque chose à faire dans les cuisines.

Eric et moi avions convenu de laisser tomber les tests psychologiques, d'aptitude mécanique et de Q.I., afin de réduire de moitié notre séjour à Képi. Nous n'étions nullement intéressés à apprendre l'a b c de la vie en société ou l'un des métiers enseignés en prison, ou encore à découvrir que nous étions des psychopathes latents. De toute façon, à quarante-cinq ans, on est déjà un homme fait, imperméable à toute réhabilitation.

Eric était toujours au régime et me refilait régulièrement une part appréciable de ses repas ; pour passer le temps, il se mit à faire du jogging durant les deux heures d'exercice de l'après-midi. Il avait l'air ridicule tandis que, soufflant et crachotant, il faisait au petit trot le tour du terrain couvert d'escarbilles. Je voulus me joindre à lui, mais après un premier tour de piste je ressentis des élancements dans la poitrine et je dus m'arrêter, complètement à bout de souffle. Jamais je ne pensais que je pouvais faire de l'angine de poitrine.

— Tu fumes trop, me lança Eric d'un ton joyeux, tout en continuant de piétiner les cendres.

Dès notre troisième semaine à Képi, il pouvait courir sans interruption pendant une demi-heure et avait réussi, depuis le jour du verdict, à perdre une trentaine de livres. Il avait décidé de maigrir jusqu'à 140 livres et voulait s'habituer à courir dix milles sans s'arrêter. Il atteignit son double objectif en seulement sept mois.

À partir de la deuxième semaine, je commençai à travailler aux cuisines où je préparais les desserts pour le personnel et aidais à servir aux guichets. Le fait de revêtir le tablier blanc du cuisinier permettait de choisir les meilleurs plats, les steaks les plus tendres et les fruits les plus frais en quantité presque illimitée. Et il y avait toujours moyen de chiper des meules de fromage, des viandes froides et des pâtisseries pour les donner aux copains ou les échanger contre des articles provenant des magasins de la prison. Compte tenu des limites de mon univers, je ne manquais vraiment de rien.

Les détenus qu'il fallait séparer des autres étaient réunis dans le bloc D et ne se présentaient aux guichets qu'une fois que toutes les autres sections avaient été mises sous les verrous. Chaque jour, je regardais passer ces malheureux, prisonniers d'une prison dans la prison.

Finalement, quand tout le monde avait été servi, les gardes faisaient descendre les trois hommes écroués dans des cellules d'isolement, au troisième étage. Ils vivaient dans une ségrégation complète depuis leur condamnation, parce qu'ils avaient violé et tué un petit cireur de chaussures portugais à Toronto. Leur meurtre était tellement odieux que, même dans le sanctuaire traditionnel du bloc D, ils n'auraient pas été à l'abri des représailles. Ils avaient encore vingt-quatre ans à faire avant d'être admissibles à la libération conditionnelle. Et ils étaient déjà vieux.

Dès leur arrivée, les gardiens attachés aux cuisines se rapprochaient des serveurs pour s'assurer que personne ne cracherait dans les plateaux ou n'enfoncerait, par les guichets, un couteau à découper dans le ventre d'un des trois proscrits. Tous les bavardages cessaient. L'hostilité était tangible. Le trio avançait lentement, en somnambule, un masque d'indifférence figé sur le visage. Mais c'était leurs regards qui surprenaient le plus : on n'y voyait plus la moindre lueur.

Exception faite d'un aller-retour Woodstock-Kingston sur le siège arrière d'une voiture de police, avec départ à trois heures du matin, pour une comparution de trois minutes, mon temps à Képi passa rapidement. J'avais une correspondance abondante, je lisais beaucoup et je piquais quantité de bouffe pour les gars de ma section. Le dernier jour de mai, on me transféra à Joyceville.

Ce matin-là, le printemps embaumait à un point tel qu'on avait du mal à s'imaginer une époque où l'homme et la nature n'auraient pas été en harmonie. Par les fenêtres striées de barreaux du panier à salade, des effluves sensuels de terre, de fumier et d'une végétation en pleine croissance venaient chatouiller les narines des passagers. Cela faisait du bien de partir de Képi. Eric y était resté parce qu'il s'était rendu trop indispensable comme commis à la réception. Il avait la mine basse quand j'étais allé lui dire au revoir.

Joe, qui était enchaîné avec moi, respirait l'air à pleins poumons, d'un air ravi.

— Sens-moi ça, mon vieux. La liberté, c'est ça que ça sent, bon Dieu!

Je ne le contredis pas. Nous avions travaillé ensemble aux cuisines et il possédait un humour caustique qui m'enchantait. C'était un éternel sceptique qui traversait la vie en rigolant de bon cœur devant le spectacle de la comédie humaine. Il avait été rédacteur en chef d'une des plus grandes chaînes de journaux du pays, mais au lieu de continuer à commenter l'actualité, il s'était recyclé dans le vol de banque, convaincu qu'avec son boulot et ses antécédents la police ne le soupçonnerait jamais. C'était une grave erreur. Le juge lui colla dix ans pour ce dédoublement de personnalité. Après avoir été libéré sur parole, il était revenu en taule parce qu'il avait quitté le pays pour participer à un tournoi de golf sans la permission de son agent de libération conditionnelle. Devant la tournure des événements, il se montrait cynique, mais n'était nullement amer.

— Du moment que t'as un casier, t'existes plus, bonhomme. Ton numéro de dossier, qui devrait être confidentiel, te suit partout pour raconter ta petite histoire. T'as plus de boulot, t'es rejeté et plus personne ne t'aime. Alors je suis allé en Californie pour participer à un tournoi. C'était ça mon crime? Tu peux me le dire, toi?

J'en était bien incapable.

Ni, de toute évidence, la Commission des libérations conditionnelles puisque, trois mois après notre transfert, on l'élargit de nouveau. Il ne retrouva toutefois ni sa famille ni son boulot; son avenir avait été détruit grâce aux bons soins d'un fonctionnaire antipathique.

Le pénitencier de Joyceville avait été construit après la Seconde Guerre pour absorber le surplus de Collins Bay et de Kingston. Situé à la jonction de la rivière Rideau et du canal, à une vingtaine de mille au nord de Kingston, c'était, en principe, une prison à sécurité moyenne, destinée aux hommes âgés, c'est-à-dire à tous ceux qui avaient plus de vingt-sept ans. Les plus jeunes étaient envoyés à l'école des gladiateurs de Collins Bay où ils pouvaient se mesurer à leurs pairs.

Joyceville pouvait héberger 450 prisonniers, mais était rarement plein. De l'extérieur, l'établissement ressemblait davantage à une caserne militaire qu'à une prison. Un grand terrain d'exercices était entouré de trois côtés par des bâtiments de quatre étages. Les locaux administratifs, la chapelle, la salle à manger du personnel, le gymnase, la bibliothèque, un atelier et l'infirmerie fermaient le quatrième côté. À l'arrière une immense prairie descendait jusqu'à la rivière.

À première vue, l'ensemble relativement moderne, avec ce côté champêtre que lui donnaient la prairie et la rivière, n'était pas sans rappeler Terminal Island et son emplacement de rêve au bord de l'océan. Mais toute ressemblance s'arrêtait là. À T.I., les prisonniers vivaient à cent cinquante par dortoir, dormaient dans des lits superposés et partageaient des salles de bains communes, tandis qu'à Joyceville chaque détenu avait une chambre confortable de six pieds sur neuf, avec une porte pleine, une vue sur la nature, un bureau, un lavabo et un cabinet encore complet. Radios, tableaux, photos de pin up et passe-temps divers étaient autorisés dans les chambres. Une fois la porte refermée, on éprouvait un fantastique sentiment d'intimité inviolable. C'est cette intimité qui constitue la principale différence entre les prisons canadiennes et américaines.

Dès que nous eûmes franchi les grilles électrifiées, on nous enleva nos fers et nous nous dirigeâmes en portant nos effets personnels vers la réception où nous attendait « Clipboard Bill ». Bill Buculla était en charge des arrivants durant leurs deux premières semaines. Il leur faisait d'abord faire un tour du propriétaire pour leur expliquer le fonctionnement de la prison. C'était un type sympathique qui se promenait partout comme un Vanderdecken, version pénitentiaire, trimbalant toujours une liste de noms et continuellement suivi d'une demi-douzaine de nouveaux « poissons », aidant, conseillant, écoutant poliment les réclamations de tous. S'il s'était fait prêtre, il aurait sûrement été canonisé.

Clipboard Bill nous désigna nos chambres. J'héritai du numéro 28, au premier étage du bloc D. Elle donnait sur le terrain d'exercices. Celles qui offraient une vue sur la forêt ou la rivière étaient considérées comme un privilège et attribuées selon l'ancienneté. Je ne pensais pas rester dans ces lieux assez longtemps pour y avoir droit.

Les repas, préparés dans les cuisines centrales et apportés dans des chariots chauffants, se prenaient dans les salles communes aménagées à l'extrémité de chaque étage. Ces salles étaient meublées de petites tables de cafétéria et, après avoir mangé, on pouvait tranquillement y jouer aux cartes ou regarder la télévision en couleurs. On pouvait s'y servir à volonté de café ou de lait frais et ceux qui avaient envie de grignoter entre les repas avaient même accès à un petit réfrigérateur toujours bien garni. La nourriture était excellente, l'atmosphère détendue et chaleureuse, et on encourageait les détenus à se consacrer aux activités qui les intéressaient. Qu'aurait-on pu demander de plus, à part la liberté?

Je déballai mon Olivetti et me remis au travail, ce que j'avais été incapable de faire à Képi à cause du bruit incessant qui venait des cellules, simplement séparées les unes des autres par des barreaux. À Joyceville, une fois ma porte fermée, je pouvais travailler n'importe quand, sans crainte de déranger les autres.

À la fin de mes deux semaines d'initiation en compagnie de Clipboard Bill, je demandai d'être affecté à la librairie. La direction voyait à ce que tous les détenus aient un travail, mais c'était surtout pour leur donner l'illusion qu'ils faisaient quelque chose de valable. La prison dirigeait une petite entreprise très rémunératrice qui fabriquait, à l'intention du gouvernement fédéral, des objets en tôle, mais, tout comme pour les cuisines, la liste d'attente pour y travailler était longue.

Rudi Mier était en charge de la librairie. Ce Hollandais, à la fois circonspect et bienveillant, me prit comme assistant, même s'il en avait déjà quatre autres.

Dès le premier jour, il fut manifeste qu'il ne me demandait rien d'autre que de rester tranquille. Il m'autorisa à apporter mon Olivetti et mes dossiers au « travail » et je choisis une table à l'écart, à côté de la plus récente édition de l'*Encyclopaedia Britannica*. C'était vraiment fantastique d'avoir un tel ouvrage de référence sous la main. Tandis que le printemps filait rapidement, je me laissai aller totalement au plaisir de l'écriture.

À la fin de juin, je vis arriver, sans grande surprise, Jim Riley, d'excellente humeur et débordant de bonté. Il était chargé de me ramener à Woodstock pour le dernier acte. Nous partîmes dans une voiture de police banalisée et j'eus droit en cours de route à force sourires et amabilités, ainsi qu'à un arrêt hamburgers-lait fouetté. Est-ce que j'avais l'intention de plaider coupable aux accusations en suspens, me demanda-t-il?

— Oui, sauf à l'accusation de parjure.

Il me décocha un large sourire.

— Aucun problème. Marché conclu. Vous pourriez également renoncer à faire appel. Il est plus difficile d'être libéré sur parole quand on est en instance d'appel.

Au tribunal, dans le courant de l'après-midi, Guglielmo et moi nous en tînmes à la décision que nous avions prise un peu plus tôt dans l'antichambre du juge. Un autre juge était venu d'Owen Sound pour entendre les plaidoiries parce que le juge

210

Dick s'était récusé et ne voulait plus entendre parler de nous. Je n'aurais pu l'en blâmer, le pauvre.

Fred Porter tint parole. Guglielmo fut libéré sur parole peu de temps après, dans le cadre d'un programme de retour au travail de la Commission. Comme j'avais renoncé à me pourvoir en appel, je fus transféré quelques semaines plus tard à la ferme de détention à sécurité minimale de Frontenac.

Une dernière fois, on me passa les fers et les menottes. C'était une chaude journée d'août où les oiseaux et la nature tout entière s'étaient assoupis. À Frontenac, des plates-bandes luxuriantes bordaient les pelouses et les allées. Derrière, on pouvait apercevoir d'immenses champs de blé déjà mûr. Impassibles, des vaches ruminaient, se contentant de chasser les mouches d'un coup de queue et de jouir du soleil. Toutes les portes qui perçaient les clôtures étaient dépourvues de cadenas. Et l'air embaumait d'une odeur nouvelle, différente, plus puissante que celle de la terre ou des animaux. Pendant un moment mes yeux s'embuèrent, brouillant le panorama qui s'offrait à moi. C'était l'odeur de la liberté. Avec un léger choc, je me rappelai soudain que c'était mon anniversaire.

Quand on m'eut libéré des menottes et des fers, mon escorte fit demi-tour. Dans le hall, je vis un taxiphone et téléphonai à Helen, en Californie, pour lui dire de faire les valises et de rentrer avec les enfants à Kingston. Nos épreuves tiraient à leur fin.

Du moins, le pensais-je...

Kingston, Canada

25 mars 1980

À quatre heures du matin, au moment où je me glisse dans mon lit après être revenu de la salle de bains située à l'extrémité de l'allée de chambrettes, mon angine se réveille sans crier gare. C'est d'abord une sensation presque imperceptible, à peine une caresse, comme si ma tortionnaire voulait simplement me reprocher d'avoir cru un instant que j'en étais libéré.

Incrédule, je reste allongé, sans bouger. Déjà? Puis la douleur devient plus vive et se répand jusqu'à mon épaule gauche, comme elle le faisait avant ma crise cardiaque. En tâtonnant, je trouve mes comprimés de nitro et en glisse un sous ma langue. En moins de deux minutes, mon angine bat en retraite, se réfugiant là où elle se tapissait depuis deux mois.

À mesure que la douleur se dissipe, j'entreprends de me persuader que tout va bien et arrive même à me convaincre que mon malaise n'était pas angineux. Pas vraiment. Il s'agissait sûrement de quelque chose de plus anodin. Un muscle froissé peut-être? Sans doute me suis-je levé trop rapidement après avoir dormi dans une mauvaise position, ce qui a déclenché toute une série de contractions musculaires dont l'effet ressemblait à de l'angine, mais qui, en fait, n'en étaient pas. Le pouvoir de l'imagination. Je me rendors.

Une demi-heure plus tard, le gardien réveille l'occupant de la

213

chambrette voisine. Bobby-Barrel-Belly est chargé de l'écrémage du lait à la laiterie de la prison. Le travail est facile, mais l'horaire indécent, à moins d'aimer particulièrement les feux de l'aurore.

J'écoute Bobby s'habiller, vaguement conscient de la présence de mon angine. Mais c'est insensé! Qu'est-ce que j'ai fait de contre-indiqué? J'ai suivi à la lettre tous les conseils du médecin; j'ai d'abord fait de courtes marches, puis, peu à peu, j'ai accéléré l'allure et augmenté la distance jusqu'à ce que je puisse parcourir deux milles chaque jour sans ressentir ni malaise ni fatigue. Je n'ai rien soulevé pesant plus de dix livres et, tous les après-midi, j'ai fait une sieste d'une heure. Lors de ma dernière visite à la clinique externe de l'hôpital, le médecin m'a déclaré parfaitement rétabli et capable de reprendre un régime de travail normal. Et voilà mon angine de retour. Mais que s'est-il passé?

Cette terrible découverte m'épouvante. Quelque part le long de mes artères coronaires, une autre obstruction se constitue qui entravera bientôt l'alimentation de mon muscle cardiaque. L'occlusion se forme-t-elle à un point de jonction névralgique ou dans un vaisseau secondaire? Vais-je en mourir et, le cas échéant, dans combien de temps?

Pris de panique, mon cœur bat la chamade — en autant que faire se peut avec les doses d'Indéral que je prends quotidiennement. La douleur s'intensifie. En essayant de trouver à tâtons ma bouteille de nitro, je l'envoie rouler par terre. Je me précipite aussitôt sur le plancher pour la chercher de la paume de la main, puis je vois la silhouette de Bobby-Barrel-Belly se découper dans l'embrasure.

— Eh! ça va toi? chuchote-t-il.

C'est un homme de mon âge qui termine une sentence de dix ans pour avoir volé une semi-remorque et enlevé son chauffeur. Il a déjà été sergent d'une unité de parachutistes. Un dur à cuire. Maintenant, il est obèse, a les chairs flasques et porte ses cheveux gris à l'ancienne mode, lissés vers l'arrière. En décembre, quand je souffrais le martyre, juste avant ma crise cardiaque, il m'entendit grogner et geindre aux petites heures du

214

matin et, spontanément, vint s'asseoir sur mon lit et me passa un bras autour des épaules pour me réconforter. Une scène un peu absurde. Le bon Samaritain et le pauvre hère dans l'obscurité de la nuit. J'avais toutefois apprécié son geste parce qu'il venait du fond du cœur.

Bobby aime raconter à qui veut l'entendre que s'il avait commis son crime au Québec et qu'il avait enlevé un attaché commercial britannique, puis exigé du gouvernement fédéral qu'on lui fournisse un avion pour aller s'exiler à Cuba, on ne l'aurait condamné qu'à deux ans de prison et il aurait obtenu sa libération conditionnelle après huit mois. Malheureusement, il avait choisi un véhicule immatriculé en Ontario.

Je lui explique la situation et il me rejoint sur le plancher; aucun de nous n'ose allumer la lampe de chevet de peur de réveiller tout le dortoir. Séparées par des cloisons mi-hauteur, nos chambrettes n'ont pas de porte et ont été conçues pour n'assurer qu'un minimum d'intimité. Le moindre éternuement, pet, rot ou toussotement se répercute dans tout le dortoir. Jusqu'à ce que quelqu'un ait l'idée brillante de la transformer en centre de détention à sécurité minimale à l'extérieur des murs de la prison, cette bâtisse était le garage de Collins Bay. Les dortoirs du deuxième étage peuvent abriter quatre-vingts hommes, mais ils ne sont jamais pleins. Chaque semaine, les remises en liberté, les évasions et les retours derrière les barreaux pour infractions disciplinaires prennent leur dû. La population de Frontenac est des plus instables.

Avivée par tout ce remue-ménage sur le plancher, ma douleur est devenue presque insupportable.

— Je l'ai, s'exclame Bobby d'une voix rauque.

Je m'empare de la bouteille, débordant de reconnaissance, et en extrais un des minuscules comprimés magiques. Bobby me regarde faire dans la pénombre.

— Ça va t'y aller maintenant?

— Oui, très bien, merci.

Il hoche la tête et s'en va. Je m'assois sur le lit et attends que la nitro ait fini d'apaiser la sale bête. Plus aucun doute n'est permis. D'ailleurs, il serait inutile d'essayer de me raconter des histoires. Mieux vaut faire face à la musique. Le problème est aussi irréversible que la suite des marées. C'est en vain que j'ai fait tous ces exercices et gobé autant de médicaments. Les médecins m'ont menti. Je n'étais qu'un autre patient crédule et angoissé qu'il fallait nourrir d'espoir afin de lui épargner le stress et l'hystérie qui rongent ceux qui doivent affronter la terrible vérité. Le gros méchant loup va t'attraper si tu ne fais pas attention! Eh bien! à nous deux, méchant loup...

Selon la théorie mise de l'avant par le docteur Hans Selye de l'Université de Montréal, le stress serait, chez l'homme, la cause fondamentale de toutes les maladies et affections cardio-vasculaires. Le docteur Arthur Gladman, directeur de l'Everett A. Gladman Memorial Hospital de Oakland, en Californie, a pour sa part affirmé carrément qu'il était convaincu «que toutes les maladies, depuis le simple rhume jusqu'au cancer, étaient dues au stress et à ses effets sur le système immunitaire».

Il semble, en effet, que c'est en perturbant le système immunitaire que le stress déclencherait des maladies. Sous l'effet de la tension, les cellules blanches de ce système s'altéreraient, ce qui laisserait le champ libre à tous les agents pathogènes. Quand l'organisme est soumis à un danger ou à une menace grave, il sécrète un surcroît d'hormones qui, normalement, devrait lui permettre de combattre ou de fuir. Dans les sociétés primitives, ce processus était un atout précieux. Mais comme la civilisation moderne ne nous permet pas de nous battre et que nous ne pouvons pas fuir nos problèmes, l'énergie en surplus reste emmagasinée dans l'organisme où elle mine le système immunitaire. Les maladies qui s'ensuivent s'attaquent aux organes les plus faibles du sujet. Ainsi, chez les fumeurs, les poumons et la gorge sont les premiers affectés tandis qu'on compte davantage de crises cardiaques parmi les vendeurs de gros calibre et les dirigeants d'entreprises.

Cette théorie suppose qu'à part quelques exceptions nous venons tous au monde en parfaite santé. Les gènes dont nous héritons à la naissance, qu'ils nous soient ou non favorables, nous marqueront toute notre vie. Des caractéristiques comme la calvitie, l'acuité visuelle, la stature, certains traits du visage et même la longévité sont toutes déterminées par notre bagage génétique. Mais après dix-huit ans, chacun est son propre maître dans le domaine des émotions. Et comme on fait son lit, on se couche.

Ces rhumes auxquels nous ne prêtons pas la moindre attention durant notre jeunesse sont suffisamment débilitants à l'âge mûr pour nous clouer au lit pendant plusieurs jours et peuvent même nous tuer durant notre vieillesse. Depuis ma crise, j'ai dévoré des douzaines de livres portant sur des questions de cet ordre. Ma curiosité pour la physiologie et la médecine est insatiable. Jamais je n'ai été aussi intéressé par mon corps depuis la puberté. S'il est vrai que je dois claquer un jour, comme les lois immuables de la nature m'y condamnent, j'aimerais tout de même savoir comment on peut retarder le plus possible la fatale échéance. Au lieu de me jeter tête baissée dans le principe de l'autodestruction, je préférerais prendre la chose un peu plus calmement et sans doute d'une manière plus réfléchie. Après tout, pourquoi diable se presser?

Les bibliothèques publiques regorgent d'informations des plus saisissantes. Ainsi, la plupart des grandes maladies qui affectent la race humaine ont été décrites depuis Hippocrate dans tous les traités médicaux, mais aucune étude ancienne ne fait mention des maladies coronariennes. « C'est que jadis, pensez-vous, les gens ne vivaient pas assez longtemps pour être victimes de telles maladies. » Vous avez raison. Quand à trente ans un homme était déjà considéré comme un vieillard sénile et qu'à peine 15 pour cent des enfants dépassaient l'âge de neuf ans, l'artériosclérose n'avait pas le temps de faire de ravages.

Pourtant, même en 1920, les maladies du cœur étaient relativement rares en Amérique du Nord. Feu le docteur Paul Dudley White, le cardiologue du président Eisenhower, confiait que durant les deux premières années qui suivirent l'ouverture de son cabinet en 1921, il n'eut à traiter que deux ou trois cas d'affections coronariennes. En fait, les troubles cardiaques sont un phénomène du vingtième siècle.

Le régime alimentaire, l'exercice, les antécédents familiaux et le niveau de cholestérol dans le sang jouent un rôle important dans le développement de ces maladies et de plusieurs autres affections. Même si les médecins ne sont pas tous également convaincus que l'organisme puisse produire suffisamment d'anticorps pour combattre les agents pathogènes, il est un point sur lequel ils s'entendent tous : le stress tue. Des centaines de preuves l'ont démontré.

Parmi les animaux, seul l'homme a conscience du temps. Et comme aujourd'hui le temps s'écoule à une vitesse toujours plus grande, chacun se sent obligé de se dépasser, puis d'entrer en concurrence avec les autres. Dans le monde moderne, cet esprit de compétition a eu des conséquences désastreuses. À l'époque victorienne, les gens avaient à peu près le même régime que nous, mais ils faisaient moins d'exercice et étaient généralement beaucoup plus gras que nous ne le sommes ; pourtant, ils avaient moins de maladies du cœur. Pourquoi? Parce qu'ils ne menaient pas la vie stressante que notre société hautement compétitive nous impose.

Au début du siècle, Sir William Osler, le fameux médecin et érudit canadien, a longuement étudié les causes et les effets de l'angine chez ses patients. Même s'il ne vécut pas assez longtemps pour constater le caractère épidémique que les maladies coronariennes ont pris, il tira des conclusions très perspicaces quant au profil des personnes les plus susceptibles d'être victimes d'angine. « Ce n'est pas la personne délicate et légèrement névrosée qui est la plus encline à l'angine, écrivait-il, mais celle qui est robuste et vigoureuse aussi bien mentalement que physiquement ; cette maladie s'attaque d'abord à l'homme ambitieux et ardent, à celui dont la machine tourne toujours « à plein régime », au type bien établi, de quarante-cinq à cinquante-cinq ans, à l'allure militaire, aux cheveux gris acier et au teint rougeâtre. »

Même si je n'ai pas le teint rougeâtre, j'aurais très bien pu être l'un des sujets que décrivait Osler en 1897 dans *On Angina Pectoris and Allied States.* Ce qu'il constatait alors tout simplement, c'est que la vie menée à toute vitesse stresse l'organisme et que, à son tour, le stress provoque de l'angine.

Durant les années 30, alors que je faisais mes premiers pas en ce bas monde, le taux de mortalité attribuable aux maladies du cœur augmenta en quatre ans de 100 pour cent en Amérique du Nord. Les gens étaient dépassés par les événements et ils ne pouvaient pas accepter que leur vie soit détruite par des forces sur lesquelles ils n'avaient aucune emprise et qu'ils ne comprenaient pas. La perte de leur dignité, la misère et l'humiliation de la soupe populaire et le chômage massif en poussèrent des millions au bord du désespoir. Faire une crise cardiaque devint presque une méthode inconsciente d'autodestruction.

Durant la Bataille de Stalingrad, au cours de la Seconde Guerre mondiale, les Soviétiques se replièrent sur un pâté de maisons après l'autre, résistant farouchement aux tentatives de l'Armée allemande pour conquérir leur ville. La bataille dura trois ans et les soldats durent le plus souvent combattre corps à corps, soumis à un stress constant. De telles conditions eurent des effets catastrophiques. Selon les rapports médicaux des Soviétiques, le taux de personnes atteintes d'hypertension passa, entre 1942 et 1943, de 4,1 pour cent à 64 pour cent. Parmi les gens qui survécurent à ce siège, rares sont ceux qui recouvrèrent toute leur santé. Au début des années 60, la plupart d'entre eux étaient morts, bien avant d'avoir atteint la vieillesse.

Une étude plus récente, menée par le docteur Thomas Holmes de l'Université de Seattle et déposée devant l'Association américaine pour l'avancement de la science, démontre, preuves à l'appui, que tout changement important — en mieux ou en pire — est un agent stressant. Au cours de sa recherche, le docteur Holmes conçut une échelle de notation qui accordait une valeur numérique à chaque grand changement qui pouvait affecter la vie de ses sujets.

L'individu dont le total des points dépassait 300 à la fin d'une année courait de très grands risques de tomber sérieusement malade. De fait, 80 pour cent de ceux qui avaient accumulé plus de 300 points furent victimes de dépressions, de crises cardiaques ou d'autres affections graves.

À mesure que le total diminuait sous le seuil des 300 points, le nombre des problèmes chutait rapidement. Toutefois, un total de 150 points était encore suffisamment élevé pour affecter la santé de plus de 33 pour cent des sujets observés. L'échelle de

Holmes, reproduite ici en partie, donne un aperçu de ce système de notation:

Événement	Nombre de points
Mort du conjoint	100
Divorce	73
Séparation	65
Emprisonnement	63
Liaison amoureuse	63
Maladie ou accident	53
Mariage	50
Licenciement	47
Réconciliation conjugale	45
Retraite	45

Même des événements aussi courants que le fait de prendre des vacances, de déménager ou d'assister au départ de la maison de l'un de ses enfants étaient considérés comme des agents stressants.

Si j'applique cette échelle aux événements qui se sont produits dans ma vie depuis un an, j'obtiens le total effarant de 462 points. Rien d'étonnant à ce que j'aie fait une crise cardiaque et que, deux mois plus tard, j'en couve une deuxième. Quelqu'un s'est trompé dans ses pronostics. Le tout-puissant Seigneur Koval ne serait-il après tout qu'un simple mortel? Et que devrais-je faire? Où trouverai-je le réconfort et le soutien dont j'ai besoin, ainsi que les conseils qui me guideront le long des chemins de la longévité et de la vertu? Certainement pas au sein du système pénitentiaire canadien.

****

Le docteur Ted DeJager donne des consultations à Frontenac une fois la semaine. Il y a un certain nombre de formalités à remplir si on veut voir son nom inscrit sur sa liste. Son bureau est ouvert de 7 h 30 à 8 h et il ne faut surtout pas arriver parmi les derniers parce qu'une fois ce temps écoulé, DeJager met la clef dans la porte et s'en va en disant à ceux qu'il n'a pas vus de revenir la semaine suivante. Depuis ma crise cardiaque, la procédure m'est épargnée et je n'ai qu'à venir attendre la fin de la queue.

Quand je descends du dortoir, il y a déjà là, comme d'habitude, douze ou treize hommes qui patientent. Les malaises, réels ou imaginaires, pour lesquels ils viennent se faire traiter découlent à peu près tous de leur travail à la ferme ou à la laiterie. Certains se sont coupés ou souffrent d'entorses ou de contusions, mais plusieurs voudraient simplement obtenir un ou deux jours de congé. La plupart travaillent normalement sept jours par semaine dans les vastes étables, à nettoyer ou à traire les quatre-vingts vaches du troupeau. Durant l'hiver, comme les animaux ne sortent pas, leur corvée est ingrate et immonde.

Chaque détenu doit faire un stage sur la ferme ou dans les étables et bosser ferme avant qu'on l'autorise à prendre un travail moins exigeant. Durant les six premières semaines de mon séjour à Frontenac, en août et en septembre de l'année dernière, j'ai travaillé sur la ferme à engranger le foin et à épierrer les champs. Puis je suis revenu à l'intérieur pour devenir le boulanger-pâtissier de l'établissement. Mes profiteroles, mes barquettes à la crème, mes millefeuilles et mes brioches étaient si fameux qu'ils sont entrés dans la légende.

DeJager écoute attentivement le compte rendu de mes nouveaux problèmes d'angine.

— Ressentez-vous des douleurs présentement?

Je secoue la tête. Il tapote ses incisives de l'extrémité de sa plume. Une manie irritante.

— Mais elles reviendront cette nuit, j'en suis convaincu. Faites-moi confiance, je vais prendre un rendez-vous pour vous avec Gary Burggraf. C'est un cardiologue.

— Mais le docteur Koval est également cardiologue.

— Oui, mais j'aimerais mieux que ce soit Burggraf qui prenne la décision finale.

— Quelle décision finale ?

— Il faut savoir si, oui ou non, on devrait vous faire une chirurgie de pontage.

— Ah !

Tel un magicien itinérant qui aurait terminé son dernier tour de prestidigitation, il ferme son sac d'un coup sec dans un geste théâtral.

— Laissez-moi faire les démarches nécessaires. Si vous avez besoin d'une chirurgie de pontage, je veillerai à ce que vous en ayez une.

Son ton est presque menaçant...

Mais je ne suis pas impressionné ; depuis décembre, alors qu'il m'a traité pour une indigestion quand en réalité je faisais de l'angine, je trouve difficile de le croire sur parole. Au moins, maintenant, lorsque je lui affirme que j'ai fait une crise d'angine, il ne discute pas. Le progrès n'est en tout qu'une question de perspective.

L'infirmier du pénitencier de Collins Bay qui accompagne Ted range les dossiers médicaux des détenus. Au moment où la sirène annonçant le début de la journée de travail retentit, infirmier et médecin s'échappent par la porte latérale et se dirigent vers la voiture de ce dernier. Chaque semaine, la luxueuse Mercedes de DeJager, toujours polie comme un sou neuf, suscite l'envie du personnel et des taulards qui détestent l'ostentation de son propriétaire.

Posté à la fenêtre du cabinet, je les regarde s'éloigner. L'entrée de ces lieux est interdite aux détenus en dehors des heures de visite du médecin, mais on a fait une exception dans mon cas. Le cabinet se compose en fait de trois pièces : une petite salle d'attente, une salle de bains, et un minuscule bureau occupé par un énorme secrétaire en chêne. Une fois DeJager parti, je suis ici dans ma tanière.

Quand je suis revenu de l'hôpital avec une ordonnance du

médecin m'interdisant tout travail physique pendant deux mois, Jim Caird, le directeur de la prison, m'a offert de me servir de ces lieux pour terminer mon livre. Un homme aimable et pas vétillard pour un sou, Caird regarde le monde avec des yeux mi-clos qui cachent mal l'amusement que lui inspire la vie. C'est un expert des situations désespérées, le genre d'homme à qui les dirigeants d'entreprise confient la tâche de nettoyer les merdiers fiscaux, administratifs et personnels que les politiciens et leurs sycophantes laissent toujours derrière eux. Un gars à respecter. J'ai accepté son offre et passe depuis lors mes journées dans une heureuse réclusion, entouré de mes dossiers, de mes livres de référence, d'une radio et de ma machine à écrire.

La fenêtre du cabinet ouvre sur le stationnement où Helen et les enfants laissent la voiture quand ils viennent me visiter le soir, après dîner. Une longue construction basse, qui sert de magasin au réseau pénitentiaire, le borde sur toute sa longueur. Dans l'armée, il s'agirait des dépôts de l'Intendance. Toutes les prisons de la région s'approvisionnent ici.

Le Magasin régional occupe une demi-douzaine de détenus de Frontenac et autant de taulards de la prison des femmes de Kingston, qui font chaque jour l'aller-retour en autobus. On essaie de décourager la fraternisation entre les sexes au travail en menaçant les «coupables» d'un retour dans un établissement à sécurité maximale, mais ces menaces sont vaines parce que quand on réunit des hommes et des femmes qui ont longtemps été privés de vie sexuelle, ils s'accoupleront forcément, peu importe les conséquences.

Le petit chemin pavé qui aboutit au stationnement contourne le Magasin régional et rejoint la route qui délimite la propriété du pénitencier de Collins Bay. Depuis ma fenêtre, la tour de guet sud-est est à portée de voix. La liberté est tout près, mais inaccessible. Les détenus de Frontenac sont aussi prisonniers que les gars qui sont écroués derrière ce haut mur de pierres. De ce côté-ci, la vie est plus douce, mais c'est la seule différence.

Je sors mon Olivetti de dessous le secrétaire et introduis sous le rouleau une feuille de papier vierge. Mon deuxième roman est presque terminé. Il ne me reste plus qu'à corser l'intrigue, à l'amener à son point culminant, puis j'ai fini. À ce stade, tout ce qui a été laissé à l'aventure doit être enchaîné. Après, c'est le dénouement, mais je n'aurai aucun problème pour cette étape car j'ai déjà imaginé une fin pleine de mordant qui plaira aux lecteurs. La feuille vide me nargue de toute sa blancheur.

Aucun tour habile ni phrase concise ne me viennent à l'esprit. En fait, mon esprit est aussi vide que la page est blanche. Du bout d'un doigt, je tape le mot PONTAGE, puis étudie les lettres avec curiosité.

Il y a quelques semaines, j'ai écouté une émission du *60 Minutes* consacrée à la chirurgie de pontage. Le patient était un homme beaucoup plus jeune que moi. Les caméramen avaient assisté à l'opération et filmé tous ses moments forts : on pouvait voir la cavité béante de la poitrine maintenue ouverte à la hauteur des seins par des clamps en acier inoxydable, le muscle cardiaque battant furieusement dans son enveloppe translucide et les artères coronaires mises à nu. Afin de soulager un peu le dharma du patient, on commença par dévier sa circulation dans un cœur-poumon artificiel. Avant de cesser de palpiter tout à fait, le cœur fut secoué de soubresauts comme un pur-sang qu'on aurait retiré de la course sur la ligne de départ. Les chirurgiens prélevèrent une veine de la jambe du patient, la coupèrent minutieusement en longueurs appropriées, puis implantèrent chaque greffon entre la partie supérieure de l'aorte et l'artère coronaire obstruée, en aval du siège de l'occlusion. Ils firent ainsi trois greffes, puis l'un d'eux s'assura, à l'aide d'une loupe, que les points de suture étaient parfaitement réguliers et assez solides pour supporter la pression artérielle une fois que la circulation naturelle serait rétablie. Une opération de trois heures résumée en quinze minutes.

On assista ensuite à l'étape décisive de la réanimation du cœur. Celui-ci était demeuré assoupi pendant au moins deux heures et baignait dans une solution saline à base de substances nutritives destinée à maintenir son circuit électrique en état de fonctionner. Avec une infinie lenteur, les chirurgiens retournèrent le sang et l'air au cœur et aux poumons. Le muscle ne réagit pas immédiatement, mais, après quelques secondes, il commença à frissonner, puis à se contracter. Le cerveau reprit alors la direction des commandes et les battements se régularisèrent. La vie avait gagné la partie, tout au moins pour un temps.

Dans les dernières scènes du film, on voyait le patient, un an après son opération, jouer au base-ball avec ses enfants. Il avait l'air fort et en santé, heureux d'être en vie et d'arbitrer la partie. Un joueur en habit réglementaire arriva en courant du troisième but et se laissa glisser jusqu'au marbre au moment où le receveur attrapait la balle. «Sauf», cria l'arbitre.

C'était une réalisation séduisante, de style hollywoodien, capable de convaincre n'importe quel téléspectateur que les opérations à cœur ouvert — qu'il s'agisse d'un pontage coronaire, d'une valvuloplastie ou d'une transplantation —, étaient devenues presque aussi anodines que les amygdalectomies ou les appendicectomies. En tout cas, j'en fus persuadé. Je déchantai toutefois après avoir discuté du sujet avec un jeune interne lors de mon dernier examen à l'Hôtel-Dieu.

Ce médecin, un disciple de Koval, n'avait pas vu l'émission de télévision. En fait, il m'avoua que la dernière fois qu'il avait pu écouter la radio ou lire un journal remontait à de nombreuses semaines. Mais il en savait suffisamment sur les opérations à cœur ouvert pour me flanquer la trouille. Quand je soulevai le sujet, il ne répondit pas tout de suite, mais vérifia mon dossier pour s'assurer que je n'étais pas inscrit sur la liste d'attente d'un chirugien.

— Vous ne songez pas sérieusement à vous faire faire un pontage, n'est-ce-pas?

— Bien sûr que non. Je suis curieux, c'est tout. Avez-vous jamais assisté à cette opération?

— Deux fois. Du moins, j'étais dans la salle. «N'approchez pas de la table d'opération, docteur, laissez-nous travailler.» Vous savez, le genre de traitement qu'on réserve aux petits nouveaux. Mais j'ai pu observer toutes les étapes. C'était intéressant. Nous ne faisons pas ce type d'intervention ici. À l'Hôpital Général de Kingston, ils ont tout l'équipement.

— Qu'est-il arrivé à ces patients?

— L'un est mort et l'autre a survécu.

Il dégagea son front en balayant de la main sa mèche rebelle et enleva ses lunettes. Ses verres étaient si épais que lorsqu'il les enlevait ses yeux semblaient se ratatiner. Il massa l'arête de son nez en fermant les paupières.

— C'était des hommes assez âgés, je suppose?

— Des gens de votre âge. Celui qui est mort n'avait pas quarante ans.

— Nom de Dieu!

Il hocha la tête d'un air docte, puis me donna un conseil:

— Si j'étais à votre place, je choisirais la voie de la médication. C'est aussi efficace et diablement moins dangereux qu'une intervention aussi importante. On n'entend pas souvent parler des échecs, vous savez. Il n'y a que les réussites qui passent la rampe.

— Qu'est-ce qui peut mal tourner?

— Oh! des centaines de choses. Vous avez déjà entendu parler des complications postopératoires?

Je lui fis un petit signe de tête affirmatif. Il renchaussa ses lunettes et ses yeux parurent soudainement beaucoup plus gros.

— C'est un terme fourre-tout qui englobe tous les imprévus. Et ceux-ci ont généralement en commun d'entraîner la mort du patient. Avec les opérations à cœur ouvert, il y a de nombreuses complications postopératoires. Quand une chirurgie de ce genre réussit, c'est un vrai miracle — quand elle réussit, j'ai bien dit. Comptez-vous chanceux de ne pas en avoir besoin.

Je remis ma chemise et sortis rejoindre l'escorte chargée de me raccompagner à Frontenac. Si j'avais alors eu à choisir entre une opération et une chimiothérapie, j'aurais opté sans hésiter pour les médicaments.

Mais cela se passait il y a quinze jours, alors que mon angine n'était plus qu'un mauvais souvenir. Depuis, la situation a bien changé. Bien sûr, un accès d'angine ne signifie pas qu'une crise cardiaque soit imminente; tous les livres et les articles que j'ai lus sur le sujet affirment qu'un patient atteint d'angine peut mener une vie normale s'il prend des comprimés de nitro-glycérine pour combattre la douleur. Et ces textes ont tous été écrits par des médecins qui connaissaient bien le domaine. Mais, en fait, le connaissaient-ils vraiment? Soudainement, je suis frappé par l'idée que je n'ai rien lu sur les maladies corona-riennes qui aurait été écrit par un profane et aurait fait état de l'expérience personnelle d'un estropié du cœur.

Cette carence est-elle due à l'indifférence, à une incapacité physique ou à une pénurie de rédacteurs? Chaque année les maladies cardio-vaculaires tuent un million de personnes en Amérique du Nord. Comment se fait-il qu'on n'entende jamais parler des autres, des survivants?

Nous finissons peut-être tous par nous terrer, refusant d'admettre à quel point nous sommes malades et ne voulant surtout pas ébruiter la chose. Sans doute nous contentons-nous de crâner bien virilement, jusqu'à ce que le Grand Patron nous règle notre compte pour de bon. Qui perdrait son temps à écrire sur un pareil sujet?

J'enlève la feuille de la machine à écrire, la chiffonne en petite balle, puis en insère une autre soigneusement. On éprouve une satisfaction profonde devant une feuille blanche qui attend d'être noircie de l'expression de ses pensées. Et, aujourd'hui, n'importe quelle pensée ferait l'affaire. Mais je n'en ai aucune.

Si je fumais encore, ce serait le moment idéal pour allumer une cigarette; je regarderais la fumée blanche s'élever en volutes et attendrais bien patiemment que, titillés par l'inspiration, mes doigts se mettent à courir sur le clavier. Mais je ne fume plus. J'ai le cœur endommagé, mais les poumons propres. Un sacrifice à Hippocrate.

— Salut, toujours occupé?

Jim Armstrong passe la tête dans l'entrebâillement de la

porte, puis entre carrément et dépose sa tasse de café sur le coin du bureau.

— Terriblement. Je suis enterré de travail. Fais comme chez toi, tire-toi une bûche.

Il s'assoit en me décochant un sourire affable. Il porte le titre d'agent de gestion de cas, ce qui veut dire qu'il espionne pour le compte de la direction. Frontenac compte deux agents de gestion de cas, un préposé à chaque dortoir. Comme Armstrong travaille avec les détenus du dortoir ouest, je fais partie de ses brebis.

La théorie qui justifie sa fonction suppose que si les prisonniers irascibles avaient une épaule sur laquelle pleurer, ils ne se déchaîneraient pas aussi subitement en brisant tout ce qui leur tombe sous la main ou que si la crise était inévitable, l'agent responsable du «cas» pourrait au moins la prévoir et instruire ses collègues de la sécurité sur la meilleure façon de la mater. Il s'agit avant tout d'apprendre à connaître son ennemi et l'exercice n'a pas grand-chose à voir avec le bien-être des taulards. Toutefois, ces justifications sont nécessaires pour sauver la face. Il y a des agents de gestion de cas dans toutes les prisons d'Amérique du Nord. Le petit jeu absurde de l'aide à la réhabilitation est un mal endémique, une vaste comédie où chacun joue son rôle à la perfection, les uns pour le salaire, les autres dans l'espoir d'obtenir plus rapidement leur libération.

Il fut un temps où Jim était pasteur anglican; il croyait alors à la justice, à la dignité humaine et au droit des Témoins de Jéhovah d'aller au ciel avant tout le monde. Mais après qu'il eût travaillé des années au pénitencier de Millhaven et que sa femme fût morte d'un cancer, la futilité de la vie commença de lui apparaître.

Jim est un gars costaud, sociable et à la conversation facile; il a des goûts éclectiques et, dans tout le système pénitentiaire, c'est l'homme le plus remarquable, le plus cultivé et sans doute le plus intelligent que j'aie rencontré. Mais quelque chose cloche en lui. On dirait que toute sa personne est imprégnée d'une espèce de défaitisme et qu'à ses yeux la vie consiste essentiellement à attendre passivement la mort.

— Nous mourons tous un peu plus chaque jour, Tony, ne l'oublie pas.

Il m'a souvent répété ça, comme s'il avait peur que je m'oublie et jouisse un peu trop de la vie à son goût. Il m'adresse un sourire paternaliste tout en se calant confortablement sur sa chaise.

— Alors, comment ça va?

C'est là l'ouverture classique d'Armstrong et l'une des raisons de la risée dont il est l'objet. Tout comportement prévisible est vite ridiculisé en prison. Les détenus soutiennent qu'il se sert toujours des mêmes trois phrases pour saluer les suppliants qui l'attendent chaque jour à la porte de son bureau : « Comment ça va? », « Je m'en occupe. » et « Passe une bonne journée. »

Je décide de jouer à l'imbécile.

— Comment ça va, quoi?

— Ton livre, bien sûr.

— Il est presque fini.

Je sais qu'il craint que j'aie écrit sur lui. D'autres membres du personnel, qui ont prétendu avoir lu le premier jet, le lui ont affirmé. Toutefois, ce livre-là ne traite pas des prisons et encore moins d'Armstrong.

— Le dénouement est-il bon?

— Je l'espère bien. Les dénouements efficaces transforment les lecteurs en consommateurs.

Il boit son café à petites gorgées en essayant de lire la dernière page du manuscrit dactylographié rangé dans la chemise ouverte, près de mon Olivetti. Il n'a jamais trouvé le courage, au cours de ses nombreuses visites, de me demander s'il pouvait lire quelques passages. Et je ne le lui ai jamais offert.

— Est-ce une tournée mondaine ou es-tu venu me dire qu'on s'est enfin rendu compte que tout ce cirque n'était qu'une lamentable erreur et que la Commission a décidé de me relâcher sur-le-champ?

Même s'il réussit à esquisser un petit sourire pincé, je sais qu'il est loin de me trouver drôle. À cause de sa fonction, il se perçoit comme le meilleur agent de liaison entre les détenus et la Commission des libérations conditionnelles et raconte même que les décisions de celle-ci sont fondées sur ses recommandations écrites.

Une telle attitude nourrit chez les prisonniers la croyance qu'un rapport étroit avec leur agent de gestion de cas est obligatoire pour que la Commission considère leur demande d'un bon œil. Mais, au fil des mois, j'ai découvert que l'influence de Jim Armstrong auprès des commissaires n'est pas plus grande que la mienne. En fait, j'ai probablement un peu plus de poids que lui. Il est vrai que la Commission tient compte des recommandations des agents, mais celles-ci ne jouent pas un rôle déterminant dans le processus d'évaluation.

— Non, tu n'as pas obtenu ta libération. Et si ton attitude ne change pas radicalement, j'ai bien peur que tu ne l'obtiennes jamais. Tu finiras par te taper tout ton temps. Désolé, mais c'est ainsi.

Et il le pense. Comme j'aimerais pouvoir rire de ses fadaises. C'est sa manière de riposter à l'indépendance que j'affiche dans le cadre de la prison. Je ne corresponds pas au moule, je représente donc une menace. Le manipulateur est un personnage archétypal dans l'univers carcéral. Quand le système ne réussit pas à manipuler un détenu à sa guise, c'est que celui-ci est un manipulateur. Une logique toute simple.

J'ai appris que, durant les quelques semaines qui ont précédé ma crise, Jim a confié à plusieurs membres du personnel que je faisais de l'épate et que la meilleure façon de me mettre du plomb dans la tête était de m'expédier dans un établissement à sécurité maximale comme Millhaven. Depuis janvier, il a essayé de se montrer un peu plus compréhensif.

— Mon père a fait une crise cardiaque, commence-t-il, en regardant par-dessus mon épaule, dans la direction du stationnement. À cette époque, nous vivions dans l'Ouest. Le vieux, la grosse affaire de sa vie, c'était le blé. Il travaillait sans arrêt, sept jours par semaine, pressé de faire son million. Quand sa crise l'a terrassé, j'étais encore enfant et je pensais qu'il allait en mourir. Lui, il était au début de la quarantaine, dans la force de l'âge. Aujourd'hui, je suis convaincu que son attaque lui a sauvé la vie. Quand il fut remis, il changea du tout au tout. Rien n'était plus assez important pour qu'il s'emballe. Il devint imperturbable au sujet des affaires, de la politique, de l'argent et de la vie en général. Personne n'en revenait.

Il hausse les épaules et me sourit.

— Il a vécu heureux jusqu'à sa mort, survenue alors qu'il avait plus de quatre-vingts ans. Ce que j'essaie de te dire au fond, c'est qu'une crise cardiaque, c'est pas la fin du monde.

— Même une vraie crise?

Il grimace, baisse les yeux, puis contemple pensivement ma machine à écrire...

****

En novembre, alors que j'avais déjà purgé huit mois de ma sentence de quatre ans, je devins admissible à la libération conditionnelle de jour. Jim Armstrong me prépara pour l'audience de la Commission.

Une libération conditionnelle totale ne peut être accordée qu'après que le détenu a purgé le tiers de sa sentence, mais dès qu'il en a fait le sixième, il peut demander une libération de jour. C'est bien sûr la politique de la carotte ou du bâton qui préside aux deux types de remise. Le remords, la ferveur religieuse, le respect des liens familiaux, des signes de réhabilitation et une certaine ruse ont tous une influence favorable sur les décisions de la Commission.

J'ai vu des gars se présenter à l'audience le visage inondé de larmes, les épaules affaissées et les yeux voilés par quelque inspiration mystique, en un effort pour convaincre les commissaires qu'ils méritaient une seconde chance de vivre en société. Un voleur de banque, incarcéré à Terminal Island, donna quatre années de suite le même spectacle devant la Commission, sans jamais obtenir de résultats positifs. Finalement, comme il se moquait éperdument des conséquences parce qu'il lui restait moins de trois ans à tirer, il entra dans la salle en coup de vent, passa quinze minutes à engueuler les commissaires, leur cracha qu'ils étaient une belle collection d'imbéciles, puis sortit en claquant la porte sans donner à personne la chance de répliquer. Pour cette représentation inhabituelle, la Commission lui accorda une libération conditionnelle totale. Il en resta bouche bée.

D'après mon expérience, le candidat parfait à la libération est le criminel violent qui, durant ses premières semaines à l'ombre, s'attaque à ses compagnons de cellule, aux gardiens et à tous ceux qui ont le malheur de passer à portée de ses poings. Après plusieurs semaines de dressage au « mitard », où il sera soumis à un régime restreint, et quelques vigoureuses récidives, le candidat doit sembler entreprendre une transformation fondamentale. Tout ceci doit bien sûr s'échelonner sur une période de deux ou trois ans. Heureusement, la plupart des criminels violents écopent de sentences suffisamment longues pour pouvoir se permettre ce genre de flexibilité. À la fin de sa période d'incubation, le candidat doit être devenu malléable, conciliant, indulgent et même — oserais-je écrire — courtois. Bref, il s'est réhabilité.

Pour récompenser une conduite aussi exemplaire, les agents de gestion de cas, les aumôniers et tout le personnel feront des rapports si élogieux que lorsque le temps sera venu pour le mécréant de se présenter devant la Commission, les yeux baissés et la voix douce, son affaire sera dans le sac. Il deviendra la preuve vivante de l'influence positive d'un environnement carcéral sur la réhabilitation des délinquants.

Au contraire de la libération conditionnelle totale, la libération de jour exige que le candidat vive durant des mois, voire des années dans un foyer de transition tandis qu'il se réintègre dans la société et attend la date de son élargissement complet.

Selon Armstrong, j'aurais dû me mettre à genoux devant les commissaires, les implorer pour qu'ils me donnent une occasion de me racheter, attribuer mes crimes à un égarement mental et, surtout, jurer de travailler à changer ma personnalité et mon style de vie.

— Mais je n'ai rien fait dont je doive m'excuser. En fait, je me demande si je ne suis pas celui à qui on doit des excuses.

— Mais tu as été condamné, tonna-t-il.

— Comme tous ceux qui sont en taule, mais ça ne signifie pas que nous soyons tous coupables. D'ailleurs, mon style de vie a été assez chambardé comme ça.

— Coupable ou non coupable, ça ne change rien à l'affaire. J'essaie de t'aider à obtenir une libération, mais tu ne veux rien comprendre.

Je jouai donc le grand jeu et même si la Commission ne m'accorda pas une libération de jour, elle me donna la permission de passer les fins de semaine à la maison avec ma famille jusqu'à ce que je devienne admissible à la libération totale, en juillet. Je remerciai Armstrong. Aurais-je obtenu ces conditions sans lui? Difficile à dire. Je suis toutefois persuadé que ses recommandations seront très différentes en juillet. Mais comme il reste encore quatre mois d'ici là, j'ai des choses plus pressantes à régler.

Furtivement, je prends un comprimé de nitro dans la bouteille que je garde dans ma poche et, feignant un accès de toux, je le glisse sous ma langue. Sa présence a réveillé mon angine. À moins que ce ne soit le manque d'inspiration. En tout cas, une tension quelconque a ravivé la douleur. Il est affolant de constater à quel point le mécanisme qui déclenche ces maux est sensible. J'aimerais qu'Armstrong s'en aille, qu'il me fiche la paix. En fondant sous la langue, le comprimé provoque une légère sensation de brûlure. Son effet est presque instantané. Je sens une grande chaleur envahir ma poitrine et monter jusqu'à mon visage. Peu à peu la douleur se calme. Je contemple l'Olivetti sans rien dire. Finalement Armstrong se lève et avale le reste de son café.

— Bon, j'ai du travail à faire. Je te laisse.

Il s'arrête près de la porte et ajoute:

— Passe une bonne journée!

Kingston, Canada

21 mai 1980

Quand on s'est assuré que tous les fils sont bien raccordés et branchés, on me demande de monter sur une bicyclette fixe et de commencer à pédaler. Les médecins s'apprêtent à mesurer ma tolérance à l'effort physique. La salle d'exercices est située dans le vieille partie de l'Hôtel-Dieu, qui doit dater des années 30 si l'on se fie à la hauteur des pièces, à la peinture mouchetée et à l'ameublement en contreplaqué de bois précieux.

Tandis que je pédale, un jeune interne surveille attentivement le tracé du graphique. J'accélère lentement jusqu'à ce que l'indicateur marque 20 m/h, une vitesse que je dois maintenir le plus longtemps possible. Moins d'une minute plus tard, je sens déjà des gigotements dans ma poitrine. Tiendrai-je deux minutes?

Une trépigneuse, qui sert aussi pour mesurer la résistance à l'effort, a été rangée dans un coin de la pièce. Le jeune interne me confie qu'il préfère utiliser la trépigneuse, mais que, pour l'instant, elle est hors d'usage.

— Ça fait bientôt quatre mois qu'elle est brisée; personne ne sait comment la réparer.

Cela me semble inconcevable. Il s'agit d'un appareil très simple composé d'un moteur électrique et d'une boîte de vitesse,

235

le tout étant raccordé à deux cylindres autour desquels tourne une courroie de caoutchouc. C'est un mécanisme des plus élémentaires comparé à la complexité de ce que ce médecin est en train d'étudier. Chacun son domaine.

De toute façon, la bicyclette me semble beaucoup plus pratique que la trépigneuse. C'est l'une de ces bécanes d'exercice qu'on trouve partout dans le commerce et qui ne sont composées que de quelques pièces mobiles. La force musculaire remplace l'énergie électrique.

L'angine s'aggrave. Après deux minutes, j'arrête car la douleur ne cesse d'augmenter. Une infirmière me regarde, l'air inquiet.

— Hé! ça va pas?

C'est une rousse aux yeux bleus, criblée de taches de rousseur. Elle me caresse le front de sa main douce et apaisante. Je suis tout en nage et j'ai le teint gris. Je lui fais un signe de la tête pour lui signifier que tout va bien et elle m'aide à descendre de l'appareil et à m'allonger sur le lit. À plusieurs reprises, l'interne me jette des regards nerveux, puis revient à ses tracés.

Je fais bien attention de ne pas respirer trop profondément ; je ne veux rien faire d'excessif de peur d'alimenter encore la douleur. La crise passe en quelques minutes. Je reprends un peu de couleurs. Je me sens mieux. L'infirmière sourit. L'une de ses incisives gauches est tournée légèrement vers l'intérieur. Elle devrait consulter un orthodontiste. C'est une honte de gâcher un aussi beau sourire. Mais c'est peut-être cette légère imperfection qui lui donne tout son charme.

— Alors, ça va mieux, me demande l'interne.

Il sait que je me sens mieux. Il s'est lui-même détendu. Il ferme l'appareil et range les spires de papier quadrillé que celui-ci a dégurgitées sur le sol. Un patient peut-il mourir en faisant des tests semblables? A-t-on déjà vu un pauvre estropié du cœur qui, en essayant de tester ou de prouver sa vigueur, serait tombé raide mort, victime d'un caillot ou d'un spasme musculaire qui aurait soudainement interrompu la circulation dans l'une de ses artères? J'aimerais poser la question, mais j'ai l'impression que ça ne se fait pas. Après tout, quel expert accepterait de discuter de ses échecs avec un profane?

L'interne me demande de décrire la douleur que j'ai éprouvée. Comment a-t-elle commencé? Quels étaient ses effets? Où s'est-elle répandue? Comment s'est-elle résorbée? Il ne note rien de ce que je lui dis, comme s'il voulait simplement satisfaire sa curiosité ou pouvoir plus tard comparer de mémoire mon cas à ceux d'autres patients.

— Et, maintenant, que va-t-il se passer?

Il penche la tête.

— Je vais remettre mon rapport au docteur Burggraf; c'est lui qui décidera de ce qu'il faut faire.

— Comment m'en suis-je tiré?

— Pas très bien, j'en ai peur.

On me ramène en fauteuil roulant dans ma chambre, sise dans la partie neuve de l'édifice où l'environnement semble favoriser davantage la convalescence que ces pièces vieillottes. Deux jours se passent à attendre.

Les angiocardiographies sont exécutées dans le sous-sol de l'Hôpital Général de Kingston. Je devrais donc y être transféré par ambulance pour y subir l'un de ces tests délicats. Tout est nouveau pour moi et, à vrai dire, assez excitant. Il s'agit d'une autre étape du diagnostic qui permettra de mieux cerner le problème et de voir si on peut y remédier. Il y a des découvertes à faire et des décisions à prendre.

Je me sens comme lorsque j'étais jeune et que je mettais pour la première fois les pieds dans un pays, pressé d'explorer les lieux et de découvrir les coutumes des gens, mais partagé entre la peur de l'inconnu et l'attrait du nouveau. Le docteur Gary Burggraf m'a parlé de ce test il y a déjà quelques semaines.

— Savez-vous en quoi consiste une angiographie?

— Non.

— Je vais recommander qu'on vous en fasse subir une le plus tôt possible.

— Ah bon!

— Il y a des risques, mais ils sont négligeables.

— Négligeables? À quel point?

— Une personne sur mille en meurt.

Que pourrait-on demander de plus? Burggraf a relevé le Seigneur Koval dans son rôle de sauveur. C'est un homme au teint pâle et aux cheveux clairsemés, à la fois calme et détaché, qui porte des besicles d'instituteur. Il parle d'une voix tranquille, imprégnée d'une douceur qui sied mal à son rôle. Il est difficile de croire qu'il puisse jamais se fâcher ou élever le ton. Il m'explique en termes simples la science de l'angiologie, qui consiste essentiellement à étudier l'état des vaisseaux sanguins et lymphatiques d'un organisme.

On ne fait aucune chirurgie de pontage sans passer par l'étape préliminaire de l'angiographie. Une substance réfléchissante est alors injectée dans le sang au niveau des artères coronaires, puis on la radiographie au cours de son évolution dans les vaisseaux à l'aide d'un scanner à rayons X. Les médecins étudient ensuite les radiographies et décident en équipe de la pertinence d'une opération.

Le principe selon lequel on arrive à localiser les parties faibles des vaisseaux sanguins est connu depuis des années et a été développé de pair avec la radiographie. Ce n'est toutefois qu'en 1958 que des médecins de la Cleveland Clinic découvrirent par accident l'utilisation qu'on pouvait faire de l'angiographie pour localiser le siège de certaines anomalies cardiaques. Le docteur F. Mason Sones, Jr., et ses collègues étaient en train d'injecter une substance opaque aux rayons X dans un cathéter que celui-ci avait introduit dans l'appareil circulatoire de l'un de ses patients. Le cathéter, un long tube mince et flexible, avait été inséré dans l'artère brachiale, au niveau du coude droit, puis soigneusement enfoncé dans l'artère sous-clavière. L'intention de Sones avait été de pénétrer dans le cœur par la crosse de l'aorte, puis de se rendre dans le ventricule gauche en passant par la valvule sigmoïde. Mais le cathéter avait glissé dans l'artère coronaire droite au lieu du ventricule gauche. Horrifié par son erreur, Sones resta les yeux rivés au moniteur. Jusqu'à ce jour, on avait cru que l'introduction d'un corps étranger dans les artères coronaires aurait provoqué une instabilité cardiaque, entraîné des dommages ou déterminé une obstruction. Mais son patient ne fut en rien affecté par l'expérience. Une étape dans l'histoire de la médecine venait d'être franchie.

À la suite de cette intervention, Sones mit au point un cathéter plus facile à introduire jusqu'à l'orifice cardiaque. Il découvrit aussi qu'en réduisant la quantité de liquide injecté, on pouvait explorer des vaisseaux ne dépassant pas 100 microns, ce qui correspond environ au diamètre de la pointe d'un stylo. Le cathéter du docteur Sones marqua le début de la chirurgie de revascularisation. Ses découvertes permirent aux cardiologues de poser des diagnostics plus précis dans le domaine des affections des artères et, plus important encore, de mieux définir les besoins de leurs patients.

Ted DeJager mit un mois à m'obtenir un rendez-vous avec le docteur Burggraf. Pendant ce temps, mes douleurs allèrent de mal en pis. Je continuai de faire des marches quotidiennes, mais j'avais perdu foi en leur valeur thérapeutique. Par ailleurs, je m'étais découvert un autre sujet d'inquiétude.

Les comprimés d'Indéral, que j'avais pris jusque-là en toute confiance, commencèrent à avoir des effets étranges, réduisant mon rythme cardiaque à un incroyable quarante battements par minute, ce qui était nettement insuffisant pour alimenter mon organisme en sang oxygéné quand je faisais de l'exercice. Je commençai à tourner de l'œil durant mes marches autour de la propriété du centre. J'attribuai mon premier évanouissement à la diarrhée qui faisait alors des ravages parmi les prisonniers. J'avais d'ailleurs passé le virus à Helen et aux enfants lors d'un séjour à la maison. Mais après avoir perdu conscience deux autres fois moins d'une semaine plus tard, il me fallut bien admettre qu'il se passait quelque chose de vraiment anormal. Je pensai tout de suite avoir été victime d'une autre crise cardiaque ou, tout au moins, d'une série de crises bénignes.

Plusieurs cardiaques m'ont confié qu'avant quarante-cinq ans, ils n'avaient jamais pensé à attribuer leurs malaises au mauvais fonctionnement de leur cœur. Après cet âge, toutefois, et une première crise, la plupart avait tendance à voir des problèmes cardiaques dans la moindre indisposition. J'ai longtemps pensé que ces gens exagéraient, mais j'ai découvert que rien n'était plus vrai.

Lors de notre première rencontre le docteur Burggraf révisa ma posologie et réussit à apaiser mes inquiétudes.

— L'effet des médicaments varie selon les personnes. Aucun d'entre eux ne peut être administré à tous en doses uniformes. Ainsi, il semble que votre organisme ne puisse pas tolérer plus de quarante milligrammes d'Indéral par jour. Dorénavant, ne dépassez pas cette dose.

Durant les semaines qui suivirent, je pris donc moins d'Indéral, mais mes douleurs devinrent plus aiguës. Pour les tromper, je me mis à gober des comprimés de nitro comme s'il s'agissait de bonbons. Dès la mi-mai, je ne pouvais plus faire aucun effort physique sans raviver mon angine. Je commençai à prendre panique, à me sentir prisonnier d'une carcasse dont les jours étaient comptés. J'étais convaincu que j'allais bientôt devenir une pauvre cloche, incapable de toute activité physique et rivé à un fauteuil roulant jusqu'à ce qu'une dernière crise vienne clore le chapitre.

Quand je me rendis de nouveau chez le docteur Burggraf, il me dit que si je me soumettais à une angiographie, il pourrait mieux déterminer dans quelle mesure mes artères coronaires entravaient l'alimentation de mon cœur malade.

****

L'Hôpital Général de Kingston s'étend sur deux pâtés de maisons et domine le lac, la ville et le parc. Il est rattaché au Centre de recherches médicales de l'Université Queen et cette relation incestueuse a pour effet d'attirer, aussi bien à l'hôpital qu'à l'université, les meilleurs cerveaux de la profession. Je me compte chanceux d'être hospitalisé ici.

L'ambulancier roule ma civière dans les passages souterrains; nous faisons plusieurs virages, traversons des portes battantes et nous arrêtons devant une porte large sur laquelle on peut lire: ANGIOGRAPHIE. Une infirmière sort de la salle, signe une fiche de contrôle, puis me roule dans la pièce où on m'installe sur une table d'opération inclinable.

Un homme et une femme médecins se présentent; ils m'assurent qu'ils ont déjà fait des centaines d'angiographies et que je n'ai rien à craindre. Jusqu'à ce jour, je ne me suis pas fait de bile, mais je ressens maintenant un soupçon d'inquiétude. Ils ont l'air tellement jeunes: on ne leur donnerait pas trente ans. J'ai l'impression d'avoir affaire à des collégiens. Mais peut-être est-ce seulement parce que je me fais vieux qu'ils me paraissent si jeunes.

Une infirmière m'attache à la table à l'aide de courroies dont elle serre fermement les boucles pour que je ne tombe pas par terre quand on inclinera celle-ci. Une de ses collègues enfonce dans mon avant-bras une longue aiguille fichée dans ce qui me semble être une seringue de dix gallons remplie d'un liquide jaunâtre. Elle injecte lentement celui-ci dans mes veines, sans en oublier une seule goutte. Je ne ressens ni douleur ni malaise, mais la vue de toute l'opération me répugne.

La première infirmière allonge mon bras sur une petite table latérale et commence à enduire mon épiderme d'une solution antiseptique orange; elle travaille méthodiquement afin de n'omettre aucun endroit. Mon bras s'engourdit peu à peu, puis devient complètement insensible.

J'ai l'impression que ce n'est plus mon membre, mais une chose quelconque qu'on a enveloppée dans les draps verts et déposée à mes côtés. Ce n'est rien de plus qu'un morceau de matière orangée aux formes courbes. Un objet de curiosité.

Un des médecins le tapote.

— Vous sentez quelque chose?

— Absolument rien.

— Parfait, c'est tout à fait normal.

Il s'assoit et prend un long scalpel effilé sur le plateau à instruments.

— Vous pouvez regarder si ça ne vous gêne pas, mais, surtout, ne bougez pas.

Pendant qu'une infirmière me tient le bras, il y pratique une profonde incision. L'autre médecin essuie le sang qui sourd immédiatement de la plaie. D'une main sûre et exercée, il enfonce la lame encore plus profondément et pénètre jusqu'à l'artère brachiale.

— Dans d'autres hôpitaux, m'explique-t-il, on insère le cathéter dans l'artère fémorale, mais je préfère l'introduire dans le bras. La distance est plus courte jusqu'au cœur. Quand on passe par l'artère fémorale, on risque toujours d'avoir un accident en cours de route.

Il ne précise pas à quel genre d'accident il fait allusion et je n'ose pas le lui demander.

— Ça y est, je l'ai!

Il sort l'artère de mon bras à l'aide d'un crochet à tête arrondie. Je sens des tiraillements dans mon poignet. Une étrange sensation. Le vaisseau mis à nu est animé de battements et ressemble à un macaroni rougeâtre de piètre qualité. Le médecin y pratique une minuscule incision et, aussitôt, le sang surgit et éclabousse ses lunettes. Je suis renversé par la force de la pression. Rapidement, l'autre médecin engage la tête du cathéter dans l'ouverture pour arrêter l'épanchement, puis elle pousse lentement celui-ci dans l'artère. Deux pieds de tube de plastique flexible disparaissent dans mon bras. Je sens le cathéter contourner mon coude, puis passer sous la clavicule. La sensation est des plus bizarres, mais je n'éprouve aucune douleur.

On peut voir le cathéter se détacher nettement sur le

moniteur, mais mes artères et mon cœur sont encore mal définis. À l'entrée de l'aorte, le docteur fait une pause pour ajuster le scanner à rayons X. La mise au point s'améliore. Lui et sa collègue examinent l'écran. Ils portent tous deux des tabliers plombés pour se protéger des radiations. Quant à moi, je suis nu comme un ver sous le drap.

— Quand le cathéter sera en place, nous injecterons une teinture dans votre cœur à travers vos artères coronaires. Pendant un instant, vous allez sentir une chaleur affluer. Ne vous inquiétez pas. Il se peut même qu'elle envahisse votre côté gauche. C'est tout à fait normal. Si je vous demande de tousser, faites-le immédiatement. Toussez profondément tant que je ne vous aurai pas dit d'arrêter. Compris?

— Compris.

La tête du cathéter s'agite à l'entrée d'un des vaisseaux. À chaque battement de cœur, un nouveau flot de sang le repousse. Le médecin tourne et retourne le mince tube pour entrer dans l'artère de son choix. Fasciné, je regarde la scène se dérouler à l'écran. Il s'agit d'un problème de dextérité manuelle qui demanderait l'intervention d'un bricoleur expérimenté. Quatre, cinq, six essais sont faits sans plus de succès, le sang repoussant chaque fois la tête. Finalement, celle-ci est introduite dans la principale artère coronaire gauche où elle s'arrête.

— J'injecte la teinture.

Une bouffée de chaleur m'envahit soudainement, puis disparaît aussi rapidement. C'est tout? Un appareil photo-graphique, commandé par une pédale au pied, enregistre sur pellicule la progression du liquide. On incline la table selon divers angles. Le mécanisme de l'appareil ronronne. On injecte d'autre teinture, mais cette fois-ci la sensation de brûlure est moins accentuée. On prend d'autres photos, sous d'autres angles, puis on me fait une troisième injection. Sur le moniteur, mes artères ressemblent à une autoroute illuminée la nuit. Il m'est impossible de déceler si elles sont obstruées ou rétrécies. Peut-être s'agit-il d'une erreur. Ce serait vraiment gênant de découvrir que j'ai fait perdre un temps précieux à tous ces gens.

L'examen est terminé. On retire le cathéter et on suture l'artère. Aucun des médecins ne veut commenter les résultats. Il leur faut du temps pour étudier les radios. Je leur demande de me mettre au moins sur la piste. Ils me donnent des réponses tellement vagues que j'ai l'impression que mon cas doit être grave. Pourquoi les médecins ont-ils cette détestable habitude de refuser de discuter des résultats de leurs examens avec qui les consulte, si ce n'est avec la plus grande répugnance? Ils m'expliquent que, puisque je suis le patient du docteur Burggraf, il incombe à celui-ci de m'exposer la situation. Mais pourquoi donc? Sur quoi se fonde ce protocole bureaucratique selon lequel les patients sont toujours les derniers à être informés de leur maladie?

On me reconduit en ambulance à l'Hôtel-Dieu, puis on me ramène dans ma chambre, au quatrième étage. M. Sung est retourné dans sa famille il y a déjà plusieurs semaines. Mon nouveau compagnon de chambre est un homme sombre et morose qui déblatère contre sa femme «qui s'est enfuie avec un sale plombier» pendant qu'il était dans l'armée. Il me semble beaucoup trop vieux pour avoir fait l'armée. La première fois qu'il me raconte son histoire, je lui demande en quelle année ce désastre a eu lieu:

— En 1942, à la fin de l'été. Ça la démangeait la garce.

Il ne s'est jamais remarié. Il a passé trente-huit ans avec ce poids sur le cœur. C'est ce qu'on appelle de la rancune. Il se méfie des infirmières comme si elles étaient toutes un peu responsables de son malheur.

— Je vis sur une ferme avec mes frères. Je préfère la compagnie des hommes à celle des femmes. Avec eux, pas de gâchis ni de problèmes.

Ses deux frères sont aussi célibataires. L'expérience de leur aîné les a peut-être découragés du mariage. Quand ils disparaîtront, leur lignée s'éteindra. Ils n'auront aucun enfant à qui laisser leur ferme, leurs meubles et leurs souvenirs.

Le lendemain matin, le docteur Burggraf vient me visiter et

m'apprend qu'il a décidé de me garder à l'hôpital en attendant que l'équipe prenne une décision.

— Quelle équipe?

— L'équipe de chirurgiens et de cardiologues qui se réunissent une fois la semaine pour étudier les radios.

— Vous avez vu les négatifs?

— Bien sûr, mais je ne suis pas chirurgien. Parfois, l'opération n'est pas possible. Dans d'autres cas, on découvre que le problème n'est pas aussi grave qu'on le croyait d'abord et qu'on peut le traiter en rajustant la médication.

Malgré sa voix douce, je sais bien qu'il me raconte des blagues. J'ai vécu trop longtemps pour ne pas reconnaître les signes de la duperie: tête baissée, regard fuyant et triste et sourire équivoque. Ce que je déteste les médecins quand ils se comportent ainsi.

Cette attitude repose sur l'hypothèse que si les profanes connaissaient la gravité de leur état, ils crèveraient de peur sur-le-champ. Je ne suis pas d'accord avec ce point de vue, pas plus qu'aucun des patients gravement malades avec qui j'ai parlé à l'hôpital. Si mon cas est désespéré, je veux le savoir et si, au contraire, je suis atteint d'une affection mineure, on devrait me le dire pour que j'arrête de m'inquiéter. Ce n'est pas l'imminence de la fin qui est le plus difficile à accepter, mais le fait d'être tenu dans l'ignorance.

Je suis convaincu que tous les êtres humains sont capables de faire face aux bouleversements qui transforment leur vie grâce au sens de l'adaptation dont la nature, dans sa grande sagesse, a doté l'espèce. Il y a des gens qui traversent la vie cruellement déformés, aveugles, sourds ou mutilés et qui trouvent la force de transcender leurs handicaps et, ce faisant, d'atteindre à la paix de l'esprit. C'est la connaissance qui amène la tranquillité, qui donne la capacité de faire face à la réalité quand il n'y a plus d'espoir.

J'accepte le fait de n'être plus jamais capable de voler ni

d'éprouver cette sensation de liberté que le ciel réserve aux pilotes. J'accepte le fait d'être handicapé et de ne plus pouvoir espérer vivre aussi longtemps que Dieu ou les statistiques l'avaient prévu. J'accepte le fait d'être physiquement diminué et de ne plus pouvoir me mesurer aux hommes de mon âge. Toutefois, je ne peux pas accepter que ceux qui connaissent mon état me cachent la vérité.

Si mon cœur n'était pas sérieusement amoché, il est évident qu'on m'aurait laissé partir après l'angiographie. Serais-je plus calme si je connaissais tous les détails qui détermineront la décision des médecins? Difficile à dire. Une chose est certaine, je serais beaucoup plus heureux si je savais à quoi m'en tenir. Mais Burggraf est le médecin et je peux difficilement le forcer à me dire ce qu'il sait.

— Demain, j'aurai peut-être des nouvelles pour vous, ajoute-t-il évasivement avant de prendre congé.

Je l'espère bien. Rien n'est plus intolérable que l'incertitude. Je me sens comme lorsque j'étais écolier et que je n'arrivais pas à apprécier les vacances tant que je ne connaissais pas les résultats de mes examens de fin d'année.

Je passe la journée à flâner dans les corridors, m'arrêtant dans les salles d'attente pour lire quelques pages de vieux magazines entre deux conversations avec les infirmières ou d'autres patients. Tous ont une histoire à raconter ou des doléances à formuler. Celui qui sait prêter à autrui une oreille attentive est toujours bien accueilli.

Dans un petit salon ensoleillé à l'extrémité d'un corridor, un gigantesque téléviseur tient de jeunes visiteurs en haleine, tandis que leurs parents feuillettent sans grand intérêt des livres de poche et des magazines. Le mélo, que les marmots écoutent à plein volume, est un mélange invraisemblable de cupidité et de concupiscence, d'amour, de démence et de meurtre. Les enfants ne manquent pas une réplique. Mais que comprennent-ils au juste de ce qui se déroule sous leurs yeux? Fasciné, je regarde un moment l'émission. Les acteurs sont mauvais, l'auteur n'a aucun sens du vraisemblable et la multiplicité des intrigues et des coïncidences est absolument loufoque. Aucun feuilleton ne pourra jamais rendre l'intensité des comédies et des drames qui se jouent chaque jour dans cet hôpital. Il suffit d'être un peu attentif à ce qui se passe autour de soi pour s'en rendre compte.

Une dame âgée sort d'une des chambres situées vers le milieu du corridor. C'est une femme mince et élégante, aux cheveux gris soigneusement coiffés. Aussitôt qu'elle a refermé la porte, elle semble s'effondrer; son visage et son attitude trahissent le sentiment de résignation que lui a inspiré ce qu'elle vient de voir. Pendant une minute, elle reste appuyée contre le mur, le regard tout entier absorbé par un point quelconque, perdu sur le plancher. Une autre femme, beaucoup plus jeune, sort de la chambre et passe son bras autour des épaules de la vieille dame. Toutes deux se dirigent à petits pas vers le salon des visiteurs. Sans mot dire, elles s'assoient sur l'un des canapés, puis fixent la télé d'un air absent. Leur affliction est manifeste. Au petit écran, un mannequin pérore au sujet de la qualité de la mousse d'un autre shampooing inégalable. La vieille dame tend la main vers la plus jeune puis, quand leurs doigts se sont entremêlés, elle pousse un soupir lourd d'émotions contenues qui fait l'effet d'une douche froide dans cette pièce ensoleillée. Mère et fille se mettent alors à sangloter doucement.

Après le dîner, Helen arrive, suivie des deux filles. Habituellement, quand celles-ci me rendent visite, elles jouent aux cartes ou aux dames, ou passent de longs moments à colorier. Elles ont presque exactement une année de différence et approchent à grands pas de la puberté; bientôt nos deux fillettes maintenant efflanquées s'arrondiront, s'épanouiront et se transformeront en femmes. Ce sont deux personnalités complètement différentes que j'ai aidé à créer et elles constituent sans aucun doute mes réalisations les plus importantes.

— Qu'est-ce que le docteur a dit? me demande Helen.

— En un mot, de patienter. Il semble qu'il aura plus d'informations à me donner demain. Comme va ton travail?

Je n'ai pas le goût de parler de moi. Sa journée aura certainement été plus intéressante que la mienne. Dernièrement, elle est devenue la «femme aux ballons» chez le concessionnaire McDonald de notre voisinage. Il s'agit d'un emploi à temps partiel qui consiste à préparer des goûters d'anniversaires, avec gâteaux et ballons, pour des hordes d'enfants affamés. Le service est offert aux parents qui, craignant les désastres à la maison, préfèrent donner leurs petites fêtes sous les arches dorées. Pour ceux qui vivent en appartement, l'idée a dû sembler géniale. Pour Helen, c'est un emploi amusant qui lui permet d'oublier mes problèmes et ses appréhensions en faisant quelque chose de productif, même si, en échange, elle ne touche que le salaire minimum. Dans notre situation financière, tout ce qui peut alléger le fardeau est bienvenu. Comme la plupart des femmes de détenus, elle reçoit des allocations en vertu du programme d'assistance aux mères nécessiteuses. L'Aide sociale, nom de Dieu! Jamais je n'aurais cru voir un jour ma famille vivre d'aumônes, ni devoir l'aider à se nourrir en chipant des aliments dans les cuisines d'une prison.

Helen me raconte sa journée, puis je fais une partie de cartes avec les filles. Mon compagnon de chambre regarde ces trois femelles avec méfiance et, en tant que responsable de leur présence, j'ai également droit à ses reproches muets. Mais les filles sont polies et drôles et, bientôt, il sourit et leur offre des friandises. Helen lui adresse un petit coup de tête affable et il rougit.

Après l'heure des visites, alors qu'on n'entend plus dans le corridor que les pas feutrés des infirmières et des préposés aux malades, le docteur Rice vient me faire un brin de causette. Il est maintenant l'un des assistants du docteur Burggraf. C'est la première fois que je le vois depuis la conversation que nous avons eue, peu de temps après ma crise.

— Avez-vous vu le docteur Burggraf?

— Oui, ce matin même.

— Vous a-t-il expliqué la situation?

— Plus ou moins.

Je décide de bluffer en présumant qu'il continuera de parler si j'arrive à lui poser des questions pertinentes.

— J'ai bien peur de ne pas avoir tout saisi. Il était très occupé et avait un autre patient à voir... Auriez-vous le temps de me donner plus de détails?

Il rapproche le fauteuil de mon lit et dépose sa planchette sur la table de chevet.

— Trois de vos artères coronaires sont mal en point. Celle qui a entraîné votre crise cardiaque est complètement oblitérée. Une deuxième est obstruée à soixante-dix pour cent, ce qui est probablement la cause de votre angine, tandis que la troisième l'est à soixante pour cent. Les autres semblent être dans un état normal.

— Normal?

Il est remarquablement bien renseigné.

— Normal, vu votre âge évidemment. Mais le point essentiel est que nous ayons réussi à localiser le siège des occlusions. Croyez-moi, vous êtes vraiment chanceux. Certains patients souffrent de sténose artérielle uniforme, pardon, d'un rétrécissement de vaisseaux entiers. Dans pareils cas, la seule chose que nous puissions faire est de prescrire des médicaments et un régime strict. Mais en ce qui vous concerne, les dépôts se sont formés dans des endroits bien déterminés. La chirurgie de pontage est donc tout indiquée. Je peux vous dire que le docteur Burggraf était très content des résultats de l'angiographie. Vous êtes un candidat idéal pour un pontage : vous êtes du bon âge, votre condition physique est satisfaisante et nous ne prévoyons aucune complication, ce qui veut dire que vos chances de rétablissement sont excellentes. C'est dommage que votre état n'ait pas été décelé plus tôt; nous aurions probablement pu remédier à cette déficience avant que vous ne fassiez un infar... une crise cardiaque.

Bien dommage, en effet. Les démonstrations de sagesse rétrospective m'ont toujours amusé. Je me demande combien de patients ont jamais eu droit à ce genre de numéro.

— La décision est donc arrêtée?

— Pas tout à fait. Le docteur Salerno doit l'approuver. C'est le chirurgien. Il devrait passer vous voir d'ici deux jours. Mais, d'après moi, vous pourrez bientôt compter sur de nouvelles artères coronaires. L'idée vous plaît-elle?

Je me sens soulagé. Le docteur Rice s'en va continuer sa tournée. Le fait de savoir qu'on s'apprête à remédier à mes problèmes me plonge dans un état d'excitation tel que mon rythme cardiaque s'accélère et réveille mon angine. Vivement, je prends un comprimé de nitro et renvoie la sale bête dans son repaire.

Derrière le rideau tiré, mon compagnon de chambre ronfle bruyamment en produisant un grondement obscène et rocailleux qui profane le silence. Vers minuit, une infirmière vient nous donner nos médicaments. Le ronflement se noie dans une gorgée d'eau.

On m'a prescrit un analgésique pour calmer les élancements qui me déchirent le bras, depuis le coude jusqu'au poignet, le long de l'artère qui a été étirée. Mon épiderme a pris une inquiétante teinte violacée. L'effet du médicament est rapide. Dès que mes paupières s'alourdissent, j'éteins la lampe et me laisse emporter sur les ailes de la nuit. De l'autre côté du rideau, les ronflements reprennent en crescendo, mais je suis déjà trop loin pour m'en soucier.

****

Quelques jours plus tard, en soirée, après l'heure des visites, le docteur Tomas Salerno entre en coup de vent dans la chambre, suivi par une grande infirmière anguleuse qui porte sous le bras une planchette fort encombrée. Il s'approche de mon lit et me donne une vigoureuse poignée de main protocolaire qui me rappelle la façon dont les chefs d'orchestre invités accueillent les premiers violons au centre de la scène, juste avant le coup d'envoi. Il marmonne quelque chose qui m'échappe.

Il se laisse tomber sur une chaise, puis se penche en avant d'un air déterminé. Son adjointe s'assoit un peu à l'écart, la planchette adroitement appuyée sur les genoux et le stylo à la main. Salerno est un homme de petite taille, ni trop gros ni trop maigre, à la physionomie pouparde, au regard intelligent et vif et aux gestes nerveux. Il porte la plus grosse moustache à la gauloise qu'il m'ait jamais été donné de voir. Avec le plus grand naturel, il donne l'impression d'être branché sur un engin à retardement à la veille d'exploser.

— Vous avez besoin d'une opération — vous a-t-on expliqué ce dont il s'agissait?

— Pas exactement, docteur.

Ses yeux plongent dan les miens.

— Avez-vous des questions?

— Combien d'opérations de ce genre avez-vous faites?

Il me décoche un sourire.

— Des centaines.

— Mon cas est-il inhabituel?

— Pas le moins du monde. Ce sera presque de la routine. Toutefois, nous ne pouvons rien garantir. De quinze à vingt pour cent des patients souffrent encore d'angine après l'opération. Nous faisons peut-être tout ça pour rien.

Il parle par saccades.

— Et que se passe-t-il dans le cas des autres quatre-vingts à quatre-vingt-cinq pour cent?

— La guérison est complète.

— Combien de temps la convalescence durera-t-elle?

— Ça dépend de vous. De deux à six mois. Mais je dois vous avertir: vous risquez aussi de mourir.

— Un risque de quelle importance?

J'aimerais qu'il soit plus explicite.

— Comptez un pour cent.

— Vous voulez rire! Vous êtes à ce point sûr de vous?

— Je suis sûr que vous avez les meilleures chances de vous en tirer. Mais vous pouvez aussi ne pas avoir de veine. De temps à autre, je perds un patient. On ne peut pas tout prévoir. Je fais du mieux que je peux et je suis un bon chirurgien. L'un des meilleurs dans le domaine. Alors, qu'en dites-vous?

— Quand comptez-vous opérer?

Il a un bref hochement de tête et saute sur ses pieds, comme un acrobate.

— Parfait. J'apprécie les hommes qui savent prendre des décisions. Je vais essayer de vous mettre à mon horaire d'ici deux ou trois semaines. Votre cas n'est pas urgent. Ne vous inquiétez pas et détendez-vous. Je m'occupe de tout.

Et le voilà reparti, à la vitesse d'un destroyer, entraînant l'infirmière anguleuse dans son sillage. Allongé dans mon lit, j'essaie de mettre un peu d'ordre dans mes pensées. Maintenant que la décision est prise, je ressens un soulagement si vif que j'en suis tout hébété. Dorénavant, je peux espérer qu'on remédiera à mon angine et que les choses tourneront au mieux. Je téléphone à Helen pour lui communiquer la nouvelle. Nous bavardons un bon moment. Me garderont-ils à l'hôpital ou me renverront-ils à mon bureau privé de Frontenac? Ma convalescence durera-t-elle soixante jours ou six mois? Survivrai-je à l'épreuve? J'en ai bien l'intention.

Une semaine s'écoule sans plus de développements. Le docteur Salerno a tellement de patients à opérer d'urgence qu'il lui est difficile de me ménager une place dans son horaire déjà chargé. Toutefois, le 1er juin, on m'assure que je serai opéré le 16 du même mois. Le lendemain matin, je retourne à Frontenac où m'attendent autant de bonnes que de mauvaises nouvelles.

Les bonnes nouvelles me viennent de Nancy Colbert, un

agent littéraire que je n'ai jamais rencontré, mais qui m'informe que mon *Swan Song* a été accepté par un éditeur de calibre international qui s'est engagé à le publier aussitôt que j'aurai apporté les révisions demandées. Il veut que je transforme mon livre en œuvre de fiction car, apparemment, en tant qu'histoire vécue, mon récit était trop invraisemblable. L'avance qu'il m'accorde pour ce faire est une vraie manne.

À tout hasard, quand j'étais à Joyceville, j'avais écrit à Nancy Colbert pour lui demander de m'aider à vendre le livre que j'étais en train de pondre. Peut-être est-ce cette démarche un peu étrange qui l'a persuadée d'agir, à moins qu'elle ne m'ait pris en pitié. Mais quelles que soient ses motivations, elle s'est mise au travail et je lui en suis très reconnaissant.

Les mauvaises nouvelles viennent de ce que Jim Armstrong a fait des siennes en prévision de l'audience que la Commission des libérations doit m'accorder un peu plus tard ce mois-ci. Il a l'impression que je l'ai roulé et que j'ai déjoué la Justice ainsi que le système carcéral en manipulant tout un chacun afin de mieux servir mes intérêts. Il a fait preuve d'une grande prudence dans la formulation de ses recommandations, mais ses insinuations ne trompent pas. Lors de l'audience, il ne m'appuiera pas parce qu'il est convaincu que j'ai privé le système de son bout de gras.

Eric Schwendau doit lui aussi se présenter devant la Commission. Il a été amené à Frontenac deux mois après mon arrivée et il a manœuvré de manière qu'on lui accorde autant de congés que moi. Même s'il n'est pas plus ravagé par le remords que je ne le suis, les épreuves qu'il traverse sont mieux connues d'Armstrong et donc plus acceptables. Sa seconde femme a demandé le divorce et projette de partir sur la côte Est avec leur petite fille nouveau-née. Tous ses associés et ses amis d'affaires l'ont laissé tomber. Quand il obtiendra sa libération, il s'en retournera à Toronto et devra tout recommencer à zéro. Dans son cas, la débâcle a tout emporté.

Quand on envoie un homme en prison, on s'attend à ce que son monde s'effondre. Les familles solidaires et aimantes, les enfants non perturbés, les femmes fidèles et les écrivains cardiaques qui réussissent à se dégoter des bureaux privés sont considérés comme autant d'outrages à la raison. Ce n'est pas là l'idée que l'on se fait de la vie d'un homme dont le système pénitentiaire est censé assurer la réhabilitation.

Mais dorénavant tout ce cirque me laisse indifférent et il n'est plus question que je me fasse de bile au sujet de l'issue de l'audience. D'ailleurs, je suis convaincu que nous serons élargis dès que nous serons admissibles à la libération sur parole, soit le 31 juillet. Les intérêts de la « Justice » ont été bien servis. Ni Eric ni moi ne représentons plus la moindre menace pour la société dans son ensemble ou le système judiciaire en particulier. Le raz-de-marée qui nous a emportés avait été bien orchestré et nous a tous deux déposés, comme des coquillages, très loin au fond de la plage. Se frayer à nouveau un chemin jusqu'à l'eau est devenu impossible. Avec un peu de chance, Eric rencontrera une femme qui l'appréciera et l'aidera à refaire sa vie, tandis que moi, je m'appliquerai à devenir écrivain, dans l'espoir de plaire au public. Nous survivrons.

Kingston, Canada

30 juin 1980

Après le déjeuner, une ambulance vient nous prendre à l'Hôtel-Dieu pour nous reconduire à l'Hôpital Général de Kingston. Un homme de haute stature, qui porte avec élégance son kimono d'hôpital, m'accompagne. Il a plus de soixante-dix ans et c'est un autre patient du docteur Salerno. Il me confie qu'on s'apprête à lui faire une seconde valvuloplastie.

— Une autre?

— Oui, j'en ai eu une il y a quelques années, mais ces emmerdeuses de valvules m'ont lâché de nouveau.

La valvuloplastie est une intervention du même type qu'un pontage. À soixante-dix ans, est-il encore suffisamment solide pour pouvoir se remettre d'une opération aussi importante? Cela ne semble pas l'inquiéter le moins du monde. Peut-être est-ce une question de vie ou de mort et qu'il a accepté la situation avec philosophie.

Il fait chaud dans l'ambulance, mais, dehors, le temps est encore plus intenable. Le ciel, bleu cobalt, est parsemé de minuscules boulettes de nuages entre lesquelles s'entrelacent les traînées gazeuses que laissent les avions sur les diverses routes aériennes. Je ne manque rien du spectacle qui se déroule autour de moi: ici et là des oiseaux font la chasse aux insectes, une couche d'air chaud forme de mystérieux mirages au-dessus de l'asphalte brûlant et, sur les trottoirs, déambulent de magnifiques jeunes filles habillées de robes de coton qui laissent tout deviner quand le soleil les traverse.

Le chauffeur et l'ambulancier discutent de base-ball, de chalets d'été ainsi que du bon temps qu'ils se payent les fins de semaine. Aucun des deux n'est marié et, à les voir reluquer les petites robes de coton, ils n'ont pas l'air de le regretter.

À l'hôpital, nous changeons de moyen de transport. Dans notre cas, l'appellation «malade sur pied» signifie que nous pouvons monter dans l'ambulance et en descendre sans assistance, puis marcher seuls jusqu'à un fauteuil roulant. On roule le fauteuil du vieil homme dans une direction et le mien dans une autre. Je me retrouve au dixième étage de l'un des bâtiments secondaires où l'on me donne une chambre double avec vue sur les toits et une enfilade de fenêtres. Le vert et le crème des murs et des planchers sont mornes et froids. Les quelques autres chambres de la section abritent des cancéreux en phase terminale qui attendent la délivrance finale, perdus dans le brouillard comateux où les plongent les drogues. Les brefs appels angoissés qui déchirent le silence de l'après-midi se transforment en marmonnements incohérents dès que l'infirmière administre au pauvre agonisant sa nième injection de morphine. Abattu, je m'assois sur mon lit et essaie d'avoir des pensées positives. C'est une rude tâche.

Mon opération du 16 juin a été reportée *in extremis*. Deux jours avant ma réadmission à l'hôpital, l'adjointe du docteur Salerno m'a téléphoné pour me demander si je m'étais abstenu de tout médicament pendant les deux semaines précédentes. Je lui répondis que, au contraire, j'en avais pris chaque jour. Bon Dieu, est-ce que je me rendais compte que l'Anturan était un anticoagulant? Subir une opération majeure sous l'effet de cette drogue aurait été courir à une mort certaine. On remit donc l'intervention de deux semaines pour permettre à mon organisme d'éliminer toutes les substances médicamenteuses dont je l'avais nourri. Le nouveau jour J fut fixé au 2 juillet.

La fin de semaine suivante, je me rendis en voiture avec Helen à un club de tennis de notre voisinage où McDonald's avait été engagé comme traiteur pour une réception. Au cours de la fête, les lumières se mirent brusquement à danser devant mes yeux, tandis que la douleur me tenaillait la poitrine. Une autre crise cardiaque? On m'emmena à toute vitesse au service des urgences de l'Hôtel-Dieu où je fus soumis à une batterie de tests; je me retrouvai ensuite dans l'aquarium du quatrième étage en attendant les résultats de la numération enzymatique. Si les dommages avaient été trop importants, on aurait remis la chirurgie de pontage après mon rétablissement ou peut-être même aux calendes grecques.

Je passai deux longues journées à tenter de chasser mon angoisse en nourrissant des pensées positives. Finalement, le docteur Burggraf m'annonça que mon compte enzymatique s'élevait à 187. Comment pouvait-on être aussi précis? J'avais fait une crise bénigne qui ne justifiait pas, Dieu merci, qu'on retardât l'opération. Cette rechute était sans doute due à l'arrêt de la médication et au stress émotionnel que j'éprouvais dans l'attente du grand événement.

Afin de m'épargner toute autre complication, on décida de me garder à l'hôpital jusqu'à l'intervention. Je ne m'y opposai pas, même si cela signifiait que je ne pourrais pas me présenter à l'audience de la Commission qui devait se tenir à Frontenac un peu plus tard cette semaine-là. Je me demandai toutefois si ces nouvelles frustrations n'allaient pas encore exacerber mon angine.

Le lendemain midi, alors que j'étais en compagnie d'Helen, Armstrong se pointa à l'improviste pour me faire signer divers documents. On voulait que je demande un congé temporaire pour ne pas avoir à payer d'heures supplémentaires à une équipe de gardiens tandis que j'étais à l'Hôpital Général de Kingston. Les règlements de l'hôpital spécifiaient qu'aucun détenu ne pouvait être admis dans ses murs sans escorte permanente. Comme un congé temporaire exemptait l'administration de la prison de cette obligation, on m'en accordait un.

— Mais ne te fais pas d'illusions, m'avertit Armstrong. Franchement, je serais très étonné que la Commission t'accorde une libération. Désolé, mais c'est ainsi.

257

Il était loin d'être navré et, comme je l'appris plus tard dans la journée, la situation ne s'annonçait pas si mal; toutefois, avant de partir, il avait réussi à réduire Helen aux larmes. Je l'aurais étranglé avec le plus grand plaisir.

Juste avant le dîner, mon agent de libération conditionnelle, Randy Grooms, me passa un coup de fil qui me ramena à de meilleurs sentiments. Il m'apprit que la Commission avait déjà statué sur mon cas et qu'elle m'accordait une libération totale à compter du 31 juillet. On me permettait aussi d'entreprendre ma convalescence à la maison, ce qui m'évitait d'avoir à retourner à Frontenac après l'opération. Mes longues années de démêlés avec la Justice étaient enfin finies. Je me sentais libéré d'un poids énorme et commençai sur-le-champ à faire des plans pour quitter Kingston. Vers la fin de la semaine, j'étais détendu et heureux et attendais avec impatience le jour de mon rendez-vous avec le docteur Salerno et son équipe de prestidigitateurs.

Aujourd'hui, assis seul dans une chambre déprimante à écouter les appels angoissés des cancéreux, je suis moins enthousiaste à l'idée du rapiéçage que me propose Salerno. Il suffirait que le scalpel glisse d'une fraction de pouce pour que je ne me réveille plus jamais. Il est encore temps de renoncer à ce projet absurde; je n'aurais qu'à remballer mes effets personnels, à descendre au rez-de-chaussée, à pousser la porte et à plonger dans la vie.

Mais quel sera mon sort si je renonce à cette opération? Sans doute vivrai-je encore quelques années en menant contre l'angine une bataille perdue d'avance et serai-je un fardeau pour mon entourage. Peut-être aurai-je droit à l'un de ces remarquables fauteuils roulants à commandes électriques qui m'évitera tout effort, si bien que mes muscles s'atrophieront complètement. La mort ne serait-elle pas préférable à une vie où je me verrais dépérir chaque jour?

L'infirmière de la section vient me présenter mon compagnon de chambre. Il s'agit d'un homme un peu grassouillet, au visage franc et ouvert, qui est doté d'une magnifique chevelure blanche.

— M. Neary est un autre patient du docteur Salerno. Il

subira lui aussi une chirurgie de pontage mercredi. Vous aurez sûrement beaucoup de choses à vous dire.

Et elle s'en retourne assister les mourants. Neary s'assoit sur la chaise la plus proche et farfouille dans ses effets à la recherche d'un comprimé de nitro. Son teint vire au gris sous l'effet de la douleur. Il ferme les yeux, crispe les paupières et attend que la crise passe.

— Ah! ça va mieux, soupire-t-il en ouvrant les yeux, quelques minutes plus tard. Quelle garce cette angine!

Ce n'est pas moi qui le contredirai. Il me confie qu'il est dans l'immobilier, qu'il est marié et qu'il a de grands enfants. Il souffre d'angine depuis déjà plusieurs années et même s'il n'a pas encore eu de crise cardiaque, son angiographie a démontré qu'il en ferait une tôt ou tard. L'idée d'être opéré l'effraie. Pour quelque raison obscure, ses craintes me confirment dans ma décision. Salerno a évalué mes chances de survie à 99 pour cent, mais ne lui en a donné que 93, sans doute parce qu'il fait un peu d'embonpoint et qu'il est plus vieux que moi d'une ou deux années. Il n'y a rien de mieux pour égayer ses horizons et se remonter le moral que de parler avec un pauvre bougre encore plus mal en point que soi. J'ai l'impression que Neary m'a été envoyé par les dieux pour m'aider à raffermir ma foi.

Je commence donc par lui exposer toutes les raisons qui justifient les pontages coronaires; je lui parle ensuite des taux de réussites et de l'évolution de ce type de chirurgie, lui souligne l'excellente réputation de Salerno et, finalement, lui énumère les effroyables solutions de rechange que nous connaissons tous deux trop bien. Tandis que je le convaincs, je me persuade aussi, ses réactions m'aidant à évaluer la pertinence des arguments que je ressasse depuis des semaines.

Comme vendeur, j'ai dû être superbe parce que, au moment où sa femme et sa fille viennent lui rendre visite, nous consentirions tous deux à une transplantation cardio-pulmonaire si cela s'avérait nécessaire.

Sa fille est à l'âge charmant de la nubilité alors que son épouse, une version plus mature de la première, est une femme replète, terre-à-terre et pleine de compassion. Un peu plus tard, Helen arrive avec nos deux filles et les deux familles, compagnes d'infortune, s'appliquent à simuler ensemble l'allégresse.

Peter s'est embarqué sur le lac Ontario à bord d'un bateau à voiles carrées et est parti pour une croisière de dix jours qui lui permettra de découvrir d'autres horizons. Helen me confie qu'elle a versé quelques larmes et qu'elle s'est fait du mauvais sang quand elle l'a vu prendre le large, mais que celui-ci était trop excité — ou discipliné — pour manifester ses émotions. J'ai bien l'intention de me rendre sur le quai pour l'accueillir à son retour.

Le lendemain, à l'heure des injections, on découvre que le cancéreux, que j'ai vu la veille perdu dans la contemplation du plafond, est mort. C'était un homme de haute stature et à l'air noble qui portait une moustache en bataille au-dessus de lèvres pâles et minces. Il devait avoir quatre-vingts ans bien sonnés. L'infirmière l'a secoué plusieurs fois. Dans les différents tubes sur lesquels il était branché s'égouttaient toujours de l'urine, du sang, du pus, de la sucrose et de l'eau, mais, lui, il était bel et bien mort.

Une fois le corps parti, des préposés s'empressent de faire disparaître toutes les traces du décès, nettoyant le lit, le plancher et les murs, de sorte que, à l'heure du déjeuner, la chambre est prête à recevoir son prochain occupant. Ni Neary ni moi n'avons faim.

— C'est aussi bien, nous déclare l'infirmière sur un ton d'experte. Les aliments solides doivent être évacués sous une forme solide. Après l'opération, il se passera plusieurs jours avant que vous puissiez aller à la selle.

Nous buvons du jus de fruit pour dîner. Nos femmes et les enfants viennent nous visiter. Les filles grimpent sur mon lit et Helen prend des instantanés qui lui serviront de souvenirs ou de mémentos, selon l'issue de l'opération. Je signe un autre testament, un geste complètement dingue, puisque le peu je possédais encore a été transféré au nom d'Helen il y a déjà des années.

Pendant toute la soirée se succède une série de visiteurs qui viennent nous donner des instructions ou des conseils ou nous encourager. C'est d'abord le docteur Salerno qui entre au petit trot, suivi d'une belle infirmière qu'il nous présente comme son assistante. Carol Harkness nous donne les consignes de la matinée :

— Vous passerez le premier M. Foster et vous, M. Neary, nous viendrons vous chercher vers 11 h 30. Essayez tous deux de faire une bonne nuit.

Puis elle nous montre comment nous devrons nous y prendre pour tousser après l'opération. Il s'agit de maintenir un oreiller serré contre sa poitrine et de la presser en concordance avec le rythme de la toux pour éviter que le sternum fraîchement cerclé ne fléchisse durant sa cicatrisation.

Les visites sont presque terminées quand une splendide infirmière aux cheveux blond vénitien se montre dans l'encadrement de la porte. Son visage et toute sa personne pourraient déclencher des fibrillations chez n'importe quel malade.

— Je suis Darby Honeyman, annonce-t-elle à la ronde. Je suis physiothérapeute.

Elle nous regarde, un peu indécise.

Avec un nom et un corps pareils, il est inutile de faire état de sa profession. On devrait l'envoyer chez les patients en phase terminale : elle n'aurait qu'à faire des exercices de respiration pour les revigorer. Mais elle est tout entière à ses affaires. Ce qu'elle a à nous dire est d'importance primordiale, aussi nous prie-t-elle de lui accorder toute notre attention. Je suis tout oreilles... et tout yeux.

— Quand vous reprendrez conscience après l'opération, vous aurez un tube respiratoire dans la bouche et la gorge, qui vous empêchera d'avaler votre langue. Vous ne serez pas capables de parler et vous serez très faibles. Alors, écoutez bien, nous avons mis au point une série de signaux qui vous permettra de communiquer avec nous. Un doigt levé signifie que vous avez mal, deux doigts en l'air veut dire que vous avez soif, trois doigts

261

que vous avez besoin de tousser et quatre doigts, que vous voulez changer de position. Alors, avez-vous des questions?

Je lui en poserais bien une douzaine, mais pas devant les enfants. Elle nous fait faire une répétition et nous questionne à plusieurs reprises pour être certaine que nous avons bien appris la leçon. Dès qu'elle s'est rendu compte que mes erreurs constantes ne constituent qu'une ruse pour accaparer sa charmante attention, elle s'en va, merveilleusement belle, soulager d'autres patients.

Nos familles nous quittent, puis les lumières s'éteignent. Il nous est interdit de boire après minuit, mais dès dix heures Neary et moi dormons déjà d'un sommeil sans rêve et sans regret.

Je me réveille un peu après l'aube et me dirige sans bruit au bout du corridor pour pouvoir contempler à la fenêtre la naissance du jour. Le soleil, sa chaleur, l'eau, les arbres, les oiseaux, le ciel. En un mot, la vie.

Je me souviens, je me rappelle
De la maison où je suis né...

Il est 7h30 quand deux jeunes hommes aux yeux clairs et sereins, à la fois rieurs et vifs, viennent me chercher. Helen est venue m'accompagner. Elle descend dans l'ascenseur avec moi. Ses mains sont glacées et tremblantes. Nous n'échangeons pas un mot. Qu'y aurait-il à dire? À l'entrée du bloc opératoire, on la conduit vers la salle d'attente réservée à la famille... ou aux orphelins. Elle attendra durant toute l'opération. Ce sera pour elle une longue faction tandis que, pour moi, le temps s'arrêtera après l'intervention de l'anesthésiste.

Alors que je franchis le dernier passage qui me sépare de mon destin, une strophe de Kipling surgit dans mon esprit. Je l'ai apprise quand j'étais enfant, sans vraiment savoir ce qu'elle signifiait. Maintenant, son sens m'est parfaitement clair.

À moins que tu ne sois l'un de ces Bohémiens
Qui vivent de maraudes

Ferme ton cœur à double tour
Et jette la clef au loin.

Hier, quand j'ai signé le formulaire d'autorisation de l'hôpital, j'ai remis à Salerno la clef de mon cœur. Jamais je n'ai été aussi heureux d'être né bohémien.

****

Le chef de file incontestable dans le domaine de la chirurgie de pontage coronaire est René Favaloro, un médecin d'origine argentine. C'est en 1967, dans la ville de Cleveland, que celui-ci réussit son premier pontage en greffant sur une artère une veine de la jambe de son patient. D'autres méthodes avaient déjà été expérimentées. Au Canada, par exemple, Arthur Vineberg avait persuadé le corps médical que l'implant d'une artère mammaire pouvait remédier aux déficiences de la circulation coronarienne. La méthode qu'il préconisait consistait à prélever une artère dans la paroi du thorax et à l'implanter au hasard dans le muscle cardiaque. Une irrigation minimale était assurée par le sang qui s'échappait ainsi dans la paroi du cœur. Le docteur Favaloro proposa, quant à lui, d'utiliser un segment de veine pour contourner le siège de l'obstruction après en avoir déterminé l'emplacement à l'aide des dernières méthodes d'exploration mises au point en angiographie.

La chirurgie de pontage coronaire fut rapidement connue sous l'appellation d'« opération à cœur ouvert », non pas qu'elle demande qu'on ouvre le cœur lui-même, mais parce qu'elle exige qu'on dévie la circulation dans un cœur-poumon artificiel. Le taux d'échecs de cette intervention fut toujours extrêmement bas et ce procédé se révéla spectaculaire pour supprimer les douleurs angineuses. Les méthodes mises au point par le docteur Favaloro devinrent si populaires qu'en 1982, en Amérique du Nord, plus d'un million de patients avaient subi avec succès une chirurgie de pontage. Pour toute obstruction majeure de la principale artère coronaire gauche, surnommée la grande faucheuse, on suggérait automatiquement une opération à cœur ouvert.

Quand le docteur Favaloro décida de retourner en Argentine, l'Institut américain de cardiologie lui remit une médaille frappée de l'inscription suivante : « *L'ardent patriotisme de cet homme envers le pays où il est né a privé les États-Unis d'un des meilleurs chirurgiens au monde* ».

Il est peut-être présomptueux de la part d'un profane d'essayer de décrire les étapes d'une chirurgie de pontage. Même si on peut consulter les communications du docteur Favaloro dans n'importe quelle bibliothèque médicale, elles ont été écrites par un chirurgien à l'intention d'autres chirurgiens et demanderaient un travail de traduction et de vulgarisation considérable pour être accessibles au grand public. Pourtant, lorsqu'on connaît les grandes étapes de cette intervention, on peut mieux comprendre les effets qu'elle peut avoir sur différents sujets.

Une fois que le patient a été plongé dans les profondeurs du néant et que tous ses muscles se sont relâchés, les chirurgiens se mettent rapidement au travail. Des aiguilles reliées à des bouteilles de penthotal et de glucose sont enfoncées dans ses bras et maintenues en place à l'aide de sparadrap ; deux autres aiguilles sont plantées dans les poignets et servent à enregistrer les pressions veineuse et artérielle. Les électrodes de l'électrocardiographe sont fixées à ses mains et à ses pieds, alors que les aiguilles de l'électro-encéphalographe, attachées à des fils de couleurs jaune, verte et rouge, sont glissées sous le cuir chevelu à deux pouces d'intervalle, la dernière étant fixée au lobe de l'oreille gauche.

Quand les connexions sont terminées, la pression du patient ainsi que toutes les impulsions générées par son cœur et son cerveau sont enregistrées par un polygraphe qui en reproduit les tracés. À mesure que ceux-ci apparaissent sur le papier, ils sont transmis à un moniteur, ce qui permet aux chirurgiens de suivre l'évolution de l'état du patient tout au long de l'intervention.

La prochaine étape consiste à introduire un tube respiratoire incurvé dans la gorge de l'opéré, par-dessus sa langue. Une sonde urétrale est insérée dans son pénis et poussée jusqu'à la vessie. Comme les sphincters de l'urètre se relâchent quand une personne est sous anesthésie, l'urine s'égoutterait sur la table pendant toute l'opération si on n'installait pas une sonde pour la recueillir dans un sac.

Un des assistants glisse une petite feuille d'acier sous les fesses du patient, ce qui permet de faire une mise à la terre et de prévenir les décharges électriques qui, autrement, gêneraient le chirurgien lors de la cautérisation des petits vaisseaux à l'aide du galvanocautère.

Finalement, une infirmière spécialiste du récurage enduit d'un antiseptique l'épiderme du patient, du cou jusqu'aux cuisses, puis en badigeonne sa jambe droite jusqu'à la cheville. La personne est ensuite recouverte d'un drap qu'on tasse entre ses jambes, puis qu'on ramène par-dessus le grillage qui protège sa tête. On ne voit plus du tout son corps, à l'exception d'un étroit rectangle jaune, au niveau de la poitrine.

Les tubes du cœur-poumon artificiel sont fixés le long de la table. L'appareil, qui est monté sur un bloc de pompes centrifuges, ressemble à une petite laveuse qui serait munie d'une porte de chargement latéral percée d'un hublot. Sans cet appareil, il serait impossible de faire des opérations à cœur ouvert.

Un cocktail froid composé de glucose et d'eau est injecté dans le cœur-poumon avant l'opération; ce mélange a des propriétés comparables à celles du sang, mais offre aussi l'avantage de réduire les risques de surinfection que l'utilisation de sang entier pourrait entraîner. Quand l'appareil est en marche, il abaisse la température du patient à 28° C et élimine le gaz carbonique de son sang tout en l'oxygénant. Un peu d'héparine est ajoutée au mélange pour que le sang ne coagule pas pendant sa circulation hors du corps.

Le cœur-poumon réintroduit le sang dans l'organisme en imitant les pulsations du muscle cardiaque. Cette méthode a été mise au point après qu'on eût constaté que les appareils qui produisaient un flux à pression constante provoquaient des congestions, des dommages cérébraux et d'autres complications vasculaires.

Avant de commencer à opérer, le chirurgien s'assure que le patient est parfaitement inconscient en vérifiant la dilatation de ses pupilles, puis il jette un dernier coup d'œil sur le polygraphe et le moniteur. Quand tout est fin prêt, les lumières baissent momentanément, puis retrouvent leur éclat alors que la génératrice d'appoint entre en fonction.

En tendant l'épiderme entre son pouce et son index placés sous la gorge du patient, le chirurgien fait une profonde incision le long du sternum, exposant une mince couche de gras jaunâtre. Du sang jaillit de la plaie. Les petites veines sont clampées puis nouées et les capillaires sont cautérisés à l'aide du galvanocautère.

Quand tout le sang a été épongé, le chirurgien commence à couper le sternum avec la scie circulaire. De la fumée bleue et une fine poussière blanche montent de la lame qui geint en sectionnant l'os de bas en haut. Un assistant s'empresse de sceller la moelle avec de la cire d'abeille afin de la protéger de l'air.

Le chirurgien insère ensuite un solide écarteur en acier inoxydable entre les deux parties de l'os et en ouvre lentement les mâchoires pour obtenir une ouverture de neuf pouces de large. Il est extraordinaire que rien ne se brise durant cette étape pour le moins brutale. Heureusement, les côtes ne sont pas soudées à la colonne vertébrale par des cartilages résistants comme elles le sont au sternum. Par ailleurs, ce sont des os naturellement souples qui fléchissent continuellement au rythme de la respiration. Les meurtrissures causées par cette violente intrusion se résorberont avec le temps.

L'ouverture ménagée dans la poitrine permet de voir les poumons qui reposent immobiles, leur surface rose mouchetée luisant sous la lumière. Maintenant que le vide thoracique a été envahi, le patient ne peut plus respirer. L'un des assistants presse régulièrement une poire en caoutchouc afin de refouler de l'oxygène dans la trachée. Il continuera jusqu'à ce que le cœur-poumon prenne la relève.

Après avoir écarté les poumons, le chirurgien soulève la membrane péricardique qui enveloppe le cœur et, méticuleusement, y pratique une incision. Le sombre muscle cardiaque, qui bat encore avec la régularité d'un métronome, vient d'être mis à nu.

L'étape suivante consiste à ouvrir les veines caves qui assurent la circulation du sang non oxygéné. Le chirurgien comprime la première à l'aide d'un tourniquet, puis en réduit le diamètre de moitié en y installant un petit clamp recourbé. Il y exécute ensuite une suture en tirants de bourse, puis y fait une incision où l'un des assistants insère un cathéter de plastique relié au cœur-poumon. Finalement, il serre les tirants autour de la tige pour l'immobiliser. Il procède de la même façon pour introduire un autre cathéter dans la seconde veine cave et placer une sonde plus petite dans l'artère fémorale, au niveau de l'aine. C'est par ce dernier tube que l'appareil renverra dans le corps le sang oxygéné.

Pour empêcher le sang de se coaguler dans l'appareil, on injecte une forte dose d'héparine dans le bras gauche du patient. L'équipe vérifie une dernière fois les indications du moniteur ainsi que les clamps, les aiguilles et les tubes de perfusion pour s'assurer que tout est en ordre.

Le chirurgien pousse alors un bouton pour mettre en marche les pompes centrifuges, puis retire les pinces des trois cathéters : le sang se précipite aussitôt derrière le hublot du cœur-poumon en dessinant un bougainvillier du plus beau rouge. Le chirurgien comprime immédiatement l'aorte avec un simple clamp à angle droit et le grand muscle de la vie s'étire, frissonne, puis s'immobilise. À cet instant précis, le sang qui passe par l'artère fémorale tourne du noir au rouge brillant. L'oxygénation et la circulation du sang sont dorénavant assurées artificiellement. Techniquement, le patient est mort.

On se sert d'une solution aqueuse froide pour maintenir le cœur à 4° C durant l'opération. Ce mélange ralentit le processus de décomposition qui corromprait le muscle beaucoup plus rapidement s'il demeurait sec pendant tout ce temps. Désormais, il faut faire vite, pour paraphraser une expression que les avocats emploient à toutes les sauces. Après deux heures de circulation artificielle, l'organisme commence à se détériorer. La vue, l'équilibre, la coordination ainsi que la mémoire peuvent s'altérer à cause de déficiences du système nerveux qu'il sera, par la suite, très difficile de diagnostiquer. Les chairs et les os trop longtemps exposés à l'air se nécrosent et ne peuvent plus se régénérer. Les médecins doivent donc travailler très rapidement.

Pendant qu'une équipe intervient au niveau de la poitrine, une autre s'affaire sur la jambe droite et l'incise de l'aine à la cheville pour prélever trois pieds de veine. Les jambes sont irriguées par un si grand nombre de vaisseaux que la qualité de la circulation n'est pas affectée si on en prend un ou deux. Toutefois, cette opération exige une extrême précision. Après le prélèvement de la veine, il faut cautériser toutes les extrémités de ses branches colatérales; les points de jonction de celles-ci avec le greffon seront aussi refermés puis soigneusement scellés pour qu'il puisse résister à la pression qui s'exercera contre ses parois quand il jouera le rôle d'une artère coronaire. La moindre fuite pourrait être fatale.

Les veines et les artères sont munies de valvules qui ne permettent la circulation du sang que dans un sens. Pour pouvoir remplacer une artère, le greffon doit être inversé afin que son système de réglage ne bloque pas la circulation.

Même si le calibre d'une veine est à peine plus gros que celui d'une aiguille à tricoter, ses tissus, beaucoup plus souples que ceux d'une artère coronaire, s'étireront suffisamment pour pouvoir supporter les pressions élevées auxquelles ils seront désormais soumis. Au fil des ans, des dépôts se formeront dans les greffes qui se rétréciront comme les autres artères coronaires. Toutefois, avant que ce processus n'affecte la santé du patient, il se sera écoulé de nombreuses années et celui-ci approchera du terme de sa vie, alors que tous ses organes flancheront les uns après les autres.

La veine est divisée en segments de six pouces. Si le patient est petit et qu'il a besoin de cinq pontages au lieu de trois, on prélèvera une veine sur chacune de ses jambes plutôt que sur une seule.

Une infirmière place sur le nez du chirurgien des verres de puissance 2X et lui remet le premier greffon ainsi qu'une aiguille courbe et un fil de soie numéro 3. Le chirugien joint d'abord les segments aux artères coronaires, en aval du siège des obstructions repérées par l'angiographie. Pour ce faire, il ménage au scalpel un minuscule orifice au niveau de chaque embranchement, puis y insère les greffons et les coud en place. Il enduit les sutures d'un produit de scellement qui les empêchera de fuir jusqu'à ce qu'ils se soient soudés aux artères, ce qui se produira au cours de la première semaine après l'opération.

Il greffe ensuite les veines sur l'aorte tandis que la température du cœur est élevée graduellement. C'est un travail astreignant qui demande une patience infinie et une incroyable dextérité manuelle. Certains chirurgiens travaillent plus rapidement que les meilleures couturières et enfilent les points à une vitesse phénoménale. D'autres sont plus lents, mais, dans tous les cas, la vitesse est capitale. Moins le patient reste branché longtemps sur le cœur-poumon, plus les risques de complications postopératoires sont réduits. Mais la vitesse et la précision s'acquièrent avec la pratique; c'est pourquoi on enregistre un plus haut taux de succès et moins de problèmes postopératoires dans les hôpitaux spécialisés en chirurgie de pontage que dans les hôpitaux généraux.

Tandis que le travail progresse au niveau du cœur, la deuxième équipe finit de recoudre la jambe du patient et la revêt d'un bas à varices qui resserrera les lèvres de la plaie et empêchera les capillaires de saigner à chaque mouvement du patient.

Dès que les greffes sont terminées, l'opéré est prêt à recouvrer son autonomie. Un assistant injecte 20 cc de protamine dans l'appareil afin de neutraliser l'effet de l'anticoagulant.

Le chirurgien referme la première veine cave, puis retire le clamp qui comprime la crosse de l'aorte. Le cœur se remplit de sang. Cette étape est cruciale, aussi bien pour les médecins que pour le patient. Quel que soit le nombre d'opérations similaires qu'ils ont à leur actif, tous les chirurgiens cardiologues admettent qu'ils sont tendus et éprouvent une vive appréhension quand ils essaient de déceler dans ce gros muscle inerte les premiers signes de sa résurrection.

Celle-ci se manifeste d'abord par un léger frisson. Puis les impulsions émises par le cerveau s'amplifient brutalement. Un autre tremblement suit, puis un battement, puis un deuxième, et voilà le grand muscle qui s'éveille et retrouve un rythme régulier. Toute l'équipe se détend.

Chaque greffe est vérifiée de nouveau. À mesure que le cœur prend la relève, on ferme l'une après l'autre les pompes de l'appareil. Les cathéters sont retirés de la deuxième veine cave et de l'artère fémorale. Dès que les incisions ont été suturées, une infirmière coupe le courant qui alimentait le cœur-poumon. C'est l'heure de «fermer boutique».

Le chirurgien coud la membrane péricardique avec des points lâches pour que le liquide qui pourrait suinter des diverses plaies s'écoule dans la poitrine, d'où il sera drainé. Autrement, il exercerait une pression indue sur le cœur. Le spécialiste dégage ensuite l'écarteur et les moitiés du sternum reprennent leur position. Il enlève la cire d'abeille des deux parties de l'os, puis les lie avec un fil d'acier inoxydable. Il ne lui reste plus qu'à suturer l'incision de l'épiderme. Le patient est alors acheminé vers la salle de réveil, dans la section des soins intensifs, où il restera au moins vingt-quatre heures ou jusqu'à ce que son métabolisme soit revenu à la normale.

Toute intervention chirurgicale importante perturbe l'équilibre chimique de l'organisme. Le fonctionnement du foie, des reins et du pancréas est bouleversé. Les taux de sucre, de sel et de potassium ainsi que la quantité des liquides varient radicalement. L'organisme se remettra du traumatisme avec le temps. Toutefois, il arrive que certaines personnes ne puissent pas se relever d'une opération et demeurent en état de choc. Le rétablissement dépend autant de l'âge du patient, de sa constitution physique et de son état mental que de la médication. Certaines interventions se déroulent parfaitement, mais les patients meurent quelques heures ou quelques jours plus tard sans raison apparente. D'autres survivent même si, au départ, leurs chances étaient minces. Personne ne peut savoir à quoi s'en tenir tant que le destin n'aura pas tranché la question.

Kingston, Canada

2 juillet 1980

La conscience me revient sous la forme d'un brouillard vaguement illuminé par l'éclat des plafonniers, le scintillement des fenêtres et le miroitement métallique du cadre des lits. Puis la douleur m'envahit, suintant de chacun de mes pores, térébrant mon cerveau tout entier occupé à lui échapper. L'effort que je dois faire pour voir fatigue mes yeux. Je les ferme l'espace d'un moment ou peut-être même de plusieurs minutes. Le temps n'a plus aucune dimension ou du moins suis-je incapable d'en apprécier la durée.

Quand j'ouvre de nouveau les yeux, le brouillard s'est complètement dissipé et tout m'apparaît avec une netteté parfaite. Des infirmières s'affairent à mon chevet, réglant divers dispositifs, virevoltant et murmurant entre elles. Je suis submergé par une profonde sensation de soulagement. Ça y est, j'ai survécu! Mais oui, je suis vivant! Bon Dieu, mais quelle merveille!

Je souffre peut-être comme un damné, cloué au lit, branché sur toutes sortes d'aiguilles et de tubes, urinant dans un sac, mais sacré nom de nom, je suis vivant! Une vraie veine de pendu!

Il est temps de passer aux aveux.

D'après Salerno, j'avais quatre-vingt-dix-neuf chances contre une de m'en sortir. Mais, ces derniers temps, j'étais devenu pessimiste et j'estimais que mes chances ne dépassaient pas 50 pour cent. Ce n'est pas que je croyais que Salerno me mentait, mais avec ma guigne, j'étais convaincu que le matin de l'opération il se serait levé avec un affreux mal de tête et que, pour la première fois de toute sa carrière, il aurait échappé la scie circulaire ou fait les greffes à l'envers.

J'arrive à bouger la tête à grand-peine. Ils ont haussé la tête de mon lit, de sorte que je repose assis au lieu d'être allongé. C'est une bonne chose, parce que le dos me fait horriblement mal. La chambre peut loger quatre lits, en plus du petit bureau de l'infirmière. Il manque un des lits et, à sa place, on a installé une chaise. Helen y est assise. Elle me regarde avec émerveillement. J'essaie de lui sourire, mais le satané tube qu'on a inséré dans ma gorge m'en empêche. Comment lui faire comprendre que tout va bien, de ne pas se faire de mauvais sang, que je suis vivant? Je n'arrive même pas à soulever la main tant je suis faible. Je lui fais un clin d'œil.

Son sourire de soulagement illumine toute la chambre. Je me mets à pleurer, sans raison précise. Ce sont sans doute de simples larmes de bonheur, provoquées par la certitude d'être sauvé et d'avoir, pour veiller sur moi, quelqu'un que j'aime.

Pendant un moment, je dérive sur les eaux troubles d'une réalité qui persiste à s'estomper. J'essaie de rassembler mes pensées. Il y a tant de choses que j'aimerais analyser. Mais la tâche est difficile, car mon esprit s'attarde à des vétilles qui le mènent rapidement à l'impasse. Je dois arriver à me maîtriser, à ne penser qu'à l'essentiel. Mais comment décider de l'essentiel?

Ils m'ont administré des analgésiques; je peux sentir l'effet de toutes ces drogues qui courent dans mon sang et affectent mon équilibre. Parfois je m'envole en spirale et monte haut, toujours plus haut, dans un élan irrésistible. Puis le mouvement s'inverse brutalement et je tombe dans un trou sans fin.

Un bruit qui m'est familier se répète à intervalles réguliers. Un son caverneux toujours suivi du même chuintement. Un masque à oxygène? Bien entendu. Quel idiot je suis! Je respire de l'oxygène parce que nous volons à plus de dix mille pieds d'altitude. Un violent orage déchiquette la nuit d'éclairs aveuglants. Des rafales de pluie cinglent le pare-brise tandis que la grêle martèle le radôme de l'antenne radar, telle une volée de plombs s'abattant sur un toit de tôle. J'essaie de maintenir l'équilibre de l'assiette, mais j'en suis pour ma peine. Selon tous nos instruments, nous ne sommes plus maîtres de l'avion.

Je voudrais crier, mais je n'y arrive pas. Je suffoque. J'ai besoin de tousser, rien qu'un coup, mais un bon, afin de chasser la glaire qui encombre ma gorge et peut-être alors survivrais-je. J'écarquille soudain les yeux. Tousser? Mais il me semble avoir reçu des instructions à ce sujet. Oui, ça y est, ça me revient, il y a un code pour tousser.

Oh! chère, douce et ronde Darby Honeyman. Lentement, très, très lentement, je soulève la main droite en tendant bien trois de mes doigts. Une infirmière apparaît aussitôt à mes côtés, une sympathique matrone aux yeux gris compréhensifs.

— Allons, allons, susurre-t-elle en ramenant ma main sur le drap, essayez de vous détendre. Vous allez très bien vous en sortir.

Me détendre? Mais elle est complètement cinglée. Bien sûr que je vais très bien m'en sortir si elle enlève ce satané tube de ma gorge pour que je puisse tousser, respirer librement et parler. Je fais une autre tentative, pointant vers elle trois doigts accusateurs. Est-elle aveugle ou imbécile?

Elle ramène de nouveau ma main sur le lit et, cette fois-ci, l'y maintient fermement.

— Vraiment, laisse-t-elle tomber d'un ton cassant, maîtrisez-vous, sinon vous allez arracher toutes vos intraveineuses.

Cette grosse mégère moustachue s'est juré d'avoir ma peau. Il a survécu à l'opération, docteur, mais une infirmière l'a zigouillé dans la salle de réveil. Dommage. Enfin, nous avons fait de notre mieux.

Helen est toujours assise au même endroit, de l'autre côté de

273

la pièce, mais elle est trop loin pour m'être d'aucune aide. Elle parle avec l'infirmière. Je n'entends pas ce qu'elle dit à cause du bourdonnement dans mes oreilles. J'ai également soif. Bon Dieu, comme je boirais!

Je lève deux doigts et les maintiens très haut comme une paire d'amulettes. Mais l'infirmière n'a rien de plus pressé que de venir rabattre ma main gauche. Que j'utilise une main ou l'autre ne fait aucune différence. Je suis perdu.

Chaque seconde est un nouveau supplice.

— Vous êtes réveillé?

J'ouvre les yeux. Le docteur Salerno me regarde, d'un air légèrement amusé. Sa moustache à la gauloise est retroussée sur un côté. Il porte encore la tenue verte du bloc opératoire ainsi qu'une calotte ridicule. Le quatrième lit est de retour et m'empêche de voir Helen. Neary y est allongé, suivant le même angle que moi. Il est affreux à voir. Peut-être est-il déjà mort; sinon, je ne parierais pas dix cents sur sa survie.

— Je vous ai fait trois pontages. Vous êtes un homme neuf. Mais n'essayez pas de faire d'acrobaties avant un jour ou deux.

J'essaie d'émettre quelques gargouillis de reconnaissance.

— Mademoiselle, enlevez-lui ce tube de la bouche, il est réveillé.

Quel monument de compréhension et de sollicitude que ce Salerno! Ma première réaction, sitôt le tube enlevé, est de m'éclaircir la gorge. J'oublie l'oreiller et toutes les instructions et je tousse un bon coup, bien rond et glaireux.

Ô désastre!

La douleur est indescriptible. J'ai l'impression que toutes les coutures, soudures et sutures viennent de céder.

— Vous êtes bien imprudent, M. Foster, commente sèchement l'infirmière. Vous devez tenir un oreiller contre votre poitrine pour tousser. La physiothérapeute ne vous a pas donné ses instructions?

Le docteur Salerno examine le sac de sang suspendu à l'un des côtés du lit. Celui-ci est alimenté par deux gros tubes de plastique qui ont été insérés sous mes côtes, dans la cavité thoracique. Un flot de sang continu s'en échappe et coule dans le sac qui me semble drôlement plein. Trop plein?

J'épie les réactions de Salerno. Il fronce les sourcils. L'une des greffes a-t-elle été arrachée de l'aorte? Je saigne peut-être à mort. Tandis qu'on instille du plasma dans mes veines, tout mon sang se déverse dans un sac de plastique. Merveilleux!

— C'est grave, docteur?

Salerno me regarde, étonné.

— Préoccupez-vous de vous rétablir et moi je m'occupe de ces problèmes. De cette manière, nous serons chacun moins inquiets.

C'est un bien bon conseil... mais comment le suivre? Je ne peux pas cesser de m'inquiéter.

Je me remets à somnoler. Bientôt mon sang ne s'échappe plus en filet mais goutte à goutte. La nuit finit par envelopper la chambre. Helen est partie. Je suis fatigué. Je m'endors.

Deuxième jour. Je me sens vraiment mieux. Plus fort. Je peux bouger les bras et même jouer prudemment des orteils contre le pied du lit de manière à prévenir le glissement qui résulte de l'angle selon lequel on m'a installé.

Les chemises d'hôpital doivent être repensées. Un dos de chemise en Velcro adhérant à un drap également en Velcro empêcherait les patients de glisser. Avec une chemise ordinaire, le patient se recroqueville un peu plus à chaque mouvement et, si on ne le surveillait pas, il se retrouverait rapidement tassé en petite boule au pied du lit. Je suis convaincu que Velcro est la solution.

Je suis encore incapable de soulever les épaules et, pour changer de position, j'ai besoin de l'assistance de l'infirmière. Assez curieusement, ce n'est pas la poitrine qui me fait le plus souffrir, mais le dos. L'écartèlement de ma cage thoracique s'est soldé par d'effroyables courbatures. C'est seulement en changeant de position fréquemment que je peux avoir quelques minutes de répit.

En m'adressant un maigre sourire, Neary me confie qu'il éprouve les mêmes problèmes. Je lui trouve vraiment meilleure mine qu'hier. De fait, je dirais maintenant qu'il se rétablira, si aucune complication postopératoire ne se déclare.

Des complications postopératoires. Quelle locution barbare, capable de faire frémir les cœurs les plus solides! Les médecins s'en servent dans les réunions de famille pour expliquer les causes de la mort de leurs patients. Hémorragie, choc, pneumonie, crise cardiaque, il y en a pour tous les goûts. Les « complications postopératoires » constituent une source d'inspiration inépuisable pour les chroniqueurs nécrologiques. Ça fait tellement sérieux.

Un peu après le petit jour, Salerno entre au pas dans la chambre en conférant avec deux autres médecins. Cet homme est un véritable phénomène. Mais quand dort-il? L'infirmière se lève et lui présente une planchette où, à chaque heure, on a noté ma température et ma pression. L'un de ses collègues m'enlève mon masque et y colle l'oreille.

— Ah, ah! il me semblait bien. Pas étonnant que votre sang s'oxygénait mal. Ce truc ne fonctionne pas. Vous avez respiré toute la nuit de l'air de l'échappement.

Tandis que je dormais, ils ont envoyé des échantillons de mon sang au labo. Selon les résultats des tests, j'étais en train de mourir asphyxié. La découverte semble le réjouir au plus haut point.

— Tenez, voyez vous-même.

Il me met le masque sur l'oreille, comme si j'étais sur le point de le contredire. Combien de patients le personnel de cet hôpital a-t-il réussi à faire mourir d'asphyxie? La pensée me révolte, même si je sais bien que je ne peux pas vraiment lui reprocher le mauvais fonctionnement de l'équipement. Il suspend le masque à un crochet au mur et se penche pour examiner le sac de sang avec Salerno.

— Vous ne saignez plus. On va vous débrancher.

Du sparadrap maintient en position les tubes insérés dans ma poitrine. Salerno empoigne fermement le tout et tire doucement. Je ne ressens aucun mal, mais je suis renversé quand j'aperçois la longueur de ces tubes. Au moins douze pouces de drain avaient été logés sous mes côtes.

Il débranche ensuite la sonde urétrale et la retire de ma vessie. Mon urètre est irrité sur toute sa longueur et, pendant un jour ou deux, uriner est une pénible épreuve.

Sur les quatre aiguilles qui étaient encore enfoncées dans mes bras, il en enlève deux. Je suis presque entièrement sevré.

On nous sert le petit déjeuner: une gorgée de jus de fruit et deux cuillerées de céréales. Je suis étonné de voir à quel point je suis faible. Jamais je ne me suis senti aussi chétif et incapable de tout effort physique. Il m'est souvent arrivé après avoir couru ou nagé une heure de me sentir épuisé et d'être obligé de m'allonger en attendant de retrouver mon souffle et que mon cœur cesse de se démener comme un diable. Mais dans ces cas, ce n'était pas tant la faiblesse que le manque d'oxygène qui m'affectait et il suffisait d'un peu de repos pour y remédier. Ce que j'éprouve maintenant est différent et un peu angoissant. Bien que mes sens retrouvent progressivement leur acuité, l'état de faiblesse incroyable où l'opération m'a plongé est resté stationnaire.

Helen vient me faire une petite visite après le déjeuner. Je n'ai rien mangé et je n'ai pas le goût de parler ni de penser; en fait, je n'ai envie de rien d'autre que de me reposer. Je sais que mon attitude est parfaitement égoïste. Elle voudrait simplement m'entendre dire que je me sens mieux. Une blague, un commentaire ironique lui suffirait. Mais j'en suis incapable.

L'un des lits vides est roulé hors de la chambre; quelques minutes plus tard, on le ramène, escorté par Salerno et son équipe. Le vieil homme qui a été transporté en ambulance avec moi depuis l'Hôtel-Dieu y est allongé. On lui a fait une valvuloplastie.

Je l'examine d'un œil averti. Même endormi, il a meilleure mine que Neary après son opération, mais il perd tellement de sang qu'on croirait qu'il est en train de se vider dans son sac. Les médecins ne le quittent pas des yeux. Après cinq minutes, le flot de sang n'a pas encore diminué.

— Nous avons une fuite, lance enfin Salerno. Allons, il faut réopérer.

Et ils s'en retournent tous au bloc opératoire. Le pauvre vieillard... je sais bien qu'il ne survivra pas à une seconde opération. Le choc aura raison de lui. Son épouse accompagne les médecins en pleurant tout doucement. Moins d'une heure plus tard, on le ramène — vivant! Je n'en reviens pas.

Avec la fin de l'après-midi, les carreaux s'empourprent. Helen s'en retourne à la maison. Trente heures se sont écoulées sans aucune complication. J'ai l'impression qu'on a rembourré ma poitrine de duvet, mais c'est toujours du dos dont je souffre le plus. C'est vraiment étrange. J'aurais cru que ma poitrine m'aurait davantage incommodé. Le sternum n'est peut-être pas suffisamment innervé pour causer de la douleur. Si je compare ce que je ressens maintenant à ce que j'ai éprouvé durant les trois jours où j'ai été cloué au lit après m'être brisé les côtes, je dirais que la douleur provoquée par la fracture du sternum est deux fois moins intense. A-t-on pensé à classer les douleurs post-opératoires selon une échelle qui permettrait aux patients d'évaluer l'intensité du mal qu'ils ressentiront en la comparant à une douleur qu'ils connaissent déjà. Si cela n'a pas été fait, on devrait y songer.

Pour dîner, je prends surtout de la nourriture liquide; mastiquer me demande trop d'énergie. Je signale à l'infirmière que j'ai besoin d'uriner et elle me remet un becher en métal. Je le mets en place, mais, manque de pot, l'angle suivant lequel je suis couché ne permet pas le fonctionnement de ma robinetterie. Je me tortille avec prudence pour me placer de manière que mes jambes pendent du lit, puis je m'assois. Mes sphincters se relâchent et un torrent d'urine se déverse dans le becher. Je ressens aussitôt une brûlure folle.

Tout de même! Je dois avoir repris des forces, puisque ce matin j'aurais été bien incapable d'un tel exploit. Le progrès n'est rien de plus qu'une suite de petits triomphes. Mais l'infirmière n'est nullement impressionnée par mes prouesses et me somme de me recoucher.

— Hé! Neary, comment te sens-tu?

— Très mal, merci.

— Moi aussi. C'est vraiment l'enfer, n'est-ce pas? Mais sais-tu ce qui est bien?

— Quoi?

— Nous sommes vivants, mon vieux.

Au milieu de la nuit, le cœur du vieil homme cesse de battre. Quand j'ouvre les yeux, une équipe d'infirmières et de médecins est déjà rassemblée autour de lui et, dans la plus grande frénésie, tente de le réanimer. Une pluie de coups s'abat sur sa poitrine.

Ah! mon doux Jésus, j'ai mal pour lui!

Mais rien n'y fait. Le moniteur reste muet. Un médecin enfonce une aiguille dans sa poitrine, alors qu'un autre applique des électrodes en divers points de son corps. À chaque décharge électrique, il est violemment secoué et se raidit comme un monstre dans un film d'horreur. On lui administre quatre, cinq, puis six décharges avant que son cœur ne se remette enfin à battre. Lentement, mais régulièrement, des pointes et des creux fluorescents apparaissent sur le moniteur. Plusieurs minutes s'écoulent, puis, après avoir donné à l'infirmière de garde la consigne de rester aux aguets, l'équipe se disperse. Ni Neary ni moi n'avons droit au moindre regard de sympathie. Si nous avons survécu quarante heures, c'est que nous sommes sortis d'affaire. Je finis par me rendormir.

279

Troisième jour. Ce matin, j'ai faim; j'avale donc un substantiel petit déjeuner. C'est une bonne sensation et, d'après l'infirmière, c'est aussi un bon signe. Le vieil homme est également réveillé et il fixe le plafond sans battre des paupières. Il ne perd plus de sang, mais on ne lui a toujours pas retiré ses cathéters. Mais c'est un vrai dur à cuire, ce vieux-là!

Au milieu de l'avant-midi, Salerno vient faire un saut pour vérifier l'état de santé de notre compagnon. Il porte toujours ses mêmes fringues vertes. La seule fois où je l'ai vu habillé autrement, c'est quand il est venu me rendre visite à l'Hôtel-Dieu. Il doit vivre dans cette tenue.

— Vous deux, on vous transfère au deuxième de la Victoire. J'ai besoin de vos lits.

Nous n'avons pas le temps de placer un mot qu'il est déjà parti. Quelques instants plus tard, deux proposés arrivent en poussant des fauteuils roulants. Ils nous aident à descendre de nos lits. L'effort semble herculéen. Épuisant.

On dépose de grandes enveloppes brunes sur nos genoux — de quoi nous occuper pendant le voyage. Nous remercions et saluons nos infirmières. À mesure que je prenais du mieux, elles sont devenues plus gentilles et prévenantes à mon égard. À moins que ce ne soit qu'une illusion, puisqu'elles s'acquittent généralement de leur travail avec une compassion et un dévouement extraordinaires.

Nous voilà partis. Nous nous engageons dans un véritable labyrinthe de corridors encombrés qui s'étirent à n'en plus finir; nous passons diverses portes, prenons plusieurs ascenseurs, tournons ici, virons là, jusqu'à ce qu'enfin nous atteignions notre destination. Neary aboutit dans une chambre à quatre lits, tandis qu'on me donne une chambre double, à plusieurs portes de la sienne.

Les établissements hospitaliers souffrent tous de la même maladie incurable: l'expansionnite. On commence par construire un édifice bien équilibré et adapté à son rôle, bordé d'immenses pelouses verdoyantes où l'on plante quelques massifs d'arbres. Mais, rapidement, l'espace ne suffit plus et une bâtisse de six étages dévore une partie du terrain. Cinq ans plus tard, un massif d'arbres est sacrifié au profit d'une aile de dix étages : l'Annexe ouest. Et la croissance continue au même rythme, jusqu'à ce que toute la pelouse, les arbres et les rues avoisinantes aient disparu dans un fouillis de formes insolites et de dédales inextricables aux noms bizarres. Les mots annexe, bloc, aile ouest ou est sont remplacés par des appellations plus ronflantes et politiquement plus habiles. On obtient ainsi l'« Aile Mackenzie King », la « Clinique duc d'Edimbourg » ou, plus brièvement, la « Victoire ».

Dans de tels cas, l'époque des divers ajouts peut être déterminée sans trop de risques d'erreurs. L'Aile Mackenzie King remonte de toute évidence à l'entre-deux-guerres ; la Clinique duc d'Edimbourg a dû être bâtie au début des années cinquante, tandis que la Victoire date des années quarante, de cette époque fabuleuse où tout était possible.

Il serait difficile d'imaginer un endroit plus lugubre où se remettre d'une opération que le deuxième étage de la Victoire. Une cellule de pénitencier serait de loin préférable. Au moins, dans sa cellule, un homme peut jouir d'un peu de solitude et, s'il a besoin d'aide, il est à portée de voix de ses compagnons.

Ma chambre a l'air aussi misérable que l'autre patient qu'elle abrite, un homme qui se meurt d'une forme particulièrement insidieuse de cancer. Les murs ont été défoncés, brisés et repeints au moins une centaine de fois et de cent couleurs différentes. Les plafonniers jettent sur tout une mauvaise lumière jaune. La seule fenêtre de la pièce est crasseuse et donne sur une sinistre enfilade de fenêtres tout aussi sales. Les carreaux de vinyle du plancher sont fendillés ou déchirés et certains sont même cornés. De l'eau dégoutte sans cesse du réservoir du cabinet en produisant un bruit qu'on dirait tout droit sorti des profondeurs d'un donjon. Les meubles sont très vieux et créent un décor strictement fonctionnel, sans charme ni chaleur. Le deuxième de la Victoire est une crypte où l'on entasse les agonisants, les esprits confus et les âmes désespérées. Un véritable mouroir. Ni les infirmières ni les patients n'ont choisi d'être ici.

Le préposé m'aide à me mettre au lit. Une infirmière

décharnée me regarde d'un œil soupçonneux. Elle a de vilains petits yeux noirs fichés dans un minuscule visage carré. Le préposé lui remet l'enveloppe brune et tous les deux sortent de la chambre, l'infirmière se plaignant à la ronde qu'on lui fait manquer sa pause café. Je me recroqueville dans mon lit, complètement abattu.

Mais cet après-midi-là, Helen réussit à me faire rire au point où j'ai l'impression que toutes les attaches de métal de mon sternum vont sauter. C'est un rire de soulagement, légèrement hystérique, une émotion que rien ne peut plus endiguer. La cause de ce délire tient à la description qu'Helen me fait des absurdes et pathétiques signaux que je lançais dans la salle de réveil : la clef du confort et de la survie selon Darby Honeyman.

Nous nous tordons de rire tant et si bien que des larmes roulent sur nos joues. Deux infirmières se pointent et nous regardent bouche bée. Des éclats de rire au deuxième de la Victoire? Mais personne ne rit jamais à la Victoire. Personne n'oserait jamais.

Quatrième jour. Mon compagnon de chambre a déliré toute la nuit. Il semble que cela soit dû aux substances chimiques qu'on lui administre, parce qu'on vient juste de l'opérer, pour l'insensibiliser à la douleur. Comme le cancer s'est répandu dans tout son organisme, on lui fait subir une chimiothérapie. Avec un peu de chance, les drogues le tueront avant le cancer...

Cela me rappelle le cas de Glen Veley, le chef cuisinier de Frontenac. En novembre, quand les médecins ont découvert qu'il avait le cancer des poumons, il était déjà trop tard pour l'opérer et ils lui ont prescrit une chimiothérapie, c'est-à-dire un savant mélange de foutaises et d'espoir. Et, bien sûr, il a misé sur l'espoir. Veley m'a enseigné les rudiments de la pâtisserie. C'était un homme fruste et difficile à vivre, mais profondément loyal et même aimable une fois qu'il avait désarmé. Nous devînmes bons amis. Lui, le maton, et moi, le taulard. Ses talents de cuisinier étaient remarquables, même si très peu de ses compagnons de travail et de détenus les appréciaient. En fait, il était l'un de ces chefs qui, dans une cuisine, font des miracles.

Chaque année, il prenait avec sa femme des vacances en

Floride. En avril, à leur retour de Daytona, l'une de ses artères s'est brusquement rompue; il a fait une hémorragie et est mort étouffé dans son sang. Qu'est-ce qui l'a tué? Le cancer ou le traitement? Je n'ai jamais pu lire son certificat de décès et Jim Armstrong m'a refusé la permission d'assister à ses funérailles.

Dans la vie quotidienne, Veley et Armstrong donnaient constamment l'impression d'être à couteaux tirés. J'ai toujours regretté de ne pas avoir vu ce dernier agenouillé à l'église en train de prier pour le salut de l'âme de son rival.

L'équipe change à la pointe de l'aurore. C'est une nouvelle infirmière qui distribue les médicaments. Encore une nouvelle, car il semble que toutes considèrent le travail au deuxième de la Victoire comme une épreuve. Aucune n'est jamais volontaire et l'administration doit les y affecter d'autorité.

Je reçois de la Digoxine pour régulariser mon rythme cardiaque, un minuscule comprimé de diurétique qui me fait évacuer des gallons d'urine et un petit gobelet de papier rempli d'une solution à base de potassium pour compenser la perte provoquée par le diurétique. Tout cela ressemble fort à un chien qui court après sa queue. Apparemment, divers liquides s'accumulent rapidement dans l'organisme après une opération et il est essentiel de les éliminer. Toutefois, comme on détruit ainsi une bonne partie du potassium en réserve dans le corps, on doit immédiatement le remplacer.

J'ai toujours la sensation que ma poitrine est remplie de duvet, mais mes maux de dos commencent enfin à se calmer. J'arrive de nouveau à pouvoir penser normalement, bien que je me sente constamment au bord des larmes. Hier soir, quand j'ai voulu remercier Salerno de ses efforts, ma voix s'est brisée et j'ai cru un instant que j'allais éclater en sanglots. C'était plutôt embarrassant. Peut-être est-ce l'un des médicaments qui exacerbe ainsi ma sensibilité. Je regarde le pauvre diable qui est couché dans le lit voisin et je sais que, même s'il n'est pas plus âgé que moi, il mourra bientôt tandis que je continuerai de vivre. Je me compte vraiment chanceux d'être né suffisamment tard dans ce siècle pour subir une opération dont on a achevé la mise au point juste à temps pour sauver ma vie. Chacune de mes pensées me remplit d'un sentiment de gratitude d'une telle intensité que j'en verserais des torrents de larmes. Jamais je n'ai rien éprouvé de tel. J'espère que cette sensation s'atténuera et que je ne quitterai pas l'hôpital en pleurant comme un veau ou en hoquetant des phrases incompréhensibles. Je dois absolument arriver à me dominer.

Après le petit déjeuner et la tournée des médecins, on m'incite à essayer de marcher. Déjà? Mais après tout, pourquoi pas? Ma première tentative se résume à tituber en sept petits pas prudents jusqu'à la salle de bains. J'ai l'impression de m'être aventuré au bout du monde. Je m'assois et entreprends de faire un vigoureux effort pour soulager mes intestins de tout ce qui s'y est accumulé depuis cinq jours. Mais la tâche se révèle impossible. Le moindre effort, la poussée la plus timide me déchire la poitrine.

Épuisé, je reste assis à essayer d'imaginer une autre solution à mes problèmes. Pour l'instant, il semble que je ne puisse rien faire pour évacuer toutes ces selles bloquées à la sortie. C'est plutôt exaspérant.

Je me penche en avant en espérant qu'un changement d'angle ouvrira le passage. Mais rien n'y fait. Je redresse le torse et, durant quelques minutes, je compte sur l'effet de la gravité. Aucun résultat. Je suis déterminé à ne pas m'avouer vaincu. Patience, patience, ayons des pensées positives, imaginons des choses plus agréables comme un vol de papillons par une belle journée d'été ou un bouquet de tournesols dodelinant de la tête, bercé par la brise. EN CAS D'URGENCE, SONNEZ POUR APPELER L'INFIRMIÈRE me recommande l'avis peint sur la porte, juste devant mes yeux, mais ce que celle-ci pourrait faire pour me tirer de cette fâcheuse situation n'est pas mentionné.

De longues minutes s'égrènent. Puis quelque chose se met enfin à bouger, avec un petit sursaut plein d'impatience. Un coup frappé à la porte me fait perdre ma concentration.

— Ça va là-dedans.

Il s'agit davantage d'une affirmation que d'une question. Quand j'ai besoin d'une infirmière, j'ai beau presser durant quinze ou vingt minutes le bouton de la sonnerie du lit, tout ce que j'obtiens, c'est un pouce endolori. Et maintenant que j'essaie d'entretenir des pensées positives assis sur un cabinet d'aisances, mon bien-être devient d'une suprême importance pour les infirmières de l'étage. Je peux en entendre deux, voire trois d'entre elles discuter de mon cas avec la plus vive inquiétude.

— Oui.

Je leur jette ce mot en pâture; après tout, elles y ont bien droit. Le reste ne les regarde pas.

— Si vous avez besoin d'aide, n'hésitez pas à sonner.

Elles s'en vont. Plusieurs minutes s'écoulent encore. De la sueur perle sur mon front. Puis je ressens un affreux déchirement. Délivrance! Le soulagement qui suit l'expulsion de ce bouchon compense largement la douleur causée par l'effort. Je reste assis, en pleine extase, oubliant tous mes problèmes. Avec la quantité de comprimés et d'injections qu'on m'administre, je ne comprends pas qu'on n'ait pas songé à me donner un laxatif.

Je m'en retourne me reposer. La sensation d'épuisement général que j'éprouve est fort différente de tout ce que j'ai pu expérimenter jusque-là. C'est une fatigue extrême qui m'enveloppe des pieds à la tête, en passant par chaque extrémité, chaque fibre de mon corps. En fait, même mes cils semblent de plomb.

Les infirmières et les internes qui viennent visiter mon pauvre compagnon m'assurent qu'il est bien normal que je me sente ainsi après une intervention aussi importante. Mais leur avis me laisse perplexe : ils sont tous trop jeunes pour avoir eux-mêmes subi une opération de ce type. Seuls ceux qui ont déjà traversé l'épreuve peuvent faire autorité en la matière. Je suis de plus en plus convaincu qu'on devrait écrire un manuel sur les effets postopératoires des grandes interventions selon le point de vue des patients et non d'après les observations des médecins. On pourrait, par exemple, dresser une liste alphabétique des diverses opérations et donner pour chacune d'elles les noms et les numéros de téléphone de mille personnes qui ont eu à s'y soumettre. Une idée fantastique.

Quelques jours avant mon départ pour l'hôpital, j'ai reçu un coup de fil de Californie. Un homme, que je n'avais jamais rencontré, avait appris d'un ami commun que j'allais subir une chirurgie de pontage. Comme on lui avait fait la même opération un an auparavant, il pensait que je pourrais aimer savoir qu'il s'en était très bien remis et qu'il avait même éprouvé par la suite un sentiment de renaissance. Il avait fait, à ses frais, un appel de personne à personne en plein après-midi dans le seul but de me réconforter et avait ainsi grandement contribué à ma tranquillité. Je le gardai en ligne beaucoup plus longtemps que la simple courtoisie ne l'exigeait afin de lui poser diverses questions auxquelles ni les médecins ni les infirmières n'avaient pu répondre avec satisfaction.

Son cas était similaire au mien, y compris son état de santé, son âge et la nature de sa première crise cardiaque; toutefois, quand on lui avait fait subir le test de la bicyclette fixe, il n'avait pas pu pédaler plus d'une minute. Quatre-vingt-dix jours après l'opération, il s'était remis à jouer au tennis et, un an plus tard, il faisait du jogging, courant chaque matin trois à quatre milles avant le petit déjeuner. Il avait même convolé une autre fois après s'être séparé de sa nième femme, les Californiens ayant toujours eu tendance à l'excès. À part quelques comprimés d'aspirine, il n'avait pris aucun médicament depuis près d'un an. Mais il ne me parla pas du premier mois qui suivit son opération et si j'avais su ce que j'ai appris depuis, ma conversation avec cet homme sympathique aurait sans doute duré quinze minutes de plus.

Heureusement, Neary devrait pouvoir répondre à mes questions. Je vais m'accorder une heure ou deux de repos pour rassembler mes forces, puis aller le visiter. A-t-il lui aussi l'impression que sa poitrine est bourrée de duvet? Est-il aussi épuisé et constipé que je le suis? Je le saurai bientôt.

Mes points commencent à me démanger. Une large bande adhésive blanche recouvre ceux de mon estomac et les tire avec mes poils à chaque respiration. Je suis terrifié à l'idée qu'une infirmière pourrait vouloir me l'enlever d'un petit coup sec d'experte après m'avoir assuré que «ça ne fera pas mal du tout». Combien de temps me reste-t-il avant cette heure fatidique? Très peu.

Mais c'est le savant travail à l'aiguille dissimulé sous mon bas à varices qui me cause les démangeaisons les plus pénibles. Darby Honeyman, notre ange gardien joufflu, nous a mis en garde contre les dangers de l'immobilité : stagnation du sang au niveau de la cheville, mauvaise circulation, atrophie musculaire. Elle a si bien réussi à me faire peur que, une heure après mon réveil de l'opération, j'avais déjà mis au point un programme d'exercices qui, jusqu'à maintenant, semble avoir donné de bons résultats. Chaque fois que j'y pense, je fais rouler ma cheville, plie les orteils et le genou tant que la poitrine ne me fait pas mal. En fait, à part les démangeaisons, ma jambe ne me cause plus aucun souci. Une marche jusqu'à la chambre de Neary contribuera certainement à sa guérison.

Je me rends à la porte en chancelant péniblement. Étourdi, tremblant et le souffle court, je dois aussitôt m'appuyer contre le mur afin de récupérer. Il n'y a aucune chaise dans ce corridor lugubre. Un homme se tient en face de moi, la tête enveloppée dans des verges de bandage. On l'a expédié à la Victoire après l'avoir opéré pour une tumeur au cerveau. Deux internes barbus, armés de stéthoscopes, s'en viennent visiter mon compagnon de chambre, mais, comme il est endormi, ils me demandent s'il se sent mieux. Non mais, merde, suis-je sensé pouvoir répondre à cette question ?

— Mais il est en train de mourir, non ?

— Chut ! Il ne doit pas le savoir, ça pourrait le troubler.

Il a bien raison.

— Combien de temps lui reste-t-il ?

Je gaspille mon énergie à discuter de sottises avec ces médecins. Le plus sérieux des deux hausse les épaules.

— Six jours, six semaines, c'est difficile à dire.

Aucun des deux ne parierait sur la question. Je me mets à raser le mur en titubant. Je m'arrête à la première chambre : pas de Neary. Trois très vieilles femmes aux visages émaciés et blafards posent sur moi de grands yeux lumineux. Normalement, je les saluerais de la main, mais je suis trop faible. Navré, mesdames. La porte suivante est fermée. C'est l'armoire à balais. Merde, ce doit sûrement être la dernière chambre, juste avant le poste des infirmières. Il n'y en a pas d'autres. Le corridor oscille comme un pont de corde andin. Je me plaque contre le mur et avance avec la plus grande prudence jusqu'à la porte. Neary est là, allongé dans son lit; il a le teint rouge betterave. Il me salue faiblement.

— Que dirais-tu d'une petite promenade sur l'étage?

Pure bravade... je vacille jusqu'à la chaise la plus proche et m'y laisse tomber. Neary sourit. Je ne pourrais duper personne. De l'autre côté de la chambre, un vieil homme se fait la barbe au rasoir électrique en se regardant dans un petit miroir grossissant qu'il a appuyé contre l'un des robinets. Il porte un pyjama et une robe de chambre à la mode. Je le salue d'un hochement de tête. Son visage m'est vaguement familier.

— Comment vous sentez-vous?

— Mieux.

— Ouais, ce sont les premiers jours qui sont les pires, laisse-t-il tomber sans quitter le miroir des yeux.

Je le dévisage, ahuri. Mais c'est le vieil homme de l'ambulance! Celui que Salerno a dû réopérer! Et le voilà qui se rase, bien assis. Je n'en crois pas mes yeux.

— Mais vous êtes déjà sur pied?

Une question stupide. Bien sûr qu'il est sur pied. Sa femme est assise tout près de lui et me sourit. En bavardant avec elle, j'apprends qu'elle a travaillé comme infirmière à l'hôpital Victoria, à London. D'après elle, son mari se remet très bien de l'opération. Il s'appelle Mills. Trueman Mills. Quel type extraordinaire!

Il finit de se raser, souffle sur la tête du rasoir pour en expulser les poils et se lève. C'est un homme de ma grandeur; il a le front haut et large et de grands yeux paisibles. On dirait qu'il baigne dans une aura de puissance tranquille. Je le contemple avec admiration.

— Vous devez avoir été un satané rude gaillard il y a cinquante ans!

— Je n'ai pas changé, commente-t-il en souriant.

Amen!

Neary a lui aussi l'estomac plein de plumes et il est aussi constipé, étourdi et épuisé que moi.

— Mais comment diable as-tu réussi à trouver assez d'énergie pour venir jusqu'ici? s'émerveille-t-il.

Rien qu'à l'entendre s'exclamer ainsi, je me sens beaucoup mieux. Il n'y a rien de tel qu'un peu d'admiration pour illuminer ses horizons. Nous bavardons encore quelques minutes, puis je leur souhaite tous bonne chance et me risque de nouveau dans le corridor.

Si au moins on nous avait tous donné la même chambre, nous aurions pu nous soutenir mutuellement, nous encourager l'un l'autre dans nos efforts. Mais je suis trop idéaliste pour le deuxième de la Victoire où, pour régner, on divise. Épuisé, je me traîne jusqu'à mon lit et m'endors instantanément.

Cinquième jour. Aujourd'hui, on me pèse pour la première fois depuis l'intervention. J'ai perdu quatorze livres, probablement surtout sous forme d'urine, à cause des diurétiques. D'après Helen, j'ai l'air d'un cadavre ambulant. La figure que me renvoie le miroir de la salle de bains est jaune et décharnée et ses yeux sont soulignés de deux larges cernes noirs. Comme la douleur, cette mine ne sera bientôt plus qu'un mauvais souvenir.

Je fais un peu de marche. Mon allure est un peu moins hésitante, mais je suis encore très faible. C'est cette faiblesse, ainsi que les nausées et les étourdissements qui l'accompagnent, qui m'incommode le plus. Je me sens comme si j'avais pris six verres d'alcool et un mauvais repas dans un restaurant de troisième classe, et que je n'arrivais pas à restituer malgré le malaise.

Ce matin, l'une des infirmières a voulu enlever l'adhésif de ma poitrine. J'ai protesté avec la dernière énergie. Si on doit absolument ôter ce ruban, je le ferai moi-même.

— Peuh! m'a-t-elle répondu, dédaigneusement.

À l'aide de ses ciseaux courbes, j'ai lentement détaché le ruban de ma peau, de mes poils et des points. L'opération a pris près d'une heure, mais a été presque indolore. La plaie se cicatrise bien; toutefois, celui qui a fait les points a mal aligné les lèvres à la base de l'incision de sorte que, maintenant, elles se chevauchent. Si la plaie guérit ainsi, j'aurai dorénavant une petite crête de chair à la base du sternum. À la plage, les curieux pourront s'étonner: « Dites-moi, monsieur, c'est un ver, là, sur votre estomac? »

Deux fois par jour, on enlève mon bas pour exposer ma jambe à l'air. Comme je me sens beaucoup mieux sans celui-ci, je décide de ne plus le porter. Après avoir vérifié qu'il ne s'est pas accumulé de sang au niveau de ma cheville, Salerno me donne son consentement.

Neary s'est enfin résolu à marcher. Il récupère avec une journée de retard sur moi. Je me suis rendu deux ou trois fois le visiter et l'ai grondé parce qu'il était encore au lit. Cela a donné de bons résultats puisque, peu de temps après ma deuxième visite, il est arrivé en clopinant dans ma chambre et s'est assis, l'air souffrant mais réjoui.

Durant la soirée, l'une des infirmières m'a demandé si elle pouvait faire quelque chose pour moi. J'étais alors en compagnie d'Helen et, sur le coup, nous en sommes tous deux restés cois. Quelqu'un aurait dû lui expliquer qu'on ne se conduit pas de cette façon au deuxième de la Victoire. Un peu embarrassée, elle a admis qu'elle en était à sa première assignation à l'étage et que, d'après l'attitude de son superviseur, ce serait sûrement sa dernière. Pour lui témoigner ma gratitude, je lui ai demandé un verre de jus d'orange.

La plupart des infirmières que j'ai connues étaient des philanthropes dévouées. Peut-être ne l'étaient-elles pas au départ, mais elles le sont devenues à force de pratiquer leur métier. C'est le personnel infirmier qui, sans conteste, fait la bonne ou la mauvaise réputation d'un hôpital. Les médecins peuvent diagnostiquer, prescrire, examiner ou opérer, mais ce sont les infirmières qui, en administrant les soins et en favorisant le bien-être et le rétablissement des patients, s'attirent leur reconnaissance.

Sixième jour. Aujourd'hui, l'infirmière a retiré les points de suture de mon estomac. Comme je pouvais difficilement le faire moi-même, il a bien fallu que je m'en remette à ses bons soins. Elle a soulevé chaque point à l'aide de brucelles, puis a coupé les fils avec de longs ciseaux bien tranchants. Il est assez étonnant de constater à quelle vitesse l'organisme peut se régénérer.

Comme les points de ma jambe sont faits de fils fondants, on n'a pas besoin de les enlever. Bien qu'il soit plus difficile à manier, ce type de fil laisse une cicatrice peu apparente, ce qui est peut-être un grand avantage pour les gens qui n'aiment pas qu'on leur jette des regards obliques quand ils portent des shorts... un problème que ceux qui ont les jambes et l'estomac poilus ne connaissent pas. Dans tous les cas, la cicatrice est censée se résorber dans un délai de deux ans : garanti ou argent remis.

Cet après-midi, alors que je fais une courte marche, je me rends soudain compte que mon angine a disparu. Je m'arrête, interdit. Avant je pouvais constamment la sentir, tapie juste sous ma peau, prête à bondir à la moindre occasion et à me broyer entre ses crocs. Mais voilà que la garce est partie, emmenant la douleur avec elle. Et là, au beau milieu du corridor, je me mets à sangloter tel un vieil imbécile incapable de se maîtriser.

L'homme au cou brisé m'aperçoit de sa chambre et vient immédiatement m'offrir son aide, sa tête dodelinant dangereusement au-dessus d'un collier de métal.

— Ça ne va pas ?

Je lui décroche un sourire des plus énigmatiques, puis me réfugie d'un pas branlant dans le sanctuaire de mon lit. J'ai l'impression d'avoir agi comme un parfait idiot.

Septième jour. Enfin, le congé! Après m'avoir fait passer une série de tests sanguins et des radiographies, le docteur Salerno consulte ses collègues, puis décide que mon état est assez satisfaisant pour que je puisse m'en retourner à la maison. Neary devra rester à l'hôpital pendant encore un jour ou deux.

Même si mon état s'est grandement amélioré, je me rends bien compte que, malgré mes courageux efforts et la décision de Salerno, je suis loin d'être complètement rétabli. Sur une échelle de bonne forme physique qui irait de un à cent, je n'obtiendrais pas plus de dix points même si je faisais tout pour qu'on m'en accorde vingt.

Helen vient me chercher en début d'après-midi. Mon corps est encore trop endolori pour que je puisse attacher seul mes lacets ou enfiler un pantalon. Le simple fait de mettre une chemise en essayant de ne pas exacerber la douleur est une entreprise colossale.

Avant de partir, je salue mon compagnon de chambre. Sa poignée de main est ferme et énergique. Il croit que son état s'améliore et s'est même convaincu qu'il allait se rétablir. Et pourquoi pas? Il ne souffre plus et, bien qu'il soit paralysé de la taille aux orteils, les médecins continuent d'émettre de petits gloussements de satisfaction chaque fois qu'ils le visitent. Une belle supercherie!

Sa fille est à ses côtés; elle travaille comme infirmière au service de cardiologie de l'Hôtel-Dieu où j'ai passé plusieurs jours. Le monde est tellement petit. Elle sait bien que le cas de son père est désespéré. Le chagrin et le courage se lisent dans ses yeux quand elle ne le regarde pas. Dieu veuille que mes filles se montrent aussi compréhensives quand mon heure sera venue.

Je m'installe dans un fauteuil roulant, rends une dernière visite à Neary, puis pars enfin. Il n'y a personne que je connaisse au poste des infirmières à qui je pourrais faire mes adieux. Après avoir ajusté ses verres et examiné Helen d'un air méfiant, une matrone acariâtre pointe mon nom sur sa liste de congés. Je m'engouffre ensuite dans le labyrinthe des corridors, roulant vers la sortie et le soleil.

Tandis qu'Helen va chercher la voiture, je m'assois sur l'une des marches de pierre et regarde l'après-midi déployer ses richesses. Je compte exactement quatre-vingt-sept degrés jusqu'à l'auto. Sur le chemin du retour, deux gros cahots et cinq plus petits me mettent à rude épreuve. J'aurais besoin de meilleurs coussinets sous les fesses pour amortir les inégalités de la route. La plus petite bosse, la moindre dépression est amplifiée mille fois, comme si j'étais victime d'un atroce supplice chinois. Une fois rendu à la maison, je me traîne péniblement jusqu'à la chambre, me déshabille et m'écroule dans le lit.

Huitième jour. Mon fils Pierre rentre de sa croisière à bord du *St. Lawrence II.* Lorsqu'il descend de la passerelle et s'engage sur le quai, l'air merveilleusement vivant et bien bronzé, je suis là pour l'accueillir.

Kingston, Canada

26 juillet 1980

C'est fondamentalement la force de la réaction de rejet du receveur qui détermine le succès ou l'échec d'une transplantation. Les effets de cette réaction se font d'ailleurs sentir chaque fois qu'un corps étranger est introduit dans l'organisme. Que l'intrus soit un nouveau cœur ou un minuscule éclat de bois, les résultats sont les mêmes : les globules blancs se portent aussitôt à l'attaque, tentant d'abord d'isoler l'importun afin de stopper sa progression, puis essayent de le détruire en formant autour de lui une ceinture de tissus enflammés.

Si l'intrus est une écharde, ce combat se traduira par une sensation de douleur qui durera le temps que l'infection ramollisse les chairs environnantes et que l'éclat soit retiré ou lentement expulsé. Dans le cas d'une transplantation cardiaque, ce processus entraînera la mort du receveur à moins qu'on ne réprime la réaction de rejet à l'aide de médicaments. Toutefois, même en prenant des drogues, il est rare qu'une personne à qui on a greffé un cœur survive plus de cinq ans. La plupart du temps, une infection secondaire se déclare et se généralise parce que les mécanismes de défense de l'organisme sont trop gravement affaiblis par les médicaments pour pouvoir la combattre.

Trouver des tissus compatibles en vue d'une transplantation n'est pas une mince affaire. Ce sont les jumeaux identiques qui peuvent le plus facilement échanger leurs organes, quoique si chaque organisme pouvait compter sur ses propres pièces de rechange le taux de rejets serait encore moins élevé. Toutefois, même dans le cas d'une autogreffe, il arrive que le corps ne reconnaisse pas le transplant. En chirurgie de pontage, ce phénomène se produit douze fois sur cent. Vingt-cinq jours après l'opération, mon organisme commence à rejeter ses trois nouvelles artères.

Durant mes premiers jours à la maison, j'éprouvai la plus grande difficulté à trouver une position confortable pour dormir; comme notre lit n'est pas réglable, je ne pouvais me coucher qu'à l'horizontale. La première nuit fut un véritable enfer aussi bien pour moi que pour Helen, puisque je la tins éveillée de longues heures à me tourner et à me retourner dans l'espoir de trouver la position la moins pénible. Le problème consistait à concevoir un bon dossier. Finalement, à l'aide de trois oreillers enveloppés dans un drap, je réussis à me fabriquer un traversin de type indonésien qui me fournit suffisamment de support pour que je puisse me coucher le buste surélevé comme dans mon lit d'hôpital.

Tous les jours, je faisais une marche. Au début, l'exercice était lent et pénible, mais j'augmentai graduellement la distance de sorte que, à la fin de la deuxième semaine, je pouvais marcher un mille en terrain plat. Je choisissais en effet les parcours les plus plats possible, car la moindre dénivellation me laissait hors d'haleine et ébloui.

Je me rendais compte que quelque chose n'allait pas. J'avais atteint un plateau, m'y étais maintenu pendant deux ou trois jours, puis avais senti mon état se détériorer de nouveau. Mes deux marches quotidiennes devinrent de plus en plus courtes, si bien que mon circuit se réduisit bientôt au tour du pâté.

En proie à la plus vive inquiétude, je téléphonai à Carol Harkness, l'assistante du docteur Salerno. Après en avoir discuté avec lui, elle me dit que je faisais probablement une réaction à la Digoxine. Elle me recommanda de suspendre la médication, de me reposer davantage et d'apprendre à respecter mes limites.

— N'oubliez pas, vous avez subi une opération très importante. Votre organisme mettra un certain temps à s'en remettre.

À qui le dites-vous !

Quarante-huit heures plus tard, alors que mes sensations de vertige et d'épuisement devenaient intolérables, Helen me ramena à l'Hôpital Général de Kingston. Après avoir passé une heure à l'urgence en compagnie d'un interne qui essayait de comprendre comment je pouvais avoir une pression de 80 sur 95 si, comme je l'en assurais, je n'avais pris aucun médicament, je finis par voir un cardiologue.

Il lui suffit d'un bref examen et de deux rayons X pour diagnostiquer une péricardite. Il me montra les radiographies et me désigna la zone ombrée qui occupait toute ma cavité thoracique.

— C'est mon cœur, ça ?

— Pas exactement. C'est votre péricarde, une membrane protectrice qui enveloppe le cœur. Il est enflammé parce que votre organisme rejette les greffes. Une substance aqueuse s'épanche entre le cœur et cette membrane, remplissant peu à peu le sac péricardique. Ce que vous voyez là, sur la radio, c'est justement ce sac plein de liquide organique. Votre cœur se trouve au centre de cette masse et il se démène comme un diable pour ne pas étouffer dans l'étau. Voilà pourquoi votre pression artérielle est si basse.

« Si la pression différentielle chute davantage, on devra vous faire une ponction. En attendant la suite des événements, je vais vous faire administrer du Motrin pour combattre l'inflammation et nous allons vous garder en observation pendant quelques jours ou jusqu'à ce que vous preniez du mieux. »

Il n'essaie pas d'éluder mes questions, ce qui est un bon signe. À moins qu'il ne soit qu'un satané bon acteur. Mais je suis trop malade pour vouloir en entendre davantage. La douleur me vrille les tempes.

On m'installe dans un fauteuil roulant et on m'expédie au service de cardiologie, quelque part dans l'enchevêtrement de stalagmites de verre et de béton qui constitue ce complexe. Du moment que ce n'est pas le deuxième de la Victoire, je m'en fiche. Helen ferme le cortège. Elle doit commencer à avoir ces lieux en horreur autant que moi. Cette année, j'ai déjà passé quarante-sept jours à l'hôpital. Et le pire, c'est que chaque fois que je me présente à l'urgence, je suis plus malade que la fois précédente.

La section de cardiologie est située dans un des bâtiments les plus récents. Les corridors sont larges et propres, les lumières, éclatantes, les accessoires, bien chromés et les infirmières, souriantes. On me roule dans une chambre à six lits et, déjà, j'ai l'impression d'aller mieux. Après tout, je ne suis peut-être pas si malade. Mais, dans ce cas, pourquoi me sentirais-je aussi paumé?

Mon cœur se noie lentement dans ses propres humeurs. J'ai la bizarre sensation que le niveau des liquides monte peu à peu, que ceux-ci envahissent mon cou, puis s'infiltrent dans mon cerveau où ils finiront par provoquer une explosion qui se perdra dans un bref éclair bleu. La pensée qu'on pourrait introduire une aiguille dans ma poitrine pour la drainer ne me rassure guère. Helen me tapote la main et s'en retourne à la maison continuer l'empaquetage de nos effets. Nous déménageons en Nouvelle-Écosse dès que je serai capable de voyager.

Quand?

Voilà une bonne question. Nous pensions d'abord partir le 1er août, mais c'est maintenant plus qu'improbable. Je suis à peine sorti d'une prison qu'on m'enferme dans une autre. C'est ce qu'on appelle l'ironie du sort et si j'étais dans un meilleur état d'esprit, j'arriverais peut-être même à en rire.

Je me déshabille et me mets au lit. Quand je suis couché à l'horizontale, je jurerais que la tête va m'éclater. Je me sens beaucoup mieux assis. Je demande à l'infirmière de régler la position de mon lit. Tout en tournant la manivelle, elle me présente aux autres; il y a là un vieillard extrêmement frêle qui me regarde sans ciller entre les barreaux de son lit, un patient qui souffre de violents accès de fibrillations et deux autres hommes qui dorment. Tous sont malades du cœur. Je les salue poliment, puis essaie de m'endormir. Il n'y a rien de plus rassurant qu'un lit d'hôpital quand on est souffrant. Au moindre pépin, on sait que des experts accourront.

La pression artérielle normale d'un homme d'âge moyen en bonne santé et au repos est de 135 sur 80; l'écart entre les deux types de pression est donc de 55 points. Quand la personne fait de l'exercice, cet écart s'élargit. Mais quand le péricarde est enflammé et que le muscle cardiaque est soumis à la pression constante des liquides d'épanchement, la pression systolique chute rapidement.

Lorsque l'écart entre les pressions systolique et diastolique ne dépasse plus 15 points, les risques de congestion sont importants et dès que les deux pressions ont atteint la même valeur, le cœur n'est plus capable de résister aux contraintes qui s'exercent sur lui. La circulation ne se fait plus normalement, le corps se nécrose et le cœur cesse de battre.

Durant deux jours, on prend ma pression artérielle toutes les trois heures. Au moment où l'écart s'est amenuisé au point d'atteindre un seuil critique, un médecin est chargé de pratiquer une ponction. Même si une telle intervention peut sembler bénigne, elle comporte de grands risques.

Si le médecin ne sait pas précisément jusqu'où l'inflammation s'est répandue, qu'il n'introduit pas l'aiguille selon le bon angle ou qu'il l'enfonce trop profondément, il peut provoquer un bris de vaisseaux et, par le fait même, la mort immédiate du patient. Par ailleurs, on ne résout pas nécessairement le problème en vidant le sac péricardique. Quelques heures plus tard, il peut s'y être accumulé encore suffisamment de liquide pour justifier une autre ponction.

Quand le médecin envoyé à mon chevet mesure à son tour ma tension artérielle, il m'annonce que je suis hors de danger, c'est-à-dire qu'un écart acceptable s'est rétabli entre mes deux pressions. Je suis donc gracié.

Le troisième jour, je me sens suffisamment bien pour

pouvoir converser avec mes compagnons de chambre. L'un d'eux, un homme avenant aux yeux larmoyants et au crâne un peu dégarni, me confie qu'on lui a fait un triple pontage il y a deux ans, mais que sa dernière crise cardiaque remonte à deux semaines. Avant que son cœur flanche, il avait réussi à implanter au Canada le Club du disque Columbia, après avoir fait une carrière fulgurante aux États-Unis avec la société mère. Il vivait alors comme tout cadre supérieur investi de grands pouvoirs, fonctionnant à plein régime sept jours sur sept. Puis vint le moment où une grave crise cardiaque le retira de la course.

Un an plus tard, après sa chirurgie de pontage, il s'installa à la campagne et acheta une station-service, histoire de se désennuyer, mais il ne s'écoula pas deux années avant qu'il ne fût de nouveau lancé à toute vapeur. Résultat? Une seconde crise cardiaque. Mais cette fois-ci, il a eu une peur bleue. La crise a-t-elle été causée par le rétrécissement d'une ou de plusieurs de ses greffes ou par l'oblitération d'une autre de ses artères coronaires? Tant que les médecins ne l'auront pas soumis à une angiographie, il se laissera aller au pires suppositions.

— Mais vous deviez savoir que cela allait vous arriver si vous ne changiez pas de style de vie?

Je ne peux pas croire que cet homme ait des tendances suicidaires. Un avertissement devrait suffire. Et il en a eu deux.

Il secoue la tête.

— J'ai été stupide. Avant même que je m'en rende compte, je travaillais déjà quatorze heures par jour, sept jours par semaine. Mais c'est fini. J'ai demandé à ma femme de mettre la sation-service en vente.

Mais je sais bien qu'il ne pense pas un mot de ce qu'il dit. Pas vraiment. Il faudrait pour l'en convaincre que les médecins lui flanquent une bonne trouille ou que son angine rapplique et décide de s'installer à demeure, le hantant jour et nuit.

Nous nous tenons debout à la fenêtre et regardons le lac. Nous sommes perchés très haut au-dessus des arbres, des rues et de la fourmilière des hommes. Des voiliers se gonflent et, vent en poupe, roulent sur les vagues de l'après-midi. La grande paix.

— Je devrais peut-être m'acheter un voilier et partir à l'aventure pendant que je suis encore assez jeune pour profiter de la vie, commenta-t-il, l'air chagrin.

Il y a une certaine sagesse dans ses mots. Le bonheur réside dans le plaisir qu'on tire de la vie. Si on est incapable de jouir de celle-ci, elle n'est plus qu'un exercice futile, un mélange de frustrations, d'ambitions déçues et de misères.

Quand feu Walt Disney était à l'apogée de sa gloire, à la fin d'une carrière étonnamment productive, un reporter lui demanda s'il était heureux.

— Pas autant que mon frère, répondit-il. Lui, c'est un type qui sait vraiment jouir de la vie.

Son frère était facteur. C'était un homme détendu qui, dans la vie comme au travail, ne se faisait jamais de mauvais sang. Il survécut à Walt.

Le Motrin a bien fait son travail. Cinq jours après mon arrivée, une seconde radio révèle que l'ombre a perdu du terrain. Je ne suis pas encore complètement remis, mais tout de même assez pour qu'on me donne mon congé. Cette fois-ci, je n'essayerai pas d'aller jusqu'à la limite de mes forces. Ce n'est pas nécessaire. Rien ne presse. Il n'y a pas de pointeuse ni de réunion urgente qui m'attendent. Si je n'arrive pas à marcher un mille cette semaine, tant pis. Ce sera pour la semaine prochaine ou pour dans deux semaines. Je dois réfléchir davantage à ma passion pour la rapidité, à cette obsession qui consiste à toujours mesurer les distances que je parcours. Cette manie me vient sans doute de mes années de vol: combien de milles, combien de temps, quelle altitude, combien d'essence reste-t-il, jusqu'où pourrais-je planer si les moteurs tombent en panne? Tout cela n'a plus d'importance.

Je dois m'habituer à ralentir quand je vois un feu de circulation qui vire au jaune au lieu de m'empresser d'accélérer. Rouler sur la voie rapide n'était bien souvent pour moi qu'une question de principe, une manie de macho. Éviter ce genre de comportement est maintenant une question de survie. Le contentement doit supplanter l'impatience; c'est l'évidence même. Le principe est facile à accepter en théorie, mais plus malaisé à mettre en pratique.

Helen a pris le volant. On m'a interdit de conduire pendant au moins six semaines ou jusqu'à ce que mon sternum se ressoude et que le cartilage de mes côtes se soit cicatrisé. La maison est sens dessus dessous. Dans toutes les pièces, des boîtes de carton sont alignées le long des murs. Des malles et des valises ouvertes attendent d'être remplies au milieu du salon. Impuissant, je reste assis à regarder Helen travailler et sombre peu à peu dans la dépression et la frustration.

Je ne peux rien soulever de plus lourd qu'un couteau ou une fourchette; je ne peux pas remplir les boîtes, ni nouer les gros cordons passés autour de chacune d'elles. Quand nous allons au supermarché, je ne peux même pas pousser le chariot et je dois m'arrêter entre les allées lorsque mes forces commencent à baisser. À la sortie, je dois laisser ma minuscule épouse tout transporter elle-même jusqu'à la voiture. Même si elle comprend et accepte avec grâce, sinon avec un certain amusement, cette absurde situation, cela ne me la rend pas plus facile à vivre. Mon stupide orgueil de mâle en prend pour son rhume.

Heureusement, il y a Walter Winters. Sans lui, nous serions perdus. Walter à soixante ans et il est à la retraite. Quand je l'ai connu, il en avait vingt-huit et était déjà à la retraite.

Il y a bien des années, quand j'étais un sage adolescent de quinze ans qui connaissait toutes les réponses mais aucune des questions, mon père me dit que si je pouvais lier une seule amitié durable dans ma vie, j'aurais accompli davantage que la plupart des hommes. Sur le coup, je pensai qu'il n'était qu'un vieil imbécile. D'ailleurs, à cette époque, tous ceux qui me disaient des choses que je ne comprenais pas étaient des imbéciles.

Durant la Seconde Guerre mondiale, Walter s'enrôla dans la Marine canadienne; il fut affecté à la navette de Mourmansk et s'éleva au grade de capitaine de corvette. Nous nous sommes rencontrés au Nouveau-Brunswick. Je finissais alors mon secondaire et il venait de commencer à travailler comme décorateur-conseil pour l'un des grands magasins de Saint-Jean. Son épouse, une magnifique Anglaise qu'il avait rencontrée pendant la guerre, exploitait un pittoresque petit salon de thé dans leur maison de ferme, près du village de Hampton, à trente milles de Saint-Jean. Chaque jour, Walter faisait l'aller-retour dans une Austin familiale toute cabossée, mais dotée de banquettes de cuir et de garnitures en bois véritable. Même si de prudentes considérations financières l'avaient poussé vers l'aménagement intérieur et la décoration, son cœur allait tout entier au salon de thé de Copper Farm, comme il désignait l'endroit.

À cette époque, je pensais que Walter était un homme tout à fait dépourvu de sens pratique, une espèce d'éternel rebelle, toujours prêt à se battre pour quelque cause perdue. De nous deux, c'était lui qui se comportait le plus comme un adolescent, ne se souciant jamais ni des délais, ni du futur, ni du désastre financier qui le menaçait et qui, d'ailleurs, allait hanter toute sa vie. Selon sa théorie, l'avenir était parfaitement capable de prendre soin de lui-même; au lieu de s'en soucier, il valait mieux s'appliquer à savourer le moment présent.

Aujourd'hui, quand j'y pense, je trouve que ce n'était pas une si mauvaise philosophie. Nous devînmes bons amis. J'enseignai à sa fille à monter sa première bicyclette, je fus témoin de l'effritement de son mariage, j'assistai à la vente aux enchères qui engloutit les derniers vestiges de sa ferme bien-aimée, je traversai le pays avec lui quand il décida de refaire sa vie et le vis entreprendre une nouvelle carrière. Puis nos chemins se séparèrent et vingt années passèrent.

Quand nous nous rencontrâmes de nouveau, mon étoile était sur son ascendant tandis que la sienne flottait bien tranquillement dans le petit paradis qu'il s'était reconstruit. Il ne possédait toujours rien et pourtant il avait tout. Helen l'adorait. Pendant quelque temps, il exploita une boutique de souvenirs dans une station estivale en bordure du lac Huron; il se remaria, se sépara une autre fois après un an de vie commune, puis prit de longues vacances pour aller visiter son ex-femme en Angleterre. Elle avait contracté la sclérose en plaques et il s'en allait voir s'il ne pouvait pas lui venir en aide. Un homme extraordinaire.

Quand il rentra, j'avais tout perdu et j'étais en prison. Comme il ne voulait pas nous mettre dans l'embarras, il ne vint pas nous voir. Cher Walter. Mais aussitôt qu'il eut vent de mes problèmes cardiaques, il laissa tout en plan, sauta dans sa voiture et se tapa les 350 milles qui séparent Owen Sound de Kingston pour nous offrir son aide.

Quand il eut saisi notre situation et compris que je ne pouvais rien faire d'autre que de gêner Helen tandis qu'elle essayait d'en finir avec les préparatifs de notre déménagement, il nous annonça qu'il nous accompagnerait en Nouvelle-Écosse pour prendre des vacances qu'il remettait depuis déjà trop longtemps...

Il disparut pendant une semaine et, quand il revint, il remorquait une caravane derrière son antique Toyota. Il ne nous demanda pas un sou. Il avait emprunté cette caravane d'un ami pour faire le voyage, de manière à nous économiser à tous les frais de motel et de restaurant. Pour la première fois depuis que je le connaissais, sa situation financière était beaucoup plus enviable que la mienne. En fait, nos embarras pécuniaires avaient fini par prendre un tour catastrophique.

La semaine précédente, j'avais essayé sans succès de retirer pour incapacité des prestations des régimes publics d'assurance-chômage et de retraite. Pas de chance. Une voix pincée m'avait informé dans des termes on ne peut plus clairs que je n'avais droit à aucune prestation étant donné que je n'avais pas participé à ces régimes durant les dernières années. Non, mon travail de pâtissier en prison n'était pas un emploi assurable.

— Mais j'étais payé. C'était bien un emploi. Un vrai de vrai.

— Oh! non, ce ne l'était pas. Vous étiez détenu, conclut-elle sèchement.

Travailler pour le Service canadien des pénitenciers ne permet pas, en cas d'incapacité, de toucher des prestations du fédéral et ce, quelles que soient les contributions versées par le détenu avant son incarcération.

Je me rends visiter le docteur Burggraf pour le remercier de m'avoir aidé et d'avoir discrètement insisté pour qu'on m'accorde ma libération dès le début de ma convalescence. Je suis convaincu que son entêtement m'a sauvé la vie au moins deux fois. Il me confie une lettre à l'intention d'un de ses collègues, un cardiologue d'Halifax. Salerno est trop occupé à sauver la vie d'autres patients pour pouvoir écouter mes remerciements. Je les communique à son assistante qui me promet de les lui transmettre.

À la mi-août, je ne prends plus que de l'aspirine pour tout médicament. Deux cachets par jour suffisent à tenir ma péricardite en respect, car cet analgésique agit comme le Motrin. Je peux maintenant marcher un mille à pas lents, mais le vertige ne me quitte pas et j'ai toujours l'impression d'avoir la poitrine bourrée de duvet. Les déménageurs arrivent; une fois le grand branle-bas du chargement terminé, le camion démarre et prend la route de la côte Est.

Notre convoi ne se met en branle qu'une heure plus tard: Walter et les filles dans la Toyota, remorquant la caravane, Helen et moi dans notre Datsun pétaradante, en compagnie de notre chien Banion. Peter est au Texas pour l'été; il travaille dans une ferme d'élevage près de Dallas sous la supervision d'un de mes vieux copains de vol. Il s'agit d'un job particulièrement exigeant, où la poussière et la chaleur tuent leur homme, d'autant plus que, cette année, la sécheresse bat des records.

Je peux difficilement voyager plus de deux heures sans ressentir de malaise. À chaque étape, notre convoi se stationne sur l'accotement, le plus loin possible de la route. Je descends de la banquette avant et m'appuie contre la voiture jusqu'à ce que mon vertige s'apaise. Dans une automobile en mouvement, j'éprouve vite des nausées et de légers étourdissements. Que se passerait-il à bord d'un avion? Rien qu'à y penser, j'en suis malade. Voilà déjà six semaines que j'ai été opéré et non seulement je me sens encore extrêmement faible, mais je suis aussi constamment harcelé par des douleurs pectorales et la sinépathie. Si certains peuvent se remettre de l'épreuve en trente jours, comme les médecins le soutiennent, je ne fais vraiment pas partie de cette catégorie. Combien de temps me faudra-t-il?

Des voitures et des camions filent à toute allure sur l'autoroute. Quand je les suis des yeux, mon vertige et mes nausées s'aggravent. Helen et Walter sont en train de discuter. J'ai l'impression de les regarder à travers le petit bout d'une lorgnette. Mes yeux me jouent des tours, transmettant à mon cerveau des images biscornues. De bien sales tours, en fait. J'ai le goût de vomir.

Les filles gambadent avec Banion dans l'herbe des talus, à la recherche de fleurs sauvages et de trèfles à quatre feuilles. Notre chien est un jeune cabot à robe blanche, doté d'une énorme queue blanche qui bat l'air majestueusement à chacun de ses pas. C'est un animal stupide, indiscipliné et tout à fait poltron. Nous l'adorons. Il voyage étonnamment bien, dormant paisiblement à l'arrière de la familiale quand nous roulons, mais, dès qu'Helen s'arrête, il se met à japper, tout excité, prêt à se jeter dans l'action.

C'est un détenu de Frontenac qui l'a trouvé, l'hiver dernier, abandonné dans une carrière de pierres jouxtant le terrain de la prison. Nourri et chouchouté par tout un chacun, il resta dans le sous-sol pendant un bon moment, jusqu'à ce que le directeur, un amateur de chats nous ordonne de lui faire vider les lieux. Le taulard qui l'avait trouvé le donna aux filles qui le ramenèrent à la maison. Comme un rien le terrifiait, il devint notre chien de garde et, en deux occasions au moins, il découragea de jeunes maraudeurs d'entrer par effraction dans la maison. Malgré son étonnante stupidité, c'est le plus joli chien qu'il m'ait été donné de voir depuis longtemps.

Après quelques minutes, je retrouve le sens de l'équilibre et la nausée disparaît. Durant ses trois grossesses, Helen a souffert de terribles nausées ; elle comprend donc mes problèmes mieux que personne.

— On est prêt ? demande Walter.

J'aimerais m'allonger dans l'herbe et rester là à paresser le reste de la journée. Mais c'est impossible. Les convois n'avancent jamais plus vite que la plus lente de leurs voitures. Je fais traîner la guerre.

— Allons-y.

Notre prochaine étape nous amène au Village du Haut-Canada. Il s'agit d'une antique bourgade construite sur les berges du fleuve Saint-Laurent où des boutiques et des maisons soigneusement restaurées, des rues toutes proprettes et des comédiens en costumes d'époque sont censés recréer un âge qui ne sera jamais plus. Tout ça est beaucoup trop parfait pour mon goût; on se croirait sur un plateau de télévision. Il manque la bonne odeur du crottin de cheval, les craquements et les frottements des harnais de cuir et le ruissellement de sueurs bien salées qui vient avec le dur labeur.

Walter et moi nous couchons dans l'herbe à l'ombre d'un arbre, tandis qu'Helen amène les filles visiter les lieux. Banion se tasse en boule à l'extrémité de sa chaîne et me regarde d'un air morose. L'atmosphère est d'un beau bleu vert; des éclaboussures de lumière jaune, jaillies d'entre les branches, tavellent la pelouse.

— Dis-moi, Walter, ça t'arrive de penser à la mort?

— Constamment. Pourquoi?

— Simple curiosité.

Il s'appuie sur un coude, arrache un brin d'herbe et se met à le mordiller.

— Je me dis que si je peux traverser la soixantaine sans avoir de problèmes cardiaques ni contracter le cancer, chaque année en surplus constituera une prime. Et toi?

Il a douze ans de plus que moi, mais, de ce temps-ci, je me sens plus proche de quatre-vingts ans que de cinquante. Comparé à lui, je suis un vieillard. Mais où diable sont passées mes forces et mon énergie? Reviendront-elles jamais?

— Oh! moi, chaque jour que j'ai vu depuis le 2 juillet était déjà une prime. Je vis grâce à du temps emprunté.

Il m'examine curieusement.

— Tu as vraiment meilleure mine que la semaine dernière. Tu peux me croire, je ne te raconte pas d'histoire. Tu fais des progrès. Ça prend du temps, c'est tout.

Alors pourquoi me sentirais-je aussi misérable? On m'a guéri de l'angine, mais à quel prix? Ou bien on est faible et étourdi, ou bien on est prisonnier des terribles serres de l'angine. Il faut faire un choix. On ne peut pas tout avoir. Telles sont les règles du jeu.

Mais pourquoi?

Ni Burggraf ni Salerno ne m'ont parlé du prix que j'aurais à payer pour mon salut coronarien: « Ah! oui, Foster, j'oubliais, j'aurais peut-être dû vous le dire avant, mais, vous savez, votre mécanique sera un peu détraquée après l'opération. Cinquante pour cent des patients ne peuvent jamais reprendre une vie normale, jamais. Mais peut-être compterez-vous parmi les chanceux — l'autre cinquante pour cent... Ah! Ah! »

Et Walter me dit que j'ai l'air mieux. Je parviens à lui sourire.

— Tu es un sacré menteur Walter. Je sais bien que j'ai une sale mine. Mais merci quand même.

Nous passons la nuit dans un parc à roulottes pittoresque, à la frontière du Québec, au milieu d'arbres géants et d'essaims de moustiques énergiques. Helen, les filles et moi nous couchons dans la caravane tandis que Walter s'installe dans la familiale, enveloppé dans un sac de couchage, les pieds sortis de la voiture par la porte ouverte. Je m'endors instantanément.

Quatre jours plus tard, nous arrivons à Halifax et nous nous mettons à la recherche d'une nouvelle maison, de nouvelles écoles, de nouveaux amis, en un mot, d'une nouvelle vie. C'est une véritable renaissance. Et je commence à me sentir mieux.

Halifax, Canada

Noël 1980

C'est une journée froide et blanche; des montagnes de neige viennent de s'empiler sur les toits et l'immense soleil qui brille dans le ciel n'arrive à réchauffer ni les joues, ni les nez, ni les oreilles, ni les doigts. Que la joie éclate au cœur des hommes!

Les préposés se frayent prudemment un chemin dans la neige, puis me glissent dans l'ambulance, allongé sur une civière. Nous vivons à treize minutes de l'hôpital Victoria. Un autre hôpital Victoria, car ces établissements poussent comme des champignons d'un océan à l'autre, *a mari usque ad mare*. Le masque à oxygène, l'ambulancier nerveux, la sirène affolée, tout cela, c'est du déjà vu.

Helen nous suit dans la familiale. À Halifax, tout est à portée de la main, c'est un grand avantage. On n'y est jamais à plus de quinze minutes de quoi que ce soit, vingt, durant les heures de pointe. Toutefois, Noël n'est pas jour d'affluence. En fait, c'est la meilleure journée pour se présenter à l'urgence d'un hôpital, alors que même les pires ivrognes s'accordent une trêve.

Mes symptômes me sont bien familiers: douleurs pectorales, nausée, essoufflement, faiblesse générale. Est-ce une autre crise cardiaque?

J'étais sorti promener le chien et avais décidé de faire le tour du pâté malgré le froid mordant, histoire de prendre de l'exercice. L'air froid en a toujours fait voir aux angineux. Je le savais et j'aurais dû m'en rappeler. Quelque chose m'a assommé et j'ai senti une grande faiblesse dans les jambes et les bras. Le chien m'a traîné jusqu'à la maison. Je suis entré en chancelant, puis me suis affaisé, trempé de sueur et convaincu que ma dernière heure était arrivée.

Mais maintenant, dans l'ambulance hurlante, je me rends compte que mon malaise diffère légèrement de ce que j'ai ressenti lors de ma crise à Kingston et plus nous nous rapprochons de l'hôpital, plus j'ai l'impression de m'être trompé. Je n'ai pas vraiment besoin d'oxygène et mes douleurs ont beaucoup diminué depuis qu'Helen a demandé du secours.

Dès mon arrivée, on me transporte à l'urgence du service de cardiologie où je suis soumis à un examen complet. Helen a cet air tendu que je lui ai souvent vu ces dernières années. Quand le jeune interne — pourquoi sont-ils tous aussi jeunes? — revient avec les preuves de ma supercherie, je me sens tellement mieux que je me lèverais et m'en irais à la maison après m'être excusé d'avoir été aussi stupide. Mais au lieu de cela, je m'empresse de prendre un air convenablement abattu.

— Tout est normal : la pression artérielle, l'ECG et la température. Quant à votre sang, nous ne pouvons le faire analyser avant quelques jours; le laboratoire est fermé pour les vacances. Vous avez subi une chirurgie de pontage?

— Oui, il y a six mois.

— Avez-vous eu des complications postopératoires?

Voilà encore une fois le grand mot lâché : les complications. L'imprévisible. L'inattendu. Le sale mot.

— Une péricardite.

Il hoche la tête et écrit quelques mots dans son dossier. Je pourrais lui raconter que de septembre à novembre mon état s'est constamment détérioré, que le vertige, la nausée et la faiblesse n'ont pas cessé de me miner jusqu'à ce que je sois contraint de garder le lit en permanence, persuadé que je n'en avais plus pour longtemps à vivre. C'est alors qu'Helen me suggéra de cesser de prendre mes médicaments — l'aspirine y compris — pour voir quels résultats j'obtiendrais.

Je me mis aussitôt à prendre du mieux, puisque mes problèmes découlaient d'une allergie à l'aspirine. À une certaine époque, je pouvais avaler douze de ces petits cachets par jour sans ressentir aucun malaise, mais mon métabolisme a dû être perturbé durant mon séjour à Kingston. Il m'a donc fallu classer l'aspirine avec la pénicilline, parmi mes allergènes. Quand j'en parlai à mon nouveau médecin de famille, il m'avoua qu'il ne pouvait pas m'expliquer le phénomène.

Mystère, mystère. Guéris-toi toi-même.

Dès que je fus de nouveau sur pied, je décidai de me lancer dans un programme d'expérimentation systématique, dans le but de vérifier l'effet d'autres substances sur mon organisme. Je découvris que beaucoup de médicaments « inoffensifs » prescrits par mes médecins produisaient virtuellement les mêmes résultats que l'aspirine, c'est-à-dire des vertiges, des nausées et un malaise général. Il en était ainsi du Motrin, de l'Anacine, du Tylénol, des sirops pour la toux à base de codéine et de tous les médicaments contre les maux de tête. Pour quelque raison mystérieuse, mon corps ne tolère plus aucune intrusion chimique.

Je pourrais expliquer tout cela à l'interne, mais il se montrerait probablement très sceptique et ma crédibilité en prendrait pour son rhume. Une complication postopératoire comme la péricardite semble beaucoup moins bizarre que cette série de faits.

Ces derniers mois je suis devenu une vraie encyclopédie ambulante dans le domaine de la science et des techniques médicales. Tous les médecins puisent leur autorité à même les livres et leur expérience. Pourquoi ne ferais-je pas comme eux ? D'ailleurs, plus j'en apprends, plus je m'aperçois qu'il reste encore bien des choses à découvrir. Dans le cas des maladies spécifiques, par exemple, les médecins apprennent à doser les médicaments appropriés, à compter avec les effets secondaires et le temps de guérison et, quand le traitement le plus courant ne donne pas les résultats escomptés, à suggérer d'autres solutions.

Mais les maladies non spécifiques sont bien différentes. Seule l'habitude de leurs symptômes peut amener le praticien à élaborer une théorie pertinente ou un traitement efficace. Toutefois, rien ne garantit que le médecin de famille saura à son tour reconnaître ces symptômes, à moins qu'ils ne sautent aux yeux, et les attribuer à la maladie qui les provoque. Combien de généralistes en Amérique du Nord peuvent diagnostiquer sur-le-champ la maladie des caissons, la malaria ou la dengue? Très peu, je le parierais.

Or, mes symptômes ne sont pas spécifiques. C'est ce qui inquiète le jeune interne. Mon pontage ferait-il des siennes? À moins que mes malaises ne soient psychosomatiques. Après tout, je suis peut-être l'un de ces cerveaux fêlés qui ne sont heureux que dans un lit d'hôpital. Que faire?

— Je crois que nous devrions vous garder en observation pendant quelques jours, au cas où un problème se déclarerait.

En cas de doute, il vaut mieux hospitaliser le patient; c'est la méthode du «attendons-voir». Et le grand cirque recommence.

Tandis qu'à l'admission Helen remplit les formulaires nécessaires, je roule en direction de la section de cardiologie qui est située, comme à l'Hôtel-Dieu de Kingston, au quatrième étage d'un bâtiment récent: le *Centennial,* ce qui signifie qu'il a été construit vers 1967.

Ici, l'aquarium est une grande chambre qui compte six lits et autant de moniteurs, chaque patient en ayant un au-dessus de sa tête. À cause de l'angle suivant lequel ces appareils sont placés, il est impossible de suivre l'évolution de ses propres signaux, mais on peut facilement s'adonner au voyeurisme électronique en épiant ceux des autres.

On ne me présente pas, mais quelques-uns des hommes âgés de la section me saluent joyeusement tandis qu'on m'aide à me mettre au lit et qu'on me fait une rapide série de piqûres: une injection d'héparine dans l'estomac, une intraveineuse dans le poignet et un autre prélèvement de sang dans l'avant-bras. Le docteur ne viendra pas avant plusieurs heures.

— C'est Noël, vous savez.

Que de prévenances... seuls les cas d'extrême urgence peuvent justifier qu'on dérange un médecin le jour de Noël.

Une infirmière me donne de l'Indéral, de l'Anturan et un Valium pour m'aider à me détendre. Je vérifie chaque comprimé et compte vingt milligrammes d'Indéral.

— Surtout ne m'en donnez pas plus de quarante milligrammes ou mon cœur s'arrêterait.

— D'accord. Quarante milligrammes. Je m'en souviendrai.

Elle prend mon pouls, ma température et ma pression artérielle tandis que je regarde fonctionner un moniteur sur le mur d'en face. C'est incroyable : l'homme qui est branché sur cet appareil est endormi et son cœur cesse de battre par intervalles irréguliers, pendant trois ou quatre secondes chaque fois, puis se débat rapidement comme pour se rattraper. Mais est-ce normal? En tout cas, ça ne semble pas inquiéter l'infirmière, une femme aux allures de paysanne mal fagotée, qui a de toute évidence la bosse du métier. Il faut bien que quelqu'un se dévoue le jour de Noël.

À l'autre bout de la pièce, un vieux pêcheur saute en bas de son lit et, en se maintenant en équilibre sur une seule jambe, il annonce à la ronde qu'il est temps d'aller «tirer au bord parce que ça pas de bon sens de rester couché ici toute la journée».

Gentiment, les infirmières l'obligent à se rallonger et rebordent ses couvertures. Ma paysanne m'explique que cet homme a quatre-vingt-douze ans et qu'il est encore très actif. Il a perdu un pied dans un accident il y a déjà des lustres et on lui a enlevé sa prothèse pour l'empêcher de s'évader. Il a déjà réussi à se rendre jusqu'à la sortie avant qu'on ne parvienne à l'arrêter.

— Pauvre homme. Maintenant, c'est son esprit et son cœur

qui le lâchent. Ne pensez-vous pas que la vieillesse est une bien triste chose?

Tu parles!

Une petite fleur pour mon ego en ce jour de Noël : comparé à ces vieux schnocks, je n'ai pas encore le nombril sec et elle le reconnaît. Que Dieu vous donne le repos, heureux gentils-hommes!

Helen passe me voir quelques minutes, puis s'en retourne prendre les enfants pour se rendre au dîner de Noël donné par ses parents. Elle m'apportera ma brosse à dents, mon pyjama et mon nécessaire à rasage un peu plus tard.

— Présente-leur mes excuses. J'essayerai d'être de la partie l'an prochain.

Évidemment, je continue de supposer que je serai encore de ce monde dans un an. Quand mes beaux-parents ont fêté leur quatre-vingtième anniversaire, ils étaient en meilleure forme que je le suis maintenant. Comment diable s'y sont-ils pris? Le devaient-ils à une vie sans stress ou à un profond sentiment de satisfaction? Pour vivre longtemps, prenez une femme et un homme heureux, touillez toute une vie au-dessus d'un feu d'amour, d'admiration mutuelle et de compréhension, ajoutez un zeste d'aventure, deux pincées de chagrin et laissez mijoter jusqu'à cuisson complète.

Mon père est mort du cancer au début de la soixantaine. Lui et mon beau-père étaient cousins germains et ils n'avaient que deux mois de différence. Ils ont fréquenté les mêmes écoles, ont tous deux fait des études universitaires et se sont hissés au sommet de leur profession respective. Quel étrange destin. Je suis convaincu que mon affable et flegmatique beau-père a bien des chances de devenir centenaire. J'espère que mes enfants ont hérité de cette branche de la famille des gènes qui leur épargneront le cancer et les maladies du cœur.

Grisé au Valium, je flotte tout l'après-midi sur un nuage d'indifférence. Helen vient me voir brièvement en soirée. Nous avons une discussion incohérente sur des sujets qui me semblent incompréhensibles. Je n'arrive pas à me rappeler quand elle est partie, ni si elle m'a apporté ce que je lui avais demandé.

Avant le coucher, on me donne encore d'autres pilules, mais j'ai l'esprit trop embrouillé pour vérifier les doses. Pourquoi m'administrent-ils autant de médicaments? Savent-ils ce qu'ils font? Y a-t-il encore quelqu'un de nos jour qui sache ce qu'il fait? Mais où sont donc passés tous les médecins? Qui distribue les bonbons? Le jeune interne au teint de pêche? À mesure que je m'enfonce dans le sommeil, j'ai l'impression que la nuit ne présage rien de bon. Une enseigne au néon clignote contre l'horizon noir. Mais je suis trop loin pour pouvoir lire l'inscription.

Vers quatre heures, je suis réveillé par une infirmière au regard inquiet.

— Nous allons vous opérer.

— Qui, moi?

Une sonnette d'alarme vibre dans mon esprit. Je me réveille instantanément, prêt à protester. Nom de Dieu, mais qu'est-ce qu'elle me raconte? S'ils veulent m'opérer à cette heure-ci de la nuit, ne devrait-ils pas au moins consulter mon cardiologue ou mon médecin de famille, ou encore ma femme?

— Votre cœur a des ratés. Les intervalles pendant lesquels il bat sont de plus en plus courts. Nous craignons qu'il ne s'arrête pour de bon. Le docteur s'en vient vous implanter un stimulateur cardiaque. Juste au cas.

Merveilleux. Mais au cas où quoi?

Je prends mon pouls. Il est erratique: de faibles pulsations succèdent à de longs arrêts. Elle a raison. Quelque chose ne va vraiment pas. Cette faiblesse que je ressentais hier dans les jambes n'était donc pas le fruit de mon imagination. Pendant un moment, je suis frappé de terreur, puis, flegmatiquement, j'accepte l'inévitable.

Ainsi plongée dans l'ombre de la nuit, la pièce est très

tranquille. Tel un groupe de danseurs qui ne se serait pas exercé depuis longtemps, les étranges petites lueurs vertes qui s'animent sur les moniteurs exécutent au-dessus des lits un ballet des plus décousus. Les vieux schnocks dorment tous. Même le pêcheur sommeille, à moins que ce ne soit qu'une ruse et qu'il attende sa chance de prendre la clef des champs.

Des préposés viennent me chercher; il m'installent sur une civière du bloc opératoire et me roulent hors de l'aquarium. Un peu plus et ils courraient. Ils ont des gestes vifs, presque nerveux. Nous traversons des corridors à vive allure, prenons un ascenseur, nous précipitons dans d'autres passages — et tout cela dans un silence de plomb que seul le bruit des roues de caoutchouc vient briser. On m'interdit de parler.

Grand Dieu, ce doit être grave!

Une infirmière et un médecin font leurs ablutions dans la salle d'opération. Tous deux ont l'air d'avoir été tirés d'un profond sommeil. Comment réussit-on à convaincre un chirurgien de venir opérer à quatre heures du matin le lendemain de Noël? «Allô, docteur? Nous avons un patient ici dont le cœur s'arrête à tous moments. Nous aimerions savoir si nous devons le laisser mourir ou si vous n'accepteriez pas de vous lever, de mettre vos habits chauds et de conduire jusqu'ici pour lui implanter un stimulateur cardiaque? Non, non, ce n'est pas si urgent; il lui reste encore probablement dix ou quinze minutes à vivre. »

Ils me considèrent avec intérêt.

— Comment vous sentez-vous? me demande le médecin en s'essuyant les mains.

— Endormi.

— Moi aussi.

Je m'excuse de les avoir fait lever, lui et son infirmière, à une heure aussi indécente.

— Savez-vous pourquoi mon cœur s'arrête ainsi?

— Pas la moindre idée.

Il me dit ça d'un ton affable, dégagé, qui signifie qu'il ne faut tout de même pas en demander trop. Le corps médical aime toujours mieux prétendre ignorer les causes des maladies qu'il traite, et ne parler que de sa compétence en matière de guérison. Je connais bien le scénario.

L'infirmière soulève ma chemise, ouvre mes jambes, couvre mon sexe et commence à me raser les poils au niveau de l'artère fémorale à l'aide d'un rasoir particulièrement sec.

Une fois qu'elle a bien dégagé toute la peau, elle l'enduit abondamment de Mercresin, un antiseptique orange qui dégage la même odeur que le baume de benjoin que ma mère me faisait inhaler quand j'étais jeune contre les rhumes de poitrine. Comme traitement, ça ne valait pas un sou, mais je n'ai jamais oublié la senteur.

Le médecin enfonce une longue aiguille dans la face interne de ma cuisse, près de l'aine.

— Du Zylocain, marmonne-t-il. Un anesthésique local. Rien à craindre.

Il procède exactement comme s'il me préparait pour une angiographie. Il maintient toutefois que, pour se rendre au cœur, il vaut mieux passer par l'artère fémorale que par l'artère brachiale.

— Ça cause moins de problèmes. L'accès est plus facile, soutient-il en incisant mon épiderme.

À l'Hôpital Général de Kingston on le taxerait d'hérésie. Autre hôpital, autre approche. Laquelle est la meilleure? Elles s'équivalent probablement; en tout cas, elles donnent le même résultat.

Un long cathéter, qui se termine par deux fils très fins, est introduit dans mon artère et acheminé jusqu'au cœur. Le médecin pousse ensuite lentement les fils jusqu'à ce qu'ils sortent du cathéter. On peut les voir onduler clairement sur le moniteur comme deux antennes de sauterelle.

Quand le contact entre les fils et le muscle cardiaque est bien établi, il fixe l'autre extrémité du cathéter contre ma cuisse avec du sparadrap.

— Mais vous n'allez pas me laisser ce truc-là dans le corps?

L'artère ouverte, les fils qui dansent dans mon cœur, le sparadrap, tout cela semble un peu rudimentaire.

— Temporairement. Ne vous inquiétez pas.

Mais, justement, je m'inquiète.

Les deux fils à nu qui pendouillent de mon aine sont connectés à des piles dans un boîtier de métal. Ce boîtier, qui n'est pas plus gros qu'un paquet de cigarettes, est muni d'un cadran qui permet de commander le rythme cardiaque de son choix.

Un stimulateur ne génère des impulsions électriques que lorsque le cœur n'arrive plus à maintenir son rythme normal. Si, par exemple, on le règle à 55, il empêchera le rythme cardiaque de chuter en deçà de 55 battements par minute et stimulera la mémoire musculaire de l'organe chaque fois que celui-ci hésitera à marquer le rythme, ne serait-ce que d'une fraction de seconde. C'est une petite merveille de la médecine.

— Voyons voir si ça fonctionne.

Il tourne lentement le cadran au-delà de 50. J'attends. Que devrait-il se passer? Puis, soudainement, je sens quelque chose. Mon cœur se met à battre plus vite, toujours plus vite, et se démène bientôt au rythme de 100 battements par minute. Arrive-t-il parfois qu'un stimulateur cardiaque s'emballe?

Il ramène le cadran en arrière et mon cœur se calme.

— Il fonctionne à merveille; je vais le régler à 55.

Je le remercie de son aide et m'excuse une autre fois de l'avoir fait lever si tôt. Il fait claquer ses gants de caoutchouc.

— Pas de problème.

Dans l'aquarium tout le monde dort encore, y compris le vieux pêcheur. On suspend mon stimulateur à un support de perfusion au pied du lit et on fait passer les fils sous les couvertures.

— Essayez de dormir un peu, me conseille l'infirmière au regard inquiet.

Je ne suis pas fatigué. Je lui demande un Valium, mais elle m'apprend que, tant que je n'aurai pas vu le médecin-chef, je n'ai droit à aucun médicament.

Pourquoi ça? M'en aurait-on déjà donné trop? Ou de type contre-indiqué? Mais l'infirmière refuse de s'engager dans cette discussion. Il appartient au médecin-chef de répondre à mes questions.

Helen passe un peu plus tard en matinée. On lui a téléphoné après le petit déjeuner pour l'informer qu'on m'avait implanté un stimulateur. Mais pourquoi a-t-on attendu après l'intervention pour l'aviser? Aussi absurde que cela puisse paraître, il semble qu'on ne voulait pas la troubler en lui téléphonant trop tôt. Nous discutons de la question très sérieusement, comme d'une affaire louche.

En fin de journée, je commence à éprouver des sensations des plus étranges : une suite de contractions pectorales accompagnées d'inquiétants spasmes cardiaques. Une infirmière examine mon moniteur, puis s'en va chercher de l'aide. Elle revient avec un interne et une autre infirmière qui, à leur tour, scrutent l'appareil. En fait, tous ceux qui sont dans la chambre peuvent observer mon satané moniteur, excepté moi.

Pendant que tous les spécialistes sont dans le corridor en train de discuter de mon cas *sotto voce,* je me lève, décroche le boîtier et tourne le cadran à zéro. Mes problèmes sont résolus instantanément. Un stimulateur cardiaque peut donc s'emballer! Je le remets sur le support, me recouche, puis attends la fin de la conférence.

Ils ont décidé de faire prendre une radio. En cas de doute, rabattez-vous sur les rayons X! Un appareil remorquant à sa suite une minuscule conductrice rousse fait bientôt son entrée. « Asseyez-vous! Tenez ceci! Ne bougez pas! Prenez une profonde respiration! Retenez-la! Ça y est! » Et elle s'en va développer la pellicule.

Comme après l'examen des radios, personne n'est plus avancé et que mon moniteur ne révèle plus aucune anomalie, tout le monde conclut que la crise est passée. Je fais une bonne nuit de sommeil.

Le matin suivant, après le petit déjeuner, je reçois la visite du médecin-chef, un homme d'âge mûr qui porte des verres à monture d'acier de style très sobre. Après avoir jeté un œil sur les radios, il soulève les couvertures, débranche le stimulateur, retire le cathéter et referme l'artère.

— Une sensation étrange, n'est-ce pas?

— Très étrange.

— Ça ne m'étonne pas, il était mal placé.

— Je l'ai fermé la nuit dernière.

— Ah bon! je vois, me répond-il en souriant. Saviez-vous que vous ne tolériez pas l'Indéral?

— Pas plus de quarante milligrammes par jour.

— Vous auriez dû le dire!

— Mais c'est ce que j'ai fait.

Deux erreurs en moins de vingt-quatre heures: les hôpitaux sont des endroits dangereux. Des gens y meurent chaque jour et même ceux qui sont en santé ne sont pas épargnés.

Les résultats de mes analyses de sang sont négatifs. Je n'ai pas fait de crise cardiaque, mais on décide tout de même de me garder en observation pendant une autre semaine... juste au cas.

Le lendemain du Jour de l'An, muni de deux nouvelles ordonnances, je quitte enfin l'hôpital.

En arrivant à la maison, avant même de ranger mes affaires, je me dirige vers l'armoire à pharmacie de la salle de bains. Les uns après les autres, je vide tous les contenants de plastique dans la cuvette : les Valium, le Motrin, la codéine, l'Indéral, l'Anturan, la Digoxine, le Tylénol, l'Anacine et l'aspirine. Puis je déchire mes prescriptions en minuscules morceaux, les jette avec les médicaments et tire la chasse d'eau. Tout disparaît à jamais, dans les égouts.

Épilogue

Halifax, Canada
2 août 1982

Certains handicaps sont difficiles à accepter. Je suis toujours pris de vertiges et de nausées d'intensité variable. Je ne peux plus faire de longues balades en voiture, de voyages en avion, de voile ni aucune activité physique prolongée sans craindre d'être malade. Quelque chose d'anormal s'est-il passé lorsque j'étais branché sur le cœur-poumon artificiel qui aurait causé ce déséquilibre neurologique? Je ne le saurai jamais.

Toutefois, je sais très bien que je ne pourrai plus jamais piloter, courir ou nager. Jouer au tennis ou au soccer, faire une partie de balle ou de frisbee avec les enfants font partie des petits plaisirs qui me sont dorénavant interdits, à moins d'accepter d'être en proie au vertige pendant un jour ou deux. Être faible à ce point est presque ridicule.

Et il y a pire : dès que je soulève un poids de plus de vingt livres ma poitrine se déchire comme si j'étais sur le point de faire une crise. Pendant un an, j'ai cru que ces douleurs étaient dues à la maladie, que je ne serais plus jamais que l'ombre de moi-même et passerais le reste de mes jours à craindre l'inévitable.

J'ai découvert par hasard que dans un cas de chirurgie de pontage sur cent, le cartilage qui soude les côtes au sternum ne se cicatrice pas normalement. Les chirurgiens n'aiment pas discuter du sujet.

Au lieu de se soulever avec les côtes selon un mouvement horizontal à chaque respiration, le cartilage endommagé fléchit verticalement dès qu'un effort est exigé des muscles des bras ou des épaules. Lever ou transporter un poids un peu trop lourd déclenche des douleurs intolérables qu'on pourrait facilement confondre avec de l'angine ou une crise cardiaque.

Pour combattre ce mal, les médecins prescrivent du Motrin ou de l'aspirine. Mais, non merci, je me débrouillerai sans ces saletés.

Heureusement, je peux marcher. Et c'est ce que je fais chaque jour, beau temps, mauvais temps, peu importe la saison. Je peux maintenant parcourir au moins trois milles d'un pas rapide parfois même cinq, avant d'être pris de vertiges. La marche est devenue une habitude.

Chaque fois que j'apprends que la dernière célébrité à avoir subi un pontage se sent « merveilleusement bien » et est de nouveau sur pied quelques semaines seulement après son opération, je ne peux m'empêcher de grimacer.

Mon œil! Qu'on ne vienne pas m'en conter! Je veux bien admettre qu'il y ait quelques exceptions, mais d'après mon expérience et celle des autres membres de notre « confrérie », la plupart ne se sentent pas mieux que moi. Ils ont mal et ce, pendant très très longtemps.

J'ai mis un an à me remettre des effets de l'opération, à guérir, à recouvrer mes forces et à comprendre les causes des diverses douleurs intermittentes qui m'ont harcelé durant mon rétablissement. Puis il m'a fallu encore six mois pour accepter ces nouveaux handicaps.

Cela valait-il la peine? Si c'était à recommencer, prendrais-je la même décision?

Sans hésiter.

Choisir l'autre possibilité, c'est renoncer à l'espoir.

D'ailleurs, les avantages sont considérables. J'ai retrouvé

l'émerveillement de mon enfance : chaque perception est redevenue un véritable plaisir. J'ai oublié l'indifférence sophistiquée du monde des adultes. Mon rythme de vie a changé. Il n'y a plus jamais urgence, car rien n'est si important que ce ne puisse attendre une heure, un jour ou même une semaine. Je refuse de me laisser bousculer, de recommencer le même vieux jeu, et j'ai pitié de ceux qui n'ont pas encore compris la différence entre la nécessité et le choix.

Peut-être dois-je mes nouvelles dispositions à l'atmosphère de ce coin de pays où tout évolue lentement, au rythme des marées, ainsi qu'aux valeurs des gens d'ici qui jugent leur homme à la façon dont il fait face à l'adversité. Des valeurs que les habitants de nos jungles bureaucratiques et d'affaires ont oubliées depuis longtemps.

Je me sens enfin chez moi.

La tombée du soir comble mes sens. Des nappes de brouillard transportent dans la ville la riche odeur de l'océan et voilent les guirlandes des réverbères. Dans le port, la corne de brume se plaint tristement de sa grave voix de basse. La magie règne sur tout.

Très loin, sur la côte Atlantique, la seconde partie de ma vie se lève, riche de promesses. Pendant encore un temps, je ne sens pas la venue de la nuit.

Lithographié au Canada
sur les presses de
Métropole Litho Inc.